Beiträge zur Religionsgeschichte
Band 2

Gerlinde Sirker-Wicklaus

Untersuchungen zu den Johannes-Akten

Untersuchungen zur Struktur, zur theologischen Tendenz und zum kirchengeschichtlichen Hintergrund der Acta Johannis

Verlag M. Wehle · Witterschlick/Bonn
1988

CIP-Kurztitelaufnahme der Deutschen Bibliothek

Sirker-Wicklaus, Gerlinde:
Untersuchungen zu den Johannes-Akten : [Unters. zur Struktur, zur
theol. Tendenz u. zum kirchengeschichtl. Hintergrund d. Akta Johannis]
/ Gerlinde Sirker-Wicklaus. – Witterschlick/Bonn: Wehle, 1988
    (Beiträge zur Religionsgeschichte ; Bd. 2)
    Zugl.: Bonn, Univ., Diss., 1988
    ISBN 3-925267-17-4
NE: GT

1. Auflage 1988

© Verlag M. Wehle, Hauptstr. 240, 5305 Witterschlick/Bonn, 1988

Gesamtherstellung: Druck und Verlag M. Wehle, Witterschlick/Bonn

Dem Andenken meiner Mutter

Asta Wicklaus

INHALTSVERZEICHNIS

·EINLEITUNG

Mit dem Thema "Untersuchungen zur Struktur, zur theologischen Tendenz und zum kirchengeschichtlichen Hintergrund der Acta Johannis" soll dieses Werk unter einer
dreifachen Fragestellung behandelt werden, deren Ziel
es ist, die Bedingungen zu erhellen, aufgrund derer ein
Entstehen der AJ möglich war. D.h., daß die drei Teil-
aspekte letztlich einem übergeordneten Aspekt zugeordnet
werden müssen, der den Text in seiner Gesamtheit als
Zeichen eines Verstehens des Christentums in Lehre und
Lebensgestaltung wertet, für das der Apostel Johannes
als Träger vor Augen geführt wird.

Der erste Teil der Untersuchung beschäftigt sich mit der
Struktur der AJ, indem nach den Einzelelementen und ihrem
Zusammenwirken gefragt wird, um so "die gegenseitige Durchdringung und Zuordnung der Teile zu einem geschlossenen
Ganzen"[1] zu erfassen. Die Arbeit versucht, die einzelnen Punkte für sich zu behandeln, jedoch in dem Bewußtsein,
daß diese schematische Trennung eine künstliche ist, die
ihre Rechtfertigung nur in der methodischen Notwendigkeit hat.

Ausgangspunkt nicht nur dieses ersten Abschnittes ist das
Werk in seiner jetzigen Gestalt, wobei zugleich versucht
werden soll, vorgegebene Traditionen sichtbar zu machen.

JUNOD/KAESTLI, deren Neuausgabe der Acta Johannis
die textliche Grundlage dieser Arbeit ist,[2] sehen das
Werk als redaktionell uneinheitlich. Sie trennen die
Kapitel 94-1o2 und 1o9 von den anderen Kapiteln als un-

---

1) v. WILPERT, Gero: Sachwörterbuch, p.683.
2) Acta Johannis, hrsg. JUNOD/KAESTLI (zitiert als
   Junod/Kaestli: Acta)

terschiedlicher Herkunft ab. Wenn diese Arbeit dennoch
in der Auseinandersetzung mit den AJ von einer redak-
tionellen Einheitlichkeit ausgeht, so geschieht dies
deshalb, um unter Berücksichtigung der unterschiedlichen Weise des analytischen Umgangs mit dem Text be-
gründend innerhalb der einzelnen Abschnitte zu den
Ausführungen von JUNOD/KAESTLI Stellung nehmen zu können.
Unter Einbeziehung der vorliegenden Einzelergebnisse
soll dann die Frage der Einheitlichkeit noch einmal
abschließend zusammenfassend dargestellt werden.

1. Bei der Behandlung des Aufbaus der AJ geht es um
die Einsicht in das Kompositionsprinzip. D.h., es wird
nach der Zuordnung der Einzelteile[1] zueinander aufgrund bestimmter Fügungselemente gefragt. Ziel dieses
Teils ist die Erkenntnis von Ordnungsprinzipien, die
bei der Gestaltung des Gesamtwerkes wirksam werden.

2. Die Frage nach dem Stil bzw. der inneren Form richtet
sich auf die Erkenntnis der Formung der Sprache, der
Darstellungsweise, die erstens durch den Zweck des Werkes, zweitens durch die Gestaltungskraft des Verfassers
bestimmt ist.

3. In diesem ersten Teil kann sich die Untersuchung des
Inhaltes nur mit dem stofflichen Ablauf beschäftigen. Begreift man sie darüberhinaus als Frage nach dem Gehalt
im Sinn einer Weitergabe des christlichen Kerygmas in
bestimmter Ausprägung, was legitim und notwendig ist,
so ist dies erst am Schluß der Untersuchung zu beantworten.

4. Die Gattungsbestimmung der AJ bezieht sich auf

---

1) Dieser Begriff zielt hier nicht auf eine form- oder
   überlieferungsgeschichtliche Fragestellung, sondern
   begreift Einzelteile als durch Erzählschnitte ent-
   standene Komplexe.

das Werk in seiner jetzt vorliegenden Gestalt, dessen
Tendenz der Vf. die einzelnen Teile seines Werks dienstbar zu machen versucht.[1]

Im zweiten Teil der Arbeit soll der theologische Aussagegehalt der AJ verdeutlicht werden, und zwar geht
es zunächst nicht um eine theologiegeschichtliche Einordnung des Werkes, sondern um die ihm eigene theologische Zielrichtung. Innerhalb dieses Abschnittes sind
verschiedene Themen zu behandeln, wobei auch die Untersuchungen theologisch relevanter Begriffe hier ihren
Ort haben:
- die Anthropologie als Frage nach dem Wesen des Menschen, das sich in seinem Leben in der Welt, in seinem Verhältnis zur Welt und zur Transzendenz darstellt
- die Christologie als Frage nach der Auffassung vom
  Kyrios
- die Soteriologie
- die Ethik
- die theologische Wertung des Apostels
- die Auseinandersetzung mit der heidnischen Umwelt
- die Untersuchung des Gemeinschaftslebens, da dieses
  nicht nur als organisatorische Form, sondern als
  sichtbarer Ausdruck der Herrschaft Christi über die
  Lebensgestaltung begriffen werden muß.

Weiterhin soll versucht werden, die theologische und
kirchengeschichtliche Stellung der AJ zu klären. Damit

---

1) Damit wird eine Frage aufgegriffen, die bei den Evangelien gestellt wird. Für Mk etwa hat BULTMANN dieses Prinzip in dem Versuch gesehen, das hellenistische Kerygma von Christus mit der Tradition über die
   Geschichte Jesu zu verbinden (Geschichte, p. 372 f.).
   Vorausgesetzt ist damit, daß wir es bei den AJ
   "mit der schriftlichen Fixierung volkstümlicher Überlieferung zu tun" haben, mit einem Vorgang also, den
   man in Analogie zu den Synoptikern setzen darf (vgl.
   SCHNEEMELCHER, W. und SCHÄFERDIEK, K.: in: Apokryphen,
   Bd. 2, p. 116).

-4-

wird an dieser Stelle über die AJ selbst hinausgegan-
gen, insofern bisher versucht wurde, das Werk aus sich
selbst heraus zu erhellen, jetzt aber der theologische
und geistesgeschichtliche Verstehenshorizont geklärt
werden soll. STURHAHN z.B. legt den AJ insgesamt ein
gnostisches Welt – und Daseinsverständnis zugrunde, und
schon die ältere Literatur hat sich wiederholt für eine
Zuordnung zum Valentinianismus ausgesprochen.[1] Mit
der Aufnahme dieser Ergebnisse wird neben der Frage ihrer Angemessenheit zugleich die Herkunft der Traditionen erneut verhandelt werden müssen. Letztlich geht
es also darum, die geistigen und geschichtlichen Voraussetzungen zu erhellen, die eine Verwendung vorgefundenen Gedankengutes ermöglichten.

Unter diesem Aspekt soll auch der Versuch einer kirchengeschichtlichen Einordnung unternommen werden, bei der
Intention und Verwendungssituation des Werkes geklärt
werden sollen. Auf der Grundlage der bisherigen Untersuchungen läßt sich schließlich punktuell etwas zum
allgemeinen Geschichtsverständnis der AJ anführen.

In der abschließenden Zusammenfassung soll deutlich
werden, daß die Analyse des Werkes in Themenkreisen
stets das eine Thema des Verständnisses von christlicher Lehre für die Lebensauffassung und -gestaltung vor
Augen hatte.

---

1) STURHAHN, C.L.: Christologie; LIPSIUS, R.A.: Acta I,
523 ff., ZAHN, Th.: Wanderungen, p.211 ff.; vgl. auch
JONAS, H.: Gnosis, Bd. 1, p.8 f., der jedoch darauf
verweist, daß es primär nicht um eine literarische
oder sonstwie stoffliche Abhängigkeitsbeziehung geht,
sondern um ein "Bestimmtsein aus dem Grunde einer
faktischen Daseinshaltung, das jene stofflichen
Beziehungen erst trägt und in ihrer inneren Bedeutung
bestimmt."

1. Die Struktur

Die Frage nach der Komposition der AJ stellt sich zunächst als Frage nach der Geschlossenheit der Handlung.
Während M. BLUMENTHAL zu der Feststellung kommt: " ...
in der Tat scheitert jeder Versuch, die AJ in Einzel-
stücke aufzulösen",[1] und also von einer durchgehenden
einheitlichen Handlung spricht, findet sich in der
Dissertation von R. SÖDER das gegenteilige Ergebnis:
"Daß auch die AJoh ebenso wie etwa die Περίοδοι θωμᾶ
in verschiedene πράξεις , also Einzelerzählungen, ein-
geteilt waren, erhellt sich schon aus den wenigen, noch
erhaltenen Überschriften der einzelnen Stücke, wie ἀπὸ
Λαοδικείας ἐν Ἐφέσῳ τὸ δεύτερον (c. 58); περὶ τῆς μετα-
στάσεως αὐτοῦ (c. 106). Und was an Einzelerzählungen
selbst noch vorhanden ist, sind lauter Einzelbegeben-
heiten von des Apostels Aufenthalt, zumeist in Ephesus."[2]

BLUMENTHAL kommt zu der Aussage der Einheitlichkeit
aufgrund seiner Gliederung der AJ, die er zunächst als
Dreiteilung bestimmt:
" I Erster Aufenthalt in Ephesus, c. 18-55
   II (Besuch der sechs Städte, erhalten nur:) der Auf-
      bruch vom letzten Ort und ein Reiseerlebnis,
      c. 56-61
   III Zweiter Aufenthalt in Ephesus, c. 62-115"[3]
Diese Dreiteilung fächert er sodann wieder in eine Zwei-
gliederung auf.[4] Anzuführen ist jedoch noch eine Anmerkung BLUMENTHALS, die zumindest auf seine eigene Behauptung der Einheitlichkeit und auf die Frage, aus welcher Quelle diese Einheitlichkeit denn nun gespeist
wird, sowie auf die Behauptung der Verbindung zur kano-

---

1) BLUMENTHAL, M.: Formen, p.25.
2) SÖDER, R.: Apostelgeschichten, p.191.
3) BLUMENTHAL, M.: a.a.O., p.25.
4) Ebenda.

'nischen AG ein bezeichnendes Licht wirft. Er schreibt
zu den Ausführungen, daß sich die APe und die AJ an die
von Lk geschaffene Form anschließen: "Bei unseren Typen
handelt es sich, gemessen an den großen Historikern
des Altertums, beide Male um lose Kompositionen; wir
aber haben hier die Aufgabe, zwischen mehr oder weniger
'lose'zu unterscheiden; und da hat die AG mit den Akten
unseres ersten Typus gegenüber dem zweiten eben doch
die größere Geschlossenheit gemeinsam."[1] - Die Behauptung der Geschlossenheit der Handlung ergibt sich also
nicht aus objektiven Kriterien, sondern ist, wenn überhaupt anwendbar, nur relativ zu sehen.

Von einer Geschlossenheit der Handlung gehen ebenfalls
JUNOD/KAESTLI aus: "Mais l'auteur ne juxtapose pas plate-
ment les éléments de son récit; il établit entre eux
un réseau de relations qui confèrent à la narration un
caractère animé."[2] Zur Begründung verweisen JUNOD/KAESTLI
zunächst auf "le rôle des correspondances"[3] im Text
der AJ:

- Einer Episode, die sich im Haus vor dessen Einwohnern
  abspielt, folgt eine Episode, die ihren Ort an einem
  öffentlichen Platz vor einer Menschenmenge hat. Als
  Beispiel nennen JUNOD/KAESTLI c. 18-29 verglichen mit
  c. 3o-36, ferner c. 37-45 verglichen mit c. 46-47.[4]
- Von einer Entsprechung ist ebenfalls bei dem Zusammenhang von Krankheit etc. einerseits und Bekehrung andererseits zu reden. "Au drame réaliste et spectacu-
  laire correspond un drame spirituel et secret."[5]

Um den inneren Zusammenhang weiter sichtbar zu machen,

---

1) BLUMENTHAL, M.: a.a.O., p. 78 f., Anm. 4.
2) JUNOD/KAESTLI: Acta, p. 427.
3) Ebenda.
4) JUNOD/KAESTLI: Acta, p.428.
5) Ebenda.

grenzen JUNOD/KAESTLI sieben Teile der AJ (c. 18, 25,
37, 45, 55, 58-59, 62) als "les scènes de transition"
aus[1] und ordnen ihnen drei Merkmale zu:
- "ils assurent la transition entre deux épisodes
  distincts (ch.18. 37. 55. 58-59.62) ou entre les
  deux parties d'un même épisode (ch. 25.45);
- ils se réfèrent à un déplacement de Jean, d'une
  ville à une autre, ou d'un lieu à un autre à l'in-
  térieur d'une même ville;
- ils sont traversés par une même opposition: l'apôtre
  doit-il poursuivre son itinéraire missionaire ou
  demeurer dans le lieu où il vient d'agir?"[2]

Die hier aufgestellten Merkmale betonen einen formalen,
einen lokalen und einen formal-inhaltlichen Aspekt.
Darüberhinaus sehen JUNOD/KAESTLI in der Gegenüberstellung
des Bleibens oder Weiterziehens zwei Aspekte der Mission
des Apostels: "Si l'apôtre doit aller d'un lieu à l'autre,
c'est pour permettre la conversion des « serviteurs du
Seigneur ». S'il doit demeurer un certain temps en un
endroit donné, c'est pour assurer l'édification des frères."[3]
Betrachtet man unter diesen Gesichtspunkten die genannten
Kapitel, so lassen sich die Aussagen von JUNOD/KAESTLI
wohl kaum aufrecht erhalten. C. 18: Der Aufenthalt in
Milet dient allein einer Ruhepause (c. 18,4 f.), von
einem pastoralen Zweck steht nichts in diesem Kapitel.
Dieser findet sich vielmehr akzentuiert in c. 25, nur
fehlt dort der von JUNOD/KAESTLI vorausgesetzte Sinn des
gegenteiligen Handelns, des Weggehens um der Mission
willen. In c. 25 handelt es sich nicht darum, ob der
Apostel seinem Missionsweg folgt, wenn er das Haus des

---

1) JUNOD/KAESTLI: Acta, p. 428.
2) JUNOD/KAESTLI: Acta, p. 429.
3) JUNOD/KAESTLI: a.a.O., p. 432.

Lykomedes verläßt, sondern es geht schlicht darum, daß
der Apostel sein Quartier bereits bestellt hat.[1]
C. 37 erfüllt die von JUNOD/KAESTLI aufgestellten Merkmale auch nur bedingt. Smyrna ist zwar ein neues Missions-
feld, aber das Anliegen in Ephesus ist nicht die Glau-
bensstärkung, sondern ebenfalls die Mission, wenn auch
in einer schon auf der Reise erreichten Stadt. Erst
in c. 45 treten beide Motive auf. C. 55 hingegen betont
den Missionsauftrag, ihm entgegen steht aber nicht die
Stärkung der Glaubenden, sondern das Gebot Gottes, sich
nicht nur an einem Ort aufzuhalten, unterstützt die
Bitte der Smyrner. In c. 58-59 zieht der Apostel von
einem Missionsort zu bereits Bekehrten zurück, um sie
im Glauben zu stärken. Auch hier ist der Gegensatz Mission-
Glaube nicht zu finden. C. 62 schließlich beschreibt die
Ankunft des Joh. in Ephesus, die von der Freude der
Gläubigen getragen ist.

Überblickt man die von JUNOD/KAESTLI als "transition"
apostrophierten Kapitel im zugehörigen Kontext, so zeigen sie sich als Einleitungs- (c. 18, 37, 55) und Abschluß-
kapitel (c. 25, 45, 58-59, 62) von Einzelerzählungen.

Das System, das den Erzählungen der AJ zugrunde liegt,
ist literarisch unkomplizierter als in der Annahme von
JUNOD/KAESTLI. Der Verfasser unterlegt den AJ einen Rei-
seweg des Apostels, der Ortswechsel ist damit zwangsläufig gegeben. Die korrespondierende theologische Aussage

---

1) JUNODs/KAESTLIs Ausführung zur "Wohnungsfrage"
   in Ephesus erscheint als Überinterpretation:
   "... cette question de logement est destinée à mettre
   en évidence la disponibilité de l'apôtre dans l'
   exercise de sa mission."
   (Acta, p. 439).

aber ist sehr anspruchsvoll: Der Weg des Apostels ist
der von Gott vorgeschriebene Verlauf seines Auftrags. Nur
unter diesem Aspekt kann man an dieser Stelle von einer
Systematik der Abfassung reden. Ihr unterliegen die
Einzelerzählungen. Eine Geschlossenheit der Handlung ist
darin nicht einbegriffen. Sie setzt vielmehr drei Punkte
voraus:

1. Die Reihenfolge der berichteten Geschehnisse ist
   nicht vertauschbar, da den Erzählpassagen ein bestimmter Stellenwert im Ganzen des Werks zukommt, so daß
   ihre Anordnung sich aus dem Verlauf der AJ mit zwin-
   gender Notwendigkeit ergibt.

2. Falls dem Verfasser ursprünglich getrennte Einzel-
   überlieferungen vorgelegen haben, so hat er diese
   so aufeinander bezogen und miteinander verwoben, daß
   jede einzelne Erzählpassage kompositorisch derart
   mit den anderen verknüpft ist, daß eine Herauslösung
   aus dem Kontext nicht nur die Gesamtkomposition, sondern auch die des einzelnen Erzählabschnittes störte.

3. Die einzelnen berichteten Begebenheiten entfalten
   ihre Aussage nur dann vollständig, wenn sie im Rahmen ihres Kontextes betrachtet werden. D.h.: Der Gehalt der Einzelgeschichte wird wesentlich vom Kontext
   mitgetragen.

Die Einzelerzählungen der AJ lassen sich austauschen
und durch weitere ergänzen. Geschlossen sind die AJ im
Rahmen der bisherigen Betrachtung nur in Hinblick auf
den Auftrag des Apostels und seinen Tod als Ende dieses
Auftrags zu nennen.

1.1. Aufbau und Inhalt

Eine unter inhaltlichen Kriterien vorgenommene Gliederung der AJ zeigt drei Teile: Wundertaten des Apostels,
die zwischen sie eingeordnete Evangeliumsverkündigung,
die Erzählung über den Tod des Apostels. Allen Teilen
sind längere Gebete und Reden beigegeben, die häufig als

˙das eigentliche Skopus anzusprechen sind.

Die Wundergeschichten gliedern sich in Totenauferwek-
kungen (c. 19-25; 46-47; 48-54; 63-86), Heilungen
(c. 3o-37), Tierwunder (c. 6o-61) und Schauwunder
(c. 37-45; 93) auf. Bei den Gebeten können Bittgebete
(c. 21; 22; 41; 51; 64; 75; 79; 82; 1o8), Dank- und
Preisgebete (c. 23; 43; 77; 85; 1o9; 112 ff.), bei den
Reden belehrende Reden (c. 29; 33-36; 39; 54; 67-69; 81;
1o3 f.; 1o6-1o7;), Klagereden (c. 2o; 21; 3o), Konfessionen Bekehrter (c. 44; 76; 82) und Reden von Erscheinungen (c. 18; 19; 73) unterschieden werden.

Der Rahmen, in den diese verschiedenen Textsorten eingebracht sind, läßt sich recht einfach zusammenfassen:
Der Apostel zieht heilend und Tote auferweckend umher,
verkündet einem auserwählten Kreis das Evangelium und
vollendet sein Leben nach vollbrachtem Werk in einem
friedlichen, zuvor gewußten Tod. Die Einzelerzählungen
sind an seine Person gebunden, er ist˙ der Träger der
inhaltlichen Aussagen. In diesem Sinn ist auch die
Thematisierung der AJ unter dem Zeichen der Missionierung
von kleinasiatischen Städten durch den Apostel zu verstehen (c. 18; 22; 37; 55; 1o2), allerdings bedarf
sie dabei immer wieder einer Extremsituation, durch
deren Lösung sie erfolgreich verläuft. Der Apostel muß
sich als Wundertäter erweisen, soll seine Mission nicht
scheitern (c. 21).

Hier ordnet sich auch ein wesentliches Leitmotiv seiner
Verkündigung ein: Jesus Christus, der von ihm verkün-
digte Gott, als Helfer in leiblicher Not. Die in seinem Namen erfolgte Heilung oder zumeist Auferweckung
wird jedoch insofern "transzendiert", als sie ihre eigentliche Sinngebung erst durch die Bekehrung erhält,
allerdings erscheint eine Bekehrung ohne diese sichtbaren Machterweise unmöglich. Als weiteres leitendes Motiv ist die Proklamierung eines asketisch bestimmten

Lebens zu sehen, dessen Wurzeln in einer dem Dualismus
von Leib und Seele verhafteten Anthropologie liegen. Die
Missionsrede in c. 33-36 bringt neben Mahnungen wegen
sittlicher Verfehlungen eine allgemeine Abwertung alles
Irdischen. Dies mag insofern im Dienst eines Erlösungs-
gedankens stehen, als das Irdische und damit alle irdischen Beziehungen als Fehlentwicklungen zu betrachten
sind. Der Erlösungsgedanke erfährt so in seiner ausschließlichen Ausrichtung auf die Befreiung vom Irdischen eine Verengung.

Neben dem aretologischen Element und dem Motiv der Wan-
derung hat R. SÖDER in ihrer Untersuchung über die AGG
das tendenziöse, das erotische und das teratologische
Element aufgezeigt, die in den verschiedenen AGG jeweils
mit unterschiedlichem Gewicht und verschiedener Breite
der Schilderung vertreten sind.[1] - Ferner finden sich
in den AJ die auch schon von R. SÖDER erwähnten Motive
der Verfolgung - Drusiana in einer erotisch-asketischen
Episode, der Volksmenge - Heilung der alten Frauen im
Theater, der Hilfe in höchster Not, der Träume.

Diese Elemente bzw. Motive inhaltlicher Gestaltung dienen einem zweifachen Zweck. Sie schaffen eine Spannungs-
lage, die den Leser der damaligen Zeit in die Unmittelbarkeit des Erlebens wunderbarer Ereignisse einbezieht,
und sie dienen unter diesem Aspekt der lesend erlebten Gleichzeitigkeit neben der apostolischen Bürgschaft
der Beglaubigung des Berichteten. Gleiches gilt auch
für die Evangeliumsverkündigung.[2] Ihre inhaltlichen

---

1) Für die AJ vgl. bei R. SÖDER: Apostelgeschichten,
   p. 29 f., 59, 71, 91, 98, 111, 114, 117, 123, 140
   Anm. 26, 143, 161 f., 175, 179 Anm. 11.
2) Von R. SÖDER wird die Evangeliumsverkündigung als Ne-
   benerzählung bezeichnet (a.a.O., p. 214 f.); dieser
   Terminus wird in Bezug auf den Fortgang der Handlung
   gewählt, eine Aussage über die inhaltliche Wertigkeit im Gesamtkontext ist damit nicht vorgenommen.

Züge lassen sich ähnlich wie die des übrigen Textes
klassifizieren, obwohl, wenn man von den berichteten
Fakten ausgeht, der Bezug zu den kanonischen Evangelien
durchaus gewahrt ist: Jüngerberufung, Verklärung, Wunder,
Kreuzigung. Ihre Ausgestaltung und Tendenz geht unter
christologischem und soteriologischem Aspekt jedoch
in eine gänzlich andere Richtung.

Zum Inhalt der AJ lassen sich folgende Thesen aufstellen,
die im weiteren jeweils wieder genauer untersucht werden:
1. Die Erzählungen der AJ tragen beispielhaften Charakter. An ihnen wird deutlich, daß Jesu Botschaft
   und seine und des Apostels sichtbare Machterweise
   den Menschen aus einer von ihm selbst nicht mehr zu
   meisternden Notlage befreien, deren Wurzeln in der
   Bindung an körperliche Vorfindlichkeit liegen.
2. Der Apostel erweist in der Ausübung seiner Tätigkeit seine enge Verbundenheit zu Jesus und wird zum
   Typus des Erlösten. So dienen die Erzählungen von
   der Missionierung wichtiger Städte Kleinasiens durch
   den Apostel Johannes seiner Glorifizierung als Wundertäter und Vertrauter des von ihm verkündeten Herrn.
3. Damit ist die notwendige Voraussetzung für die Ver-
   bürgung der theologischen Aussagen und ihrer Zielrichtung gegeben.
4. Weder in den erzählenden Passagen noch in den Gebeten, Reden oder in der Evangeliumsverkündigung findet sich eine expressis verbis geführte Auseinandersetzung um theologische Lehrinhalte.
5. Kennzeichnend für den Inhalt der AJ ist das In- und
   Nebeneinander von Unterhaltung, Appell und Belehrung;
   letzteren dienen in besonderer Weise die Reden und
   die Evangeliumsverkündigung.

JUNOD/KAESTLI versuchen aufgrund meist textimmanenter

Hinweise eine Rekonstruktion des Inhalts.[1] Sie kommen
zu dem Ergebnis, daß zu dem überlieferten Bestand der
AJ fünf verlorene Textabschnitte hinzugehören.[2] Die
Anordnung des überlieferten Bestandes stimmt mit der
von SCHÄFERDIEK vorgenommenen überein.[3] Hinsichtlich
der vermuteten Lücken ergibt sich gegenüber SCHÄFERDIEK
innerhalb des Reiseberichts von Ephesus nach Laodicea eine Differenz, die auf die von JUNOD/KAESTLI aufgefun-
dene Episode von der Heilung der Söhne des Antipatros
zurückzuführen ist.

Eine sich mehr auf Einzelheiten richtende Analyse des
Inhalts läßt zugleich Kennzeichen des Aufbaus erkennen,
und zwar in Hinblick auf die Frage der Geschlossenheit
der Handlung.
Der Anfang der AJ ist nicht mehr erhalten;[4] denn die

1) JUNOD/KAESTLI: Acta, p. 76: "La reconstitution que
   nous proposons se fonde essentiellement sur des indices fournis par le récit lui-même, completés
   parfois par un témoignage externe (Psautier manichéen).
   Elle fait aussi appel à des parallèles tirés des
   autres Actes apocryphes anciens."
2) Vgl. JUNOD/KAESTLI: Acta, p. 71-1oo.
3) SCHÄFERDIEK, K.: Johannesakten, p. 141 f.
4) JUNOD/KAESTLI sehen zwei Möglichkeiten für den Beginn
   der AJ (Acta, p. 81-86).
   1. In Anlehnung an andere apokryphe Apostelakten
      könnte auch der Vf. der AJ sein Werk mit einer
      letzten gemeinsamen Zusammenkunft in Jerusalem
      begonnen haben, von wo aus die Apostel in ihre
      Missionsgebiete aufbrachen. Gestützt wurde diese
      Annahme durch den Beginn von c. 112 (p. 81 f.).
   2. Aus den AJ selbst ließe sich auch ein anderer
      Anfang konstruieren, der in der Biographie des
      Joh, wie sie c. 113 andeutet, zu finden ist (p.82-84).
   JUNOD/KAESTLI lassen diese Fragen offen: "On
   hésitera entre un récit de conversion à la virginité
   suggéré par AJ 113 ou une scène réunissant les
   apôtres à Jerusalem au cours de laquelle chacun se
   verrait attribuer une zone missionaire, l'Asie
   revenant à Jean." (p.85 f.).

von BONNET abgedruckten Kapitel 1-17 gehören nicht zum
ursprünglichen Text,[1] und ob der apokryphe Titusbrief[2]
verlorenes Gut aus den AJ bewahrt, das ist fraglich. Die
überlieferten AJ spielen in einem geographisch relativ
eng begrenzten Raum: Milet - Ephesus - Smyrna - (Lücke)-
Ephesus.[3] Innerhalb des jeweiligen örtlichen Rahmens
sind nun die Geschehnisse angesiedelt.
Kapitel 18 zeigt den Apostel auf dem Weg von Milet nach
Ephesus. Der Abschnitt bringt eine Audition des Johannes, die den Zweck der Sendung des Apostels akzentuiert;
auf sie greift Johannes später (c. 21) zurück. Die Kapitel
19-25 schildern dann die erste Tat des Apostels in Ephesus:

---

1) Vgl. SCHÄFERDIEK, K.: Johannesakten, p. 13o f.
2) SCHÄFERDIEK, K.: a.a.O., p. 139. Die Zeilen 436-44o
   (SCHÄFERDIEK, K.: a.a.O., 139 f.; JUNOD/KAESTLI:
   Acta, p. 139) gehen sowohl nach SCHÄFERDIEK (ebda) wie
   auch nach JUNOD/KAESTLI (a.a.O., p. 96) auf die Metastasis (c. 113) zurück. Während SCHÄFERDIEK der
   Frage der Zugehörigkeit der beiden anderen Teilstücke
   (444-449; 458-477) nicht ablehnend gegenübersteht
   (a.a.O., p. 14o), rechnen JUNOD/KAESTLI sie mit großer Wahrscheinlichkeit zum ursprünglichen Bestand der
   AJ, wobei sie sich für die Zeilen 444-449 auf den
   Namen ὁ ἥρος beziehen (a.a.O., p. 97). Seinen Platz
   hätte dieses Teilstück entweder in Lücke I oder Lük-
   ke V (vgl. auch JUNOD/KAESTLI: a.a.O., p. 143). Aufgrund eines Vergleiches mit den Thomasakten und
   unter Einbeziehung ihrer Interpretation von AJ 59,
   6-7 ordnen JUNOD/KAESTLI das letzte Teilstück aus dem
   Titusbrief (458-477) der Bekehrung von Aristobula
   und Tertullus zu (p. 143 ff.), ohne den Ort innerhalb der AJ näher bestimmen zu können (p. 98:
   "La place de cet épisode dans le AJ ne peut pas
   être déterminée.") - Insgesamt ziehen JUNOD/KAESTLI
   für die drei Teilstücke folgenden Schluß: "L'auteur
   de la Lettre du Ps - Tite ne traduit pas ces « citations » à partir du texte grec, mais il dispose
   certainement d'une traduction latine. Avec ces trois
   « citations » prises à des épisodes différents des
   AJ, il nous apporte un témoignage sur l'existence
   plus que probable d'une version latine intégrale
   des AJ en Espagne au V e siècle." (p. 145).
3) Vgl. dazu 1.2.1.

das Wunder an Lykomedes und Kleopatra. Schauplatz der
Handlung sind das Stadttor von Ephesus und das Haus
des Lykomedes. Die Geschichte ist in sich vollkommen
abgeschlossen. Sie hat ihre Pointe in der anfangs er-
wünschten und schließlich erfolgten Rettung als De-
monstration der Macht Gottes durch den Apostel und in
der erbetenen Bekehrung der Anwesenden. JUNOD/KAESTLI
zählen die c. 18 und 25 zu den Überleitungsszenen.[1]
Abgesehen von den schon zuvor geäußerten Einwänden[2]
ist hier auf die inhaltlichen Aussagen hinzuweisen, die
beide Kapitel an den folgenden bzw. vorausgehenden Kontext binden: Doppelaudition (c. 18 und 19), die Ausrichtung auf den Apostel als Garant für den Glauben der
Neubekehrten (c. 25). JUNOD/KAESTLI relativieren selbst
die behauptete formale Funktion dieser Szenen[3] insofern,
als sie die Überschrift zu diesem Kapitel um eine
inhaltliche Komponente erweitern: "l'image qu'elles
donnent de la mission de l'apôtre",[4] die sie allerdings auf einen formal-inhaltlichen Aspekt: "partir ou
rester" verengen.[5]

Die Kapitel 26-29 bleiben in diesem Erzählrahmen: Der
Ort der Handlung ist wiederum das Haus des Lykomedes
in Ephesus, und auch die handelnden Personen wechseln
nicht. Das Schwergewicht dieser Erzählung vom Bild des
Johannes liegt in der paränetischen Rede am Schluß.[6]

---

1) Acta, p. 428 ff.
2) Vgl. Kap. 1 Struktur.
3) Acta, p. 429.
4) A.a.O., p. 428.
5) A.a.O., p. 429: "Partir ou rester: le procédé rédac-
   tionel"; a.a.O., p. 432: "Partir ou rester: les
   deux aspects de la mission de l'apôtre".
6) Vgl. dazu auch JUNOD/KAESTLI: Acta, p. 446, die die
   Kap. 26-29 wie folgt aufgliedern: 26,1-28, 5- "une
   anecdote"; 28,5-29,19- "un discours de l'apôtre".
   Auch für sie liegt das Ziel dieser Kapitel im zweiten
   Teil. "Néanmoins l'anecdote est ici un prétexte, une
   mise en scène servant d'introduction et de cadre à
   l'enseignement de l'apôtre." (p. 448).

Die Kapitel 3o-37 berichten von der Heilung der alten
Frauen in Ephesus. Der Schauplatz der vorbereitenden
Handlung ist das Haus des Lykomedes, der der Haupt-
handlung das Theater der Stadt. Die Verbindung zu dem
Vorangegangenen beschränkt sich auf die Ortsangaben
und auf den Hinweis, daß Lykomedes und Kleopatra Johannes helfen. Die mit Lykomedes zusammenhängenden
Angaben lassen sich leicht aus der Erzählung heraus-
nehmen. Ebenso locker ist die Verbindung nach vorn gestaltet. Der Verfasser bemüht eine der Hauptpersonen
einer späteren Erzählung ins Theater und läßt ihn das
Unglaubliche und Aufsehenerregende des in c. 3o erwähnten Planes herausstellen. Daß hier ein sekundärer
Eintrag vorliegt, wird deutlich, wenn man sich den
Handlungsablauf vergegenwärtigt. C. 3o spricht Johannes
davon, die kranken Frauen im Theater von Ephesus zu
heilen, in c. 32 wird dieser Plan als ein Novum hinge-
stellt, veranlaßt durch die Worte des Strategen. C.31
ist die Volksmenge im Theater versammelt, c. 32 strömt
sie erneut dort zusammen. Nimmt man nun Andronikus und
die durch ihn verursachten Dubletten heraus, so liest
sich die Erzählung ganz glatt. Ihr Höhepunkt liegt wohl
mehr in der Rede des Johannes als in dem nicht erhaltenen Bericht über die Heilung der alten Frauen. Die inhaltlichen Elemente dieses verlorenen Schlusses rekon-
struieren JUNOD/KAESTLI folgendermaßen:
1. a) Bekehrung eines Teils der Zuschauer im Theater
   b) Beschreibung der heilenden Handlung
   c) Gebet, das die Handlung begleitet.
2. Gleichzeitig dient diese Heilung " à confondre
   l'incrédulité du stratège Andronicus".[1]
Die Geschichte ist in sich abgeschlossen und trägt für
das weitere Geschehen nichts aus. Die Absicht, eine
durchgehende Handlung zu schaffen, ist durch das Auf-

---

1) Acta, p. 86.

brechen der Geschichte mit wenig geschickten Vor- und
Rückverweisen deutlich sichtbar. Nach c. 37 ist ein
längeres Textstück ausgefallen, das wohl den Anfang
der Drusiana-Geschichte, eine Erscheinung Christi vor
Drusiana und Einkerkerung und Befreiung von Drusiana
und Johannes berichtete,[1] daran schloß sich dann wahrscheinlich die Evangeliumsverkündigung an (c. 88-1o5).[2]
Der letzte Komplex, der aus verschiedenen Teilen besteht,[3] wird an dieser Stelle mit dem Stichwort der
vielgestaltigen Erscheinung Christi eingeführt und stellt
die christologische Konzeption der AJ dar.[4] C. 1o3-1o5
schließen dann wieder an die Situation an. - Der Papyrus
Oxyrhynchus 85o enthält zwei Teilstücke von Erzählungen,
die sowohl SCHÄFERDIEK[5] als auch JUNOD/KAESTLI[6] den
AJ zuordnen. Während SCHÄFERDIEK unter Betonung der Unsicherheit auf die von HENNECKE vorgenommene Einordnung
in die Lücke zu Beginn von Kap. 37 verweist, sehen JUNOD/
KAESTLI[7] den Platz dieser Fragmente zwischen den Kap. 1o5
und 37, also in der von ihnen angenommenen Lacune III.
Den Text selber kennzeichnen sie als "retouché" und "abrégé".[8]

---

1) JUNOD/KAESTLI: a.a.O., p. 1o4 ff. sehen den Grund
   für die Auslassung des Beginns der Drusiana-Erzählung
   in einer Zensur ("censure doctrinale") der AJ, die
   ihre Ursache in der betonten Ausrichtung der Begebenheit auf die Verwerfung der Ehe hat.
2) Vgl. SCHÄFERDIEK, K.: a.a.O., p. 133 und p. 15o; dieser Anordnung schließen sich JUNOD/KAESTLI aufgrund
   zahlreicher Einzelbeobachtungen an (Acta, p. 73-75).
3) Vgl. dazu 1.2.4.
4) Vgl. 2.2.
5) SCHÄFERDIEK, K.: Johannesakten, p. 139.
6) JUNOD/KAESTLI: Acta, p. 127 f.
7) A.a.O., p. 127 u. p. 9o f.
8) A.a.O., p. 129; vgl. dazu die Hinweise p. 128 f.,
   die die kirchliche Färbung des 1. Fragments und die
   lapidare Kürze des 2. Fragments im Gegensatz zur son-
   stigen Erzählweise der AJ hervorheben.

C. 37 beginnt mit dem Bericht von der Zerstörung des
Tempels der Artemis eine neue Erzählung. Der Anfang
dient der Verbindung nach rückwärts und vorwärts. Die
Brüder aus Milet und Andronikus werden erwähnt, zugleich wird mit dem Hinweis auf Smyrna der weitere Plan
des Apostels angedeutet. C. 37 dient damit der Verknüpfung ursprünglich getrennter Erzähleinheiten und
läßt sich ohne Schaden für die weitere Erzählung ab-
trennen. Die Kapitel 38-45 bilden also die eigentliche
Geschichte, die ihre Pointe in Rede und Gebet des Johannes und der daraus notwendig folgenden Zerstörung
des heidnischen Kultortes und der Bekehrung des Volkes hat. Die nun folgende Totenauferweckung ist eng
mit der Tempelzerstörung verknüpft; denn sie bringt
mit der Auferweckung und Bekehrung des Artemispriesters
den siegreichen Kampf gegen den heidnischen Kultus zu
einem krönenden Abschluß. Die Kapitel 48-54 erzählen
die Geschichte vom Vatermörder. Die Verbindung mit dem
Vorangegangenen geschieht hier äußerst locker durch
die Zeitangabe: $\tau\tilde{\eta}$ $\delta\grave{\epsilon}$ $\dot{\epsilon}\xi\tilde{\eta}\varsigma$ $\dot{\eta}\mu\acute{\epsilon}\rho\alpha$. Im Ganzen des Werkes
bringt die Erzählung erneut eine Illustration der Wun-
derkraft des *Apos*tels mit anschließender Bekehrung
des Auferweckten und des Vatermörders, die mit einer
kurzen ethischen Belehrung verbunden ist. Das Erscheinen der Wundererzählung ist durch nichts bedingt, es
trägt auch für den Fortgang nichts aus. Mit Erweckung
und Bekehrung ist sie abgeschlossen. Kapitel 55 gehört zum Reisebericht und knüpft mit der Bitte der
Smyrnäer, in ihre Stadt zu kommen, an c. 37 an. Danach
ist ein größeres Stück ausgefallen. Die bisher in diese Lücke eingebrachte Rebhuhn-Episode streichen JUNOD/
KAESTLI, an ihre Stelle setzen sie die von ihnen auf-
gefundene Erzählung von der Heilung der Antipatrossöhne.[1]

---

1) Acta, p. 67. Eine ausführliche Besprechung der Rebhuhn-Episode findet sich bei JUNOD/KAESTLI: a.a.O.,
p. 145-158. Die Argumente, die JUNOD/KAESTLI gegen
die Zugehörigkeit zu den AJ nennen, überzeugen
(p.152 ff.). Die Verfasser rechnen mit der Möglichkeit der Zuordnung dieser Erzählung zu mehreren anderen Texten, die ebenfalls ein Ereignis aus dem Leben
des Johannes berichten, von den AJ aber unabhängig
sind (p.157 f.).

Die Aufnahme in die AJ und die Einordnung begründen
JUNOD/KAESTLI in erster Linie mit dem Hinweis auf den
Ort der Handlung.[1] Den Aufbruch von Laodicea nach
Ephesus bringt dann c. 58. Mit den Namen der Begleiter
verweist der Verfasser noch einmal auf die Hauptpersonen der bisherigen Erzählungen, um so den Anschein
eines Zusammenhangs im Werkganzen zu erwecken. Zugleich
wird darin ein Topos der AJ sichtbar: Der Apostel hat
ständig Begleiter zur Seite.[2] Die Kapitel 6o-61 bringen die humoristische Erzählung von den Wanzen (Tierwunder), die der Verfasser am ersten Reisetag spielen
läßt. Ihre Pointe hat sie in der Belehrung am Schluß.
Der nun folgende Teil der AJ spielt wieder in der Stadt
Ephesus, er gliedert sich in zwei Teile. In den Kapiteln
63-86 finden wir die Erzählung von Drusiana und Kallimachus, die mit zahlreichen Reden und Gebeten durch-
setzt ist; die Drusiana-Kallimachus-Geschichte gehörte
sicherlich ursprünglich mit der nicht erhaltenen Erzählung von Andronikus und Drusiana zusammen, auf die
ja auch zurückgegriffen wird. Sie wurde vom Verfasser
aufgespalten und auf die beiden Ephesusaufenthalte ver-
teilt. Die Kapitel 1o6-11o, die durch eine Zeitangabe
mit dem Vorangegangenen verknüpft sind, enthalten den
letzten Gottesdienst des Johannes. Der Anschluß an
das Ganze des Werks erfolgt mit dem Hinweis auf die ge-
schehenen Machterweise, Wunder und Heilungen. Daran
schließt sich der Bericht vom Tod des Johannes an, dem
ein bekenntnisartiger Rückblick auf sein Leben vorauf-
geht.

Dieser Überblick zeigt deutlich,daß man wohl kaum von
einem geschlossenen Aufbau der AJ sprechen kann.

---

1) A.a.O., p. 75.
2) Vgl. SÖDER, R.: Apostelgeschichten, p.48.

1.2. Fügungselemente

Der Verfasser versucht, die recht lockere Komposition
seines Werkes mit verschiedenen Mitteln zu einer Einheit zu binden:

1. Ein äußerer Zusammenhang soll geschaffen werden
   durch
   a) die Erstellung eines geographischen Gerüsts,
   b) das Bemühen um eine zeitliche Aufeinanderfolge.
2. Der inhaltliche Zusammenhang wird sichtbar durch
   a) die Einschaltung von Reden und Gebeten,
   b) die Evangeliumsverkündigung, die als Deutungs-
      horizont des Gesamtwerkes verstanden werden muß,
   c) die Zuordnung auf den Apostel als Träger der Ver-
      kündigung. - In diesem Bereich gehört die Schaffung
      eines Personeninventars, d.h. die Bereitstellung
      von Begleitpersonen des Johannes.

Die Frage nach der Komposition der AJ muß sich also in
den folgenden Abschnitten auf die einzelnen Fügungselemente des Werkes richten.

1.2.1. Der reale Raum

Aus Ausgangspunkt der Frage nach dem Raum als epischer
Fügungskraft soll die Unterscheidung von "Raum" und
"Lokal" dienen, wie sie von Hermann MEYER in Anlehnung an
PETSCH getroffen wird: "Das 'Lokal'ist der bestimmte
Raum in seiner leeren Tatsächlichkeit, der 'Raum'im
spezifisch epischen Sinn ist geladen mit menschlichem
Sinngehalt."[1]

---

1) MEYER, H.: Raum, p. 244.

Im Sinn des "Lokals" ist der Raum als verbindendes
Element in den AJ zunächst als geographischer Rahmen
faßbar, der durch die Missionsreisen des Apostels erschlossen wird. Dieser Rahmen ist in dem überlieferten
Teil der AJ recht eng begrenzt. Im Mittelpunkt steht
die Stadt Ephesus; als weitere Stationen der Reise werden
noch Milet, Smyrna und Laodicea erwähnt. Offensichtlich
erstreckte sich die Missionsreise des Apostels aber noch
auf andere Städte (vgl. 45,1-4; 55,4-7).[1]

Mit geographischen Angaben sind innerhalb dieses Rahmens Erzählblöcke verbunden, deren Einzelerzählungen
sodann besonderen Örtlichkeiten zugeordnet sind. So
spielen die Erzählungen in Ephesus[2] an verschiedenen
Orten, die sich folgendermaßen einteilen lassen:

Orte im Freien	private Räume	öffentliche Gebäude	ohne Angabe
Auf dem Weg von Milet nach Ephesus (c.18) am Stadttor (c.19) auf freiem Feld vor der Stadt (c.48-54) vor den Toren der Stadt (Begräbnis- stätte der Christen) (c.111-115)	Haus des Lyko- medes (c.2o-31) Haus des Andro- nikus (c.46-47; c.62; c.64; c. 65-69; c.86; c. 1o6-11o) Grabkammer (c.7o-85)	Theater (c.31-37) vor dem Artemis- tempel (c.38-45)	c. 55

1) Vgl. ZAHN, Th.: Wanderungen. Er vermutet, daß sich
   der Verfasser der AJ auf die sieben Stadtgemeinden
   Asiens bezieht - Apk. 1,11.2o Die Frage nach den
   hier aufgenommenen Traditionen kann in diesem Zusammenhang unberücksichtigt bleiben.
2) Der Erzählblock "Ephesus" scheint bis auf den anfang der Drusiana-Erzählung und den Abschluß der Erzählung von der Heilung der alten Frauen vollständig
   überliefert zu sein.

Der Raum weist an keiner Stelle über sich selbst hinaus, er besitzt keinerlei Eigengewicht, sondern ist
nichts weiter als Schauplatz, "Lokal". Dies gilt in
gewisser Weise auch für den Artemistempel, der nur
durch den Namen von den Kultstätten für andere Götter
unterschieden ist.

Zusammenfassend läßt sich folgendes sagen:

1. Der geographische Rahmen insgesamt will dazu dienen, in aufzählender Form Auskunft über den Reise-
   weg des Apostels zu geben. Vordergründig gesehen,
   hat er die Funktion, die Ausbreitung des Evangeliums
   durch den Apostel Johannes zu schildern, im Gegensatz zu der kanonischen Apostelgeschichte bleibt es
   jedoch hier bei einer äußeren Strukturierung durch
   den Raum, für die innere Form der AJ trägt dieser
   Rahmen nichts aus.

2. Gleiches gilt auch für die Städtenamen und die in
   diesem Zusammenhang genannten einzelnen örtlichkeiten: ihre Funktion ist es, Haftpunkte für die jeweiligen Erzählungen zu bieten,[1] eine eigene sinn-
   tragende Bedeutung kommt ihnen - wenn überhaupt -
   nur sehr begrenzt zu; dies höchstens in dem Sinn,
   daß der Apostel bei der Verkündigung die Stätten
   heidnischen Lebens und Glaubens zur Auseinandersetzung aufsucht (Theater, Tempel).

1.2.2. Die Zeit

Der Erzähler geht insofern chronologisch vor, als die

---

1) Vgl. dazu die örtliche Verknüpfung von Ereignissen:
   der Verfasser verlegt den Anfangsbericht von der
   Heilung der alten Frauen in das Haus des Lykomedes
   (c.3o); die Geschichte vom Vatermörder - ursprünglich wohl ohne Ortsangabe - spielt vor den Toren
   der Stadt Ephesus (c.48).

AJ den Zeitraum vom ersten Auftreten des Apostels in
Ephesus bis zu seinem Tod umschließen. Eine nach Zeit-
einheiten meßbare Gesamtdauer wird jedoch weder direkt
gegeben, noch läßt sie sich indirekt erschließen. Zeitangaben finden sich meist innerhalb einer Einzeler-
zählung, wo sie etwas über deren Dauer aussagen. So
spielt die Lykomedes-Kleopatra-Erzählung an einem Tag,
während sich die Erzählung von Drusiana und Kallimachus
über mehr als fünf Tage erstreckt. Daneben stehen Angaben unbestimmten und summarischen Charakters (c.37;
πολὺν χρόνον ἐν τῇ Ἐφέσω μεμενήκαμεν; vgl. auch
c.58: χρόνου δὲ ἱκανοῦ διελθόντος).

Betrachtet man nun die von den AJ zugrunde gelegte
Zeiteinheit als Phase,[1] d.h. "als das im Erzählen ge-
bildete Gefüge eines Vorgangs, der von einem Einsatz
zu einem Ende geführt wird",[2] so sind die einzelnen
Erzählungen als Teilphasen zu charakterisieren.   Die
zuvor erweckte Vorstellung des Chronologischen ist nun
dahingehend zu berichtigen, daß die erwähnten Teilphasen keineswegs in ihrer zeitlichen Abfolge so wie dargestellt aufeinander folgen müssen. Untereinander sind
sie durch keinerlei aufeinander bezogene Zeitangaben
verknüpft (eine Ausnahme bildet der Anfang zu c.1o6),
ihre Reihenfolge ist vom Zeitfaktor her gesehen will-
kürlich. D.h., daß nur die Endpunkte der Gesamtphase
festliegen, von den einzelnen Erzählungen aber keine
die innere Gliederung des Werkes gestaltende Wirksamkeit ausgeht. Damit fällt letztlich die Zeit als Fügungselement fort, was bleibt, ist der anfangs erwähnte
äußere Rahmen zeitlicher Erstreckung.

---

1) Vgl. zu diesem Begriff: MÜLLER, G.: Zeitgerüst,
   p. 248-252.
2) A.a.O., p. 248.

1.2.3. Die Reden und Gebete

Einen breiten Raum in den AJ nehmen die Reden und Gebete ein, mit denen die einzelnen Personen bei verschiedenen Anlässen hervortreten. Bei den Gebeten lassen
sich Dank-, Preis- und Bittgebete unterscheiden; die
Reden können formal in Monologe, Reden an Einzelper-
sonen und Reden an eine Personengruppe unterteilt werden. Sie sind ferner als Klagereden, Bittreden, Belehrungen, Konfessionen und Reden von Erscheinungen zu
kennzeichnen.

Gebete

Überblick über die Stellung der Gebete im Kontext:

c. 21 und c. 22: Bitte um die Auferweckung Kleopatras

c. 24: Bitte um die Auferweckung des Lykomedes

⎫ Lykomedes und Kleopatra

c.41: Bitte um die Bekehrung der Epheser durch die Zerstörung des Artemistempels

c.42: Die Epheser bitten angesichts der Zerstörung um das Erbarmen Gottes

c.43: Dankgebet wegen der Bekehrung der Epheser

⎬ Zerstörung des Artemistempels

c.51: Bitte um die Auferweckung des toten Vaters — Vatermörder

c.57: Bitte um Heilung der Antipatrossöhne — Söhne des Antipatros

-25-

c.64: Drusiana bittet um ihren Tod

c.75: Bitte um Auferweckung des Kallimachus

c.77: Dank für die Bekehrung des Kallimachus

c.79: Bitte um Auferweckung der Drusiana — Drusiana und Kallimachus

c.82: Dankgebet Drusianas und Bitte um die Auferweckung des Fortunatus

c.85: Eucharistiegebet, in das der Dank für die Geschehnisse in der Grabkammer aufgenommen ist

c.108: Abschlußgebet nach einer Predigt — Sonntagsfeier

c.109: Dankgebet bei einer Eucharistiefeier

c.112-114: Dankgebet, in dem der Apostel persönlich durch die Rückschau auf sein Leben im Mittelpunkt steht — Tod des Johannes

Aus der Übersicht ergibt sich folgendes:
Die Funktion der Gebete im Kontext läßt sich formal
1. als handlungsauslösend (Bittgebet)
2. als handlungsabschließend (Dank- und Preisgebet) kennzeichnen, und zwar jeweils im Zusammenhang mit einem Wunder. Dabei wird der Erzählrahmen z.T. durch eine Anhäufung von Prädikationen gesprengt (vgl. c.23, c. 82, c.85).
3. Die Gebete sind insofern als strukturbildende Elemente anzusehen, als sie zumeist der Person des Apostels als Sprecher zugeordnet sind und damit einer Vereinheitlichung dienen.[1]

1) Vgl. dazu 1.2.5.

4. Die Gebete sind ferner deshalb ein Ordnungsprinzip
des Werkes, weil dieses Vorkommen der besonderen
Form menschlichen Sprechens auf die Zweipolig-
keit des Geschehens verweist - der Apostel und der
κύριος Ἰησοῦς Χριστός - und somit den Richtungssinn
verdeutlichen soll.

Die Reden

Überblick über die Stellung der Reden im Kontext:[1]

c.18:   1. Johannes erfährt durch eine Auditionseinen
        Auftrag (E,Au)

        2. Johannes nimmt diesen Auftrag an (E)

c.19:   Lykomedes bestätigt die Audition des Apostels
        durch seine mit einer Vision verbundenen
        Audition und bittet Johannes um Hilfe für
        seine kranke Frau (E,Bi)

c.2o: Lykomedes gerät in Verzweiflung über das
        Geschehen (E: 1.Joh,2.Kleopatra,3.Dike;K)   Lykomedes
                                                                      und
c.21:   Johannes antwortet auf die Klage des Lyko-   Kleopatra
        medes und verfällt selbst in Klagen über
        das Geschehen (E,Be,M,K)

c.23:   Johannes erklärt Kleopatra das Geschehen und
        verheißt Hilfe (E,Be)

c.24:   Johannes verweist auf den eigent-
        lichen Erretter des Ehepaares (P,Be)

c.25:   Lykomedes und Kleopatra bitten
        den Apostel zu bleiben (E,Bi)

---

1) Folgende Abkürzungen werden verwandt:
   Adressat der Reden;
   E = Reden an eine Einzelperson
   P = Reden an eine Personengruppe
   M = Monologe
   Charakter der Reden:
   Bi= Bittreden
   Be= Belehrungen (Reden belehrenden, ermahnenden,
       tröstenden und verheißenden Charakters)
   Au= Auditionen
   K = Klagereden
   Ko= Konfessionen geretteter Menschen

c.28-29: Johannes belehrt Lykomedes angesichts eines Bildnisses des
Apostels (E,Be - über die Situation hinausgehend)

          Bildnis des
          Johannes

c.3o: Johannes beklagt die Krankheit der
alten Frauen in Ephesus (M,K)
und erwähnt eine Audition (Au)

c.33-36: Rede des Johannes im Theater
von Ephesus vor der Heilung
der alten Frauen (P,Be - über
die Situation hinausgehend)

          Heilung der
          alten Frauen
          von Ephesus

c.44: Die Epheser bitten Johannes, in
ihrer Stadt zu bleiben (E,Bi)

c.45: Johannes entspricht der Bitte (P)

          Zerstörung des
          Artemistempels

c.46: Johannes erkennt die Gedanken der
Verwandten des toten Artemispriesters (P,E,Be)

c.47: Johannes gibt dem Verwandten die
Möglichkeit, den toten Priester
zu erwecken (E,Be), und belehrt
den Erweckten (E,Be)

          Der tote Ar-
          temispriester

c.49: Der Vatermörder bekennt sein
Verbrechen (E,K)

c.5o: Johannes verheißt eine Möglichkeit
der Errettung (E,Be)

c.53: Der Vatermörder sagt sich von seiner Vergangenheit los (E,Ko)

c.54: Johannes beurteilt die Handlungs-
weise des Vatermörders (E,Be)

          Der Vatermörder

·c.56:	Antipatros bittet Johannes, seine Söhne gegen Bezahlung zu heilen (E,Bi) Johannes verweist auf die Hilfe Gottes, die nicht mit Geld er- kauft werden kann, sofern in der Bekehrung des Bittenden ihr Ziel hat (E,Be) Antipatros bittet erneut um Hilfe (E,Bi)	Söhne des Antipatros
c.58:	Johannes verläßt Laodicia (P,Be)	Aufbruch von Laodicia
c.61:	Rede des Johannes anläßlich der gehorsamen Wanzen (P,Be)	Gehorsame Wanzen
c.67-69:	Rede des Johannes anläßlich des Todes Drusianas (P,Be - über die Situation hinausgehend)	
c.73:	Rede des schönen Jünglings (E,Au)	
c.73:	Johannes kann sich das Geschehene nicht erklären (P,indirekt Auf- schluß über die Person des Apostels)	
c.74:	Andronikus erklärt die Ereignisse in der Grabkammer (E,Bericht, gegen Ende Bi)	Drusiana und Kallimachus
c.76:	Kallimachus erklärt das Geschehene und bekennt sich als Glaubender (E,Bericht, Ko)	
c.81:	Auseinandersetzung um die Aufer- weckung des Fortunatus: 1.Drusiana bittet Johannes um die Auferweckung (E,Bi) 2.Kallimachus widerspricht Dru- siana (E,Begründung) 3.Johannes belehrt Kallimachus (E,Be)	
c.84:	Johannes klagt über die Macht des Bösen bei Fortunatus (M,K)	

c.1o6-1o7: Predigt des Johannes anläß-
lich des Sonntag-Gottesdienstes — Letzter Gottes-
(P,Be) dienst des
Apostels

c.87-1o2: Evangeliumsverkündigung des
Johannes (P,Be) — Evangeliumsverkündigung

Schon die große Zahl der Reden weist auf ihre Bedeutung
hin. Abgesehen von ihrer inhaltlichen Relevanz ergeben
sich für die Struktur folgende Gesichtspunkte:

1. Der Aufbau der einzelnen Erzählungen richtet sich
   zwar nach dem Verlauf des Geschehens, wird aber
   immer wieder zugunsten längerer Reden unterbrochen.
   Ihrer Funktion nach sind sie zunächst vom Ablauf der
   Handlung als retardierende Momente zu betrachten,
   die die Spannung erhöhen. Ihre Vielzahl und ihre
   Länge jedoch weisen - überspitzt formuliert - darauf
   hin, daß nicht die Rede um der Situation willen,
   sondern die Situation um der Rede willen geschaffen
   ist (besonders deutlich c. 28-29; c.33-36; c. 61;
   c. 1o6-1o7).

2. Dem entspricht es, daß die Reden des Apostels, die
   überwiegend formal als ethische Belehrungen - wenn
   auch verschiedenen Charakters - zu kennzeichnen sind,
   häufig ohne Auswirkungen auf das Handlungsgeschehen
   bleiben, dies sogar nicht intendieren (vgl. c.28-29;
   c. 33-36; c. 58; c. 61; c.67-69; c.87-1o2). Formal sind die Reden zwar in die Handlung eingebettet
   und besitzen auch einen Adressaten, der Erzählfigur
   ist, sie sprengen jedoch die Enge der vorgegebenen
   Situation mit ihrer Tendenz zur Allgemeingültigkeit.

3. Nur wenige Reden sind mit dem Handlungsstrang eng
   verknüpft, indem sie als Exposition dienen (vgl. z.B.
   c. 18; c. 19; c.49) oder - ein Einzelfall - eine
   Auseinandersetzung wiedergeben (c.81).

4. Eine weitere Gruppe von Reden hat die Funktion der
   Darstellung von Personen (z.B.c.49; c.73; c.76).

5. Von den hier aufgeführten Hauptreden werden 21 dem
   Apostel als Sprecher zugewiesen; sie haben unter
   diesem Aspekt die gleiche Funktion wie die Gebete.

6. Wurde durch die Gebete eine Einordnung der Ereignisse in die Vertikale vorgenommen, so wird mit den
   Reden eine horizontale Linie ausgezogen:

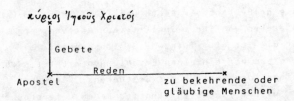

7. Im Schnittpunkt beider Linien steht der Apostel, so
   daß sowohl die Gebete *als* auch die Reden im Blick
   auf ihn als tragendes Strukturelement als sekun-
   däre Ordnungsprinzipien verstanden werden müssen.[1]

Zusammenfassung: Gebete und Reden besitzen gegenüber der
Handlung für den Aufbau der AJ eine größere Bedeutung.
Sie sind wesentliches Strukturelement in dem Sinn, daß
in bestimmter Weise durch sie die Darstellungsperspektive getragen wird, und zwar in einer zweifachen Art:

1. Der Leser gerät durch die Reden und Gebete in unmittelbare Nähe des Geschehens, er bekommt die Illusion,
   er befände sich selbst auf dem Schauplatz der wunder-
   samen Ereignisse.

2. Da eine Person, der Apostel, überwiegend als Sprecher
   fungiert, wird insofern der Versuch einer einheitlichen Gestaltung unternommen, als
   a) das Werk einen einheitlichen Träger erhält,
   b) der Leser mit den Augen dieser Figur die dargestell-
      ten Ereignisse betrachtet.

---

1) Vgl. dazu 1.2.5.

1.2.4. Die Evangeliumsverkündigung

Die Evangeliumsverkündigung (= E) ist nicht nur in ihrer
inhaltlichen Aussage, sondern auch in ihrer formalen
Funktion ein wesentlicher Bestandteil der AJ. JUNOD/
KAESTLI sehen demgegenüber einen Teil der E, nämlich
die Kap. 94-1o2 und 1o9, als Fremdkörper innerhalb des
Werkes an. Zwar weisen auch sie die Möglichkeit, daß
dieser Teil von Anfang an zu den AJ gehört habe, nicht
gänzlich ab, dies allerdings nur insofern, als der
Verfasser der AJ einen fremden Text in sein Werk aufgenommen und dabei inhaltliche Brüche außer acht gelassen
habe.[1] Eine detaillierte Begründung formaler und inhaltlicher Art für die Zusammengehörigkeit der Kap.88-1o2
und ihre Zugehörigkeit zum Erzähltext ist an eine Analyse der Einzelthemen gebunden und kann erst im Verlauf
der Arbeit gegeben werden. An dieser Stelle ist für die
auf die Struktur gerichtete Frage festzustellen, daß die
E zur Rede zu rechnen ist. Sie gliedert sich jedoch wieder in Abschnitte unterschiedlicher Art: Hymnus, Erzählteile, Offenbarungsrede Jesu, Jesusworte. Ihre
Stellung im Gesamtwerk ist folgendermaßen zu beschreiben:

1. Die Evangeliumsverkündigung hat ihren Platz innerhalb einer Rahmenerzählung.

2. Dieser Rahmen hat einerseits als Strang einer ver-
   laufenden Handlung die Aufgabe, einen äußeren Haftpunkt für die Verkündigung zu bieten.

3. Andererseits aber wird durch den Rahmen die Perspektive eindeutig festgelegt, und zwar
   a) durch die Gestalt des Erzählers, der in Ich-Form
      berichtet, und so den Hörern bzw. den Lesern
      einen Augenzeugenbericht vermittelt, der sie ein-

---

1) Acta, p. 7oo f.

mal in unmittelbare Nähe zu den berichteten Vor-
gängen versetzt und diesen zum anderen Glaubwürdigkeit verleiht,

b) durch das Bereitstellen eines Publikums. So
entsteht ein Spannungsverhältnis zwischen den Er-
wartungen der Hörer aufgrund einer bestimmten
Interessenlage und der Rede des Apostels.

3. Hinsichtlich des Gesamtaufbaus des Werkes gewinnt
die Evangelimsverkündigung dadurch, daß sie innerhalb
eines Erzählrahmens dargeboten wird, die Funktion
eines Erlebnisberichtes, durch den früheres Geschehen
in die Erzählzeit des Werkes miteinbezogen werden
soll.

1.2.5. Die Person des Apostels

Die bisherigen Untersuchungen der Fügungselemente der
AJ erbrachten hinsichtlich der Person des Apostels
folgende Ergebnisse:

1. Der reale Raum besitzt nur Bedeutung als Ort, an dem
die Handlungen des Apostels angesiedelt sind, ansonsten ist er neutraler Schauplatz und hat keinerlei Eigengewicht.

2. Die Zeit wird in den AJ nicht als Größe sui generis
erfahrbar, sondern tritt allein als chronologischer
Rahmen für Anfang und Ende der Wirksamkeit des Apostels
in den Blick.

3. Überwiegender Sprecher der Reden und Gebete ist der
Apostel, so daß sich sowohl durch die Bevorzugung
seiner Person wie durch die dadurch festlegte Darstellungsperspektive eine Vereinheitlichung der
Handlung ergibt.

4. Gleiches gilt im Hinblick auf die Evangeliumsverkündigung, die als Augenzeugenbericht des Apostels dar-

geboten wird.

Diese Elemente besitzen also ausschließlich oder teilweise Relevanz hinsichtlich der Komposition durch ihre
Ausrichtung auf den Apostel. Daß die Figur des Apostels
als Bezugspunkt des Werkes anzusehen ist, zeigt sich
ferner daran, daß er allein derjenige ist, unter dem
sich Geschehen ereignet und von dem es allein gedeutet
wird. Dennoch liegt kein "Figurenroman"[1] im modernen
Sinn vor, obwohl das äußere strukturelle Gestaltungsmerk-
mal: eine Hauptfigur - vorhanden ist. Denn trotz der
Konzipierung vom Apostel her und auf ihn hin ist die
tragende Substanzschicht des Geschehens nicht seine
aus sich selbst herausgebildete individuelle Persönlichkeit, sondern er gewinnt seine unverwechselbare Identität durch seine Funktion, die jedoch in einem solchen
Maße mit seiner Person verschmilzt, daß beide nicht
mehr unabhängig voneinander gedacht werden können.

1.2.6. Der Innenraum

An dieser Stelle ist zunächst der Begriff des Raumes noch
einmal aufzunehmen und erneut zu differenzieren. Bisher war der Raum in den AJ als bloße Örtlichkeit und nicht
als Symbol erfaßbar und besaß somit keinerlei Gestaltungskraft.[2] Wenn jetzt vom Raum als Strukturelement
gesprochen wird, so ist er in dem Sinn von Innenraum zu
verstehen. Der Raum emotionalen und geistig-seelischen
Erlebens wird unter der Führung des Apostels erschlossen

---

1) Vgl. die Gestalt Jesu als kompositorisches Prinzip
   in den Evangelien, die man unter diesem Aspekt als
   Figurenromane bezeichnen könnte.
2) Vgl. 1.2.1.

und gedeutet. Dem entspricht die Art der Einzelhandlun-
gen, die alle affektiv gefärbt und mit Belehrungen verknüpft sind.

Unter Zugrundelegen dieses Verständnisses erfüllt der
Raum in den AJ eine wesentliche Funktion, und - unter
dem übergreifenden Gesichtspunkt des Erschließens
von Innenraum betrachtet - gewinnen die Einzelepisoden
strukturbildende Kraft. Das mosaikartige Bauprinzip
mit seiner willkürlichen Anordnung der Einzelerzählungen
wird zum Gestaltungselement, wodurch ein Gesamtbild
der Wirksamkeit des Apostels in Hinblick auf seine Beeinflussung der Lebensauffassung und -gestaltung der
ihm begegnenden Menschen gewonnen werden soll, untergeordnet unter eine bestimmte gedankliche Zielsetzung,
worauf die Durchsetzung der Erzählungen mit Reden und
Gebeten hinweist. Dieses Kompositionsprinzip birgt dann
auch ebenso die Möglichkeit der Anreicherung des Werkes
durch weitere Erzählungen wie die der nicht gebundenen
Anordnung der Einzelerzählungen.

1.2.7. Die Begleitpersonen des Apostels

R. SÖDER hat darauf hingewiesen, daß in den AGG die
Begleitpersonen des Apostels als ein Topos des Romans
anzusehen sind.[1] JUNOD/KAESTLI differenzieren diese
Aussage für die AJ hinsichtlich der hier vorliegenden
fortwährenden Begleitung: "Cette manière d'associer
certains frères aux différentes étapes du ministère
itinérant du héros est sans équivalent dans les autres
Actes apocryphes."[2]

1) SÖDER, R.: Apostelgeschichten, p. 46 f..
2) JUNOD/KAESTLI: Acta, p. 78; vgl. zur Begründung
   die Anm. 3, p. 78 ff..

'Als Fügungselement besitzen die Begleitpersonen eine
zweifache Funktion:

1. Als diejenigen, die dem Apostel zugeordnet sind,
   unterstützen sie das Streben des Verfassers nach
   einem einheitlichen Bezugspunkt.[1] So werden Lykomedes
   und KLeopatra in c. 3o als Helfer, in c.59 als Reise-
   begleiter des Apostels erwähnt; ein gewisser Verus
   tritt in c. 3o als derjenige auf, der für den Apostel
   Auskunft einholt, in c. 111 schaufelt er mit weiteren
   Helfern das Grab des Johannes. Andronikus, der in
   c. 59 unter die Begleiter des Apostels gezählt wird,
   ist in c. 31 als skeptischer Zuschauer beim Heilungswunder im Theater genannt.

2. Über ihre Funktion als Helfer hinaus sind die
   Hauptbegleitpersonen diejenigen, durch die Innenraum
   erschlossen wird.[2]

3) Damit kommt ihnen zugleich die Aufgabe zu, Identi-
   fikationsfiguren für den Leser zu sein, der sich
   durch sie und mit ihnen zum Kreis derjenigen zählen
   darf, die ausgewählte Adressaten der Botschaft des
   Apostels sind.[3]

1.2.8. Zusammenfassung
       ----

1. Wenn man bei den AJ von einer kompositorischen Gestaltung sprechen will, so liegt diese sicherlich
   nicht in einem durchgehenden, in sich geschlossenen
   Handlungsablauf. Dieser ist nur dem äußeren Anschein

---

1) Vgl. dazu auch JUNOD/KAESTLI: a.a.O., p. 78/8o:
   "Il faut y voir un procédé de composition qui
   permet à l'auteur d'assurer une meilleure continuité
   entre les diverses parties de son récit..."
2) Vgl. 1.2.6.
3) Vgl. in 2.2.1.2.: Adressatenkreis.

nach durch die Markierung von Anfang und Ende des
Gesamtwerkes gegeben.

2. Den Einzelerzählungen, die das Werk vereinigt und
   die untereinander nur äußerst lose oder gar nicht
   verknüpft sind, kommt somit kein bestimmter Stellenwert innerhalb des Werkes zu. Ihre strukturelle Bedeutung liegt vielmehr in der mosaikartigen Anordnung, wodurch sie Eigenwert erlangen.

3. Die Person des Apostels ist Textformant insofern,
   als sie Bezugspunkt der Einzelereignisse ist. Umgekehrt formuliert: Die Vielzahl der Geschehnisse
   ist einmal Spiegelung person-/funktionsgebundenen
   apostolischen Wirkens, zum anderen Darstellung
   innerer und äußerer Vorgänge bei den Erzählgestalten.

4. Gestalteter Ausdruck dieses Erlebens sind die die
   Darstellungsperspektive tragenden Reden und Gebete,
   denen die Einzelerzählungen Haftpunkte bieten.

5. Die Evangeliumsverkündigung wird zum Textformanten,
   da sie durch die Form ihrer Darbietung zum unmittelbar Erlebten wird. Mit dieser Aufhebung der zeitlichen Distanz in die Gleichzeitigkeit des Geschehens,
   dessen Träger der Apostel ist, wird zugleich eine
   zweifache Zuordnung geschaffen, die der Bindung des
   Evangeliums an den Apostel sowie die der Hinordnung
   der Hörer/Leser auf die Evangeliumsverkündigung
   durch den Apostel.

Als formale Bauelemente des Textes sind also die Figur
des Apostels, die überwiegend von ihm gesprochenen Reden und Gebete sowie die um ihn kreisenden Einzelerzählungen selbst und die Evangeliumsverkündigung anzusehen. Diese äußeren Textformanten verweisen auf eine
vom Verfasser angestrebte inhaltliche Gesamtaussage,

deren Träger der Apostel ist. - Von einer Geschlossenheit der AJ kann nicht gesprochen werden, das Werk ist
vielmehr als offene Form zu kennzeichnen, offen in dem
Sinn, daß weitere Einzelerzählungen zufließen können
ebenso wie vorhandene Erzählungen ohne Schaden für die
beabsichtigte Gesamtaussage umgestellt, entfernt oder
durch andere ersetzt werden können.

1.3. Der Stil

Eine stilistische Untersuchung der AJ muß sich notwendigerweise der exemplarischen Methode bedienen. Die
Auswahl der zu behandelnden Texte richtet sich nach ihrer
Gattung. So werden folgende Teile der AJ stilistisch untersucht:
1. eine Wundergeschichte
   (Die Heilung von Lykomedes und Kleopatra c.18-25),
   darin enthalten:
2. eine Rede des Johannes und
3. ein Gebet des Johannes
4. Ein Teilstück der Evangeliumsverkündigung (c.98)

Wundergeschichte

Die Heilung von Lykomedes und Kleopatra (c.18-25)

Gliederung der Wundergeschichte

Die Erzählung von Lykomedes und Kleopatra gehört zu den
Wundergeschichten, und zwar stellt sie eine Mischung von
Heilungswunder und Totenauferweckung dar und läuft
schließlich in eine Bekehrungsgeschichte aus.

a) Aufbau

c.18:	Skopus der Erzählung		
c.19:	Lykomedes bittet Johannes, seiner	}	Exposition
	kranken Frau zu helfen		
c.2o:	Klagerede des Lykomedes ange-		
	sichts der kranken Kleopatra		
c.21-22:	Tod des Lykomedes, Klagerede	1.Teil	Hauptszene
	und Bittgebet des Apostels		
c.23,1-11:	Auferweckung Kleopatras		
c.23,12-c.24:	Auferweckung des Lykomedes —— 2.Teil		
c.25:	Johannes bleibt im Haus des ————		Schlußszene
	Lykomedes		

Obwohl die eigentliche Wundergeschichte erst mit c.19 beginnt, ist c.18 dennoch zu diesem Komplex zu ziehen, da
es den Skopus der Gesamterzählung gibt. - Die Übersicht
zeigt deutlich drei Teile; ihre Schauplätze sind der Weg
von Milet nach Ephesus (c.18), das Stadttor von Ephesus
(c.19) und das Haus des Lykomedes (Haupt- und Schlußszene).
Die Geschichte ist keineswegs knapp gefaßt, sondern zeichnet
sich durch eine Breite der Schilderung aus, die Freude an
lebendiger Darstellung verrät. Die handelnden Personen
kommen ausführlich zu Wort, so daß die Ereignisse mehrfach
durch Reden und Gebete unterbrochen sind, wodurch der Ablauf des Geschehens verzögert und die Spannung erhöht ist.
Daneben steht das Bemühen, das Wunderbare zu steigern: Aus
einer der Hilfe bedürftigen Person werden zwei, aus einer
anfangs erwarteten Krankenheilung werden zwei Totenaufer-
weckungen.

Stilgemäße Züge der Wundergeschichte

Die Exposition gibt Dauer, Art und Schwere der Krankheit an: ἔπεμψέ σε ὁ υἱὸς ὃν κηρύσσεις ἐπ᾽εὐεργεσίᾳ τῆς ἐμῆς
γυναικός, παραπλήρου γεγονότος ἤδη ἡμέρας ἑπτὰ καὶ
ἀθεραπεύτου κειμένης. Die Unmöglichkeit der Hilfe
betont die Schwere des Leidens und die Größe des Wunders.
Der Hauptteil nennt das Alter der Kranken: ἴδε τὴν νεό-
τητα (c.2o,3) und ergänzt damit die Angaben der Einleitung. Das Wunder geschieht nun vor aller Öffentlichkeit,
zu den Begleitern des Apostels gesellt sich noch ἡ Ἐφεσίων πόλις (c.22,1). Bei dem Vollzug des Wunders selbst

treten folgende charakteristische Züge hervor: $\kappa\alpha\grave{\iota}\ \pi\rho o\varsigma$-
$\epsilon\lambda\vartheta\acute{\omega}\nu, \grave{\alpha}\psi\acute{\alpha}\mu\epsilon\nu o\varsigma\ \tau o\tilde{\nu}\ \pi\rho o\varsigma\acute{\omega}\pi o\nu\ \alpha\grave{\upsilon}\tau\tilde{\eta}\varsigma$ (c.23,1).
Vorausgegangen ist schon der Auferstehungsbefehl im
Namen Jesu: $\grave{\alpha}\nu\acute{\alpha}\varsigma\tau\eta\vartheta\iota\ \grave{\epsilon}\nu\ \tau\tilde{\omega}\ \grave{o}\nu\acute{o}\mu\alpha\tau\iota\ {}'I\eta\varsigma o\tilde{\nu}\ X\rho\iota\varsigma\tau o\tilde{\nu}$
(c.22,2o), der hier aber noch nicht das Wunder bewirken,
sondern vielmehr auf das Vorhaben des Apostels hinweisen soll. Der Auferstehungsbefehl wird dann bei dem
Vollzug des Wunders wiederholt:$\grave{\alpha}\nu\acute{\alpha}\varsigma\tau\eta\vartheta\iota$ (c.23,6), wo-
bei $\grave{\epsilon}\nu\ \tau\tilde{\omega}\ \grave{o}\nu\acute{o}\mu\alpha\tau\iota\ {}'I\eta\varsigma o\nu\ X\rho\iota\varsigma\tau o\tilde{\nu}$ in zahlreichen Wendungen aufgelöst ist, die die Macht und Größe Christi
ausdrücken. Es ist nicht mehr der Apostel, der im Namen
Jesu Christi befiehlt, sondern es ist Christus selbst,
der durch den Apostel das wunderwirkende Wort $\grave{\alpha}\nu\acute{\alpha}\varsigma\tau\eta\vartheta\iota$
spricht. Betont wird ferner die Plötzlichkeit des Wun-
ders:$\epsilon\grave{\upsilon}\vartheta\acute{\epsilon}\omega\varsigma$ (c.23,9). Es folgt dann die Konstatierung der Heilung. Dies geschieht einmal durch die Worte
der Geretteten selbst$\grave{\alpha}\nu\acute{\iota}\varsigma\tau\alpha\mu\alpha\iota\ \delta\acute{\epsilon}\varsigma\pi o\tau\alpha$, sodann durch
das Zeugnis der Menge, die dieser Vorgang in Erregung
versetzt. Zugleich wird auch das Paradoxe des Geschehens hervorgehoben:
$\acute{\eta}\ {}'E\varphi\epsilon\varsigma\acute{\iota}\omega\nu\ \pi\acute{o}\lambda\iota\varsigma\ \grave{\epsilon}\varkappa\iota\nu\epsilon\tilde{\iota}\tau o\ \grave{\epsilon}\pi\grave{\iota}\ \tau\tilde{\omega}\ \pi\alpha\rho\alpha\delta\acute{o}\xi\omega\ \vartheta\epsilon\acute{\alpha}\mu\alpha\tau\iota$
(c.23,1o f.).

Das zweite Wunder erhält nun gegenüber dem ersten verschiedene neue Akzente. Sein Vollzug ist an eine Bedingung geknüpft. Der Apostel verlangt von Kleopatra Be-
herrschung der Affekte beim Anblick des Toten als Be-.
weis ihres Glaubens an den Gott des Johannes. Der Glaube
an den Gott des Johannes wird hier also zur conditio sine qua non.[1] Die Auferweckung vollzieht der Apostel

---

1) JUNOD/KAESTLI sehen in den Worten des Joh bzw. in
   dem daraus folgenden Verhalten Kleopatras die auch
   nach außten hin sichtbar werdende Bekehrung. "En
   effet, cette situation de trouble et de désespoir
   permet d'indiquer en quoi consiste la conversion de
   l'âme: croire en Dieu et en sa puissance, garder un
   calme impassible. Cléopatre est là pour donner l'exemple
   de cette absence de trouble, de cette maitrise de l'âme,
   de cette confiance en Dieu"(p.446). So wenig die eine
   Deutung die andere ausschließt,so scheint es doch notwendig, den konditionalen Charakter dieses veräußerlich-
   ten Glaubens als primäre Aussage der Textstellen zu betonen.

'nicht selbst, er gibt Kleopatra vielmehr Anleitung,
welche Worte sie zu gebrauchen habe. Dabei fällt auf,
daß der Apostel zum Lager des Lykomedes hintritt und
die Hand der Kleopatra ergreift: Der Gestus der Berüh-
rung gilt also nicht dem Toten, sondern einem Zweiten.
Die Vermutung liegt nahe, daß hier die Vorstellung einer
Kraftübertragung im Hintergrund steht. Dies ist ein der
Antike durchaus geläufiger Gedanke: "Durch Handauf-
legung pflegen Götter gewisse für sie wesentliche Eigenschaften oder Fähigkeiten den Sterblichen mitzuteilen."[1]
Was von den Göttern gilt, das wird hier auf den Apostel
übertragen.[2] Wie bei dem ersten Wunder wird auch jetzt
die Plötzlichkeit betont: $\varepsilon\grave{\upsilon}\vartheta\acute{\upsilon}\varsigma$ (c.24,2o). Das Pub-
likum ist hier aus dem Blickfeld geraten, und erst am
Schluß der Erzählung werden wohl die Begleiter des Apostels wieder erwähnt, nicht aber die Bewohner der Stadt.

Das Ende der Erzählung (c.25) bringt mit der Bekehrung
des Ehepaares einen Teil, der eigentlich nicht zur"Wundererzählung" gehört. Da dieses Element aber auch bei
anderen Wundergeschichten anzutreffen ist, wird deutlich, daß der Sinn der Erzählungen sich nicht in Heilung
bzw. Auferweckung erschöpft, sondern "das Erwecktwerden
vom Tod zum Leben wird in der Verknüpfung von Toten-
auferweckungs- und Bekehrungsgeschichten zu einem konsti-
tutiven Element der Bekehrung ..., die Auferweckungs-
wunder haben ausgesprochenen Zeichencharakter."[3]

---

1) WEINREICH, O.: Heilungswunder, p. 51.
2) Vgl. dazu JUNOD/KAESTLI: Acta, p. 444: "Le pouvoir
   thaumaturgique n'est pas l'apanage de l'apôtre: il
   peut le déléguer."
3) SCHÄFERDIEK; K.: Herkunft, p. 265; vgl. auch JUNOD/
   KAESTLI zu Kap. 18-25:"La résurrection de Cléopâtre
   et de Lycomède n'est pourtant pas l'enjeu de l'épisode,
   elle n'est que la condition nécessaire à la conversion
   du couple et d'une partie de la foule." (Acta, p.446).
   Zur Bedeutung der Wundergeschichten insgesamt vgl.
   2.2.3..

'Die für Kap. 18-25 genannten Merkmale lassen sich
nun fast alle auch in den Wundergeschichten des NT und
des Heidentums nachweisen. Daneben finden sich Motive,
die nicht zum unveräußerlichen Material einer Wundergeschichte gehören und ihre Herkunft aus anderen literarischen Formen verraten. Kap. 2o bringt eine lange
Klagerede des Lykomedes angesichts der Krankheit Kleopatras (c.21,1 f.). Damit wird ein Element aufgenommen,
das ein wesentlicher Bestandteil der griechischen Romane
ist: "Der griechische Roman widerhallt von $\vartheta\varrho\tilde{\eta}\nu o\iota$."[1]
Ein weiterer $\vartheta\varrho\tilde{\eta}\nu o\varsigma$ findet sich unter den Reden des
Apostels (c.21). Ebenfalls aus der griechischen Roman-
literatur ist das Motiv des Sterbens aus Verzweiflung
über den Tod der Geliebten entnommen (Lykomedes).[2] Dieses Motiv kehrt noch einmal bei der Unterredung zwischen
KLeopatra und Johannes angesichts des toten Lykomedes
wieder (24,8-1o). Der aber hier in Analogie zu c.2o
zu erwartende $\vartheta\varrho\tilde{\eta}\nu o\varsigma$ ist geschickt durch die Darstellung
der stummen trauernden Kleopatra ersetzt.- Ein Motiv,
das sich sowohl in der kanonischen Apostelgeschichte
wie auch im hellenistischen Roman findet, ist die Offenbarung göttlichen Willens durch Träume, Visionen oder
Auditionen. In c.18 wird Johannes von einem Traum bewegt, nach Ephesus zu wandern, auf dem Weg dorthin wird
ihm eine Audition zuteil, die ihre Entsprechung in der
Audition des Lykomedes (c.19) hat. WIKENHAUSER verweist
darauf, daß das hier vorliegende Motiv "paralleler Offenbarungen, die an zwei verschiedene Personen(kreise) er-
gehen, aber zu ein und demselben Zweck zusammenwirken,"[3]
in der antiken Literatur sehr beliebt ist.

---

1) KERENYI,K.:Romanliteratur, p. 28; p.28 Anm.12 finden
   sich zahlreiche Verweise auf das Vorkommen solcher
   $\vartheta\varrho\tilde{\eta}\nu o\iota$ in der griechischen Romanliteratur.
2) Im griechischen Roman ist es meist Selbstmord; vgl.
   KERENYI,Karl: Romanliteratur, p. 3o. Über die To-
   desart des Lykomedes wird hier nichts Näheres ausgesagt.
3) WIKENHAUSER,A.: "Doppelträume", p. 1oo. Im NT findet
   sich eine Doppelvision in Apostelgeschichte 9,1o-16,
   und 1o, 1-11. Für die übrigen AGG ist auf ATh 29-34
   und ABarn 3-4 hinzuweisen.

Sprachliche Gestaltung

Zentrale Figur der Wundergeschichte ist Johannes, an
ihn richten sich Traum und Audition (c.18), von ihm
kündet die Audition in c. 19. Das Motiv der Audition weist
jedoch schon darauf hin, daß dem Apostel die Rolle des
Beauftragten zukommt. Stilistisch läßt sich dieser Sachverhalt an fünf Merkmalen aufzeigen:

1. Im Einleitungssatz von c.18 weisen die beiden Verben
$\mathring{\eta}\pi\epsilon\acute{\iota}\gamma\epsilon\tau o$ und $\varkappa\epsilon\varkappa\iota\nu\eta\mu\acute{\epsilon}\nu o\varsigma$ dem Subjekt Johannes einen
unterschiedlichen Platz im Handlungsgefüge zu. Be-
zeichnet man das grammatische Subjekt "Johannes"
im passivisch konstruierten Teilsatz als Zielnomen,
so ist $\tau\grave{o}$ $\mathring{o}\rho\alpha\mu\alpha$ das versteckte agens-Subjekt, und
der Apostel ist in der Rolle eines Betroffenen zu
sehen, der zu einem Verhalten bewogen wird.

2. Dies findet eine weitere Bestätigung in dem Wortlaut
der Audition:
$\mu\acute{\epsilon}\lambda\lambda\epsilon\iota\varsigma$ $\grave{\epsilon}\nu$ $\mathring{E}\varphi\acute{\epsilon}\sigma\omega$ $\delta\acute{o}\xi\alpha\nu$ $\tau\tilde{\omega}$ $\varkappa\upsilon\rho\acute{\iota}\omega$ $\sigma o\upsilon$ $\delta\iota\delta\acute{o}\nu\alpha\iota$
der die Antwort des Apostels:
$\varkappa\acute{\upsilon}\rho\iota\epsilon$ $\mathring{\iota}\delta o\grave{\upsilon}$ $\varkappa\alpha\tau\grave{\alpha}$ $\tau\grave{o}$ $\vartheta\acute{\epsilon}\lambda\eta\mu\acute{\alpha}$ $\sigma o\upsilon$ $\beta\alpha\delta\acute{\iota}\zeta\omega.\gamma\epsilon\nu\acute{\epsilon}\sigma\vartheta\omega$ $\mathring{o}$ $\beta o\acute{\upsilon}\lambda\epsilon\iota$
zugeordnet ist. Dem $\beta o\acute{\upsilon}\lambda\epsilon\sigma\vartheta\alpha\iota$ der $\varphi\omega\nu\acute{\eta}$ entspricht
$\gamma\epsilon\nu\acute{\epsilon}\sigma\vartheta\omega$ als Zusage des Apostels.

3. $\varkappa\alpha\tau\grave{\alpha}$ $\tau\grave{o}$ $\vartheta\acute{\epsilon}\lambda\eta\mu\acute{\alpha}$ $\sigma o\upsilon$ $(=\varkappa\upsilon\rho\acute{\iota}o\upsilon)$ und $\delta\iota\grave{\alpha}$ $\sigma o\tilde{\upsilon}$ $(=\mathring{I}\omega\acute{\alpha}\nu\nu o\upsilon)$
$\pi\iota\sigma\tau\epsilon\acute{\upsilon}\epsilon\iota\nu$ geben dem Wirken des Apostel einen über ihn
hinausweisenden Charakter.

4. Die Haltung des Johannes gegenüber dem Vorhaben des
Kyrios ist einerseits von Nicht-Wissen: $\grave{\epsilon}\nu\epsilon\nu\acute{o}\epsilon\iota$ ...
$\mathring{o}$ $\mathring{I}\omega\acute{\alpha}\nu\nu\eta\varsigma$ $\grave{\epsilon}\nu$ $\grave{\epsilon}\alpha\upsilon\tau\tilde{\omega}$ ... $\tau\iota$ $\mathring{\alpha}\rho\alpha$ $\mathring{\eta}\nu$ $\tau\grave{o}$ $\mu\acute{\epsilon}\lambda\lambda o\nu$... $\mathring{\alpha}\pi\alpha\nu\tau\tilde{\alpha}\nu$...
andererseits von Gehorsam bestimmt: $\varkappa\alpha\tau\grave{\alpha}$ $\tau\grave{o}$ $\vartheta\acute{\epsilon}\lambda\eta\mu\acute{\alpha}$ $\sigma o\upsilon$ $\beta\alpha\delta\acute{\iota}\zeta\omega$.

5. Die Identifizierung des Apostels durch Lykomedes auf-
grund der vorausgegangenen Audition $\mathring{\epsilon}\pi\epsilon\mu\psi\acute{\epsilon}$ $\sigma\epsilon$ $\mathring{o}$ $\vartheta\epsilon\grave{o}\varsigma$ $\mathring{o}\nu$
$\varkappa\eta\rho\acute{\upsilon}\sigma\sigma\epsilon\iota\varsigma$ (19,4) beschreibt das Handeln des Apostels
als von Gott kausiert.

Johannes wird in den beiden Auditionen als der gehor-
same Helfer vorgestellt, als δοῦλος (19,13), der sich - ohne
zu fragen - mit Freuden (ἀγαλλιώμενος) in den Dienst
seines Kyrios stellt. Er geht nicht aus eigenem Ent-
schluß und was er tut, dient ausschließlich seinem Herrn
(δόξαν τῷ κυρίῳ διδόναι).[1] Diese Beziehung des Apostels zu seinem Gott trägt jedoch nicht die Züge der
Distanz, sondern die enger Verbundenheit. Sprachlich
drückt sich dies z.B. in der Wiederverwendung desselben
Verbs für das Verhalten beider gegenüber Lykomedes und
Kleopatra aus: σπλαγχνισθείς (19,7 und 1o f.).[2]

Die Relation zwischen Gott und Lykomedes wird durch das
Verb φανερόω bezeichnet, wobei die im Vollzug des φανεροῦν ver-
sprochenen Aktivitäten Gottes sich wie folgt konkretisieren: σπλαγχνισθείς ..., ἔπεμψα ... Ἰωάννην ὅστις αὐτὴν
ἀναστήσας ἀποδώσει σοι σῴαν (19, 1o-13). Die zu erwartende
Handlung wird durch ὁ θεὸς ὃν κηρύσσεις (19,4) und
δόξασόν σου τὸν θεόν (19,6) als zeichenhaftes Geschehen aufgewiesen. Die drei Verben: φανεροῦν als Selbstmitteilung Gottes, δοξάζειν und κηρύσσειν als Mitteilung
über das Handeln des Menschen mit τὸν θεόν als Objekt lassen
nun ihren Aussagegehalt erst in der Zuordnung zu den
anderen Verben erkennen. So bildet φανεροῦν den Abschluß
der Rede Gottes (φάναι) zur verheißenen Rettung Kleopatras,
so präzisiert sich κηρύσσειν erst im Zusammenhang mit ἔπεμψε
σοι ... ἐπ' εὐεργεσίᾳ, so sind δόξασόν σου τὸν θεόν
zwei Partizipien subordiniert: ἰασάμενος und σπλαγχνισθείς . Durch die Textsyntax wird ein Bezug der Verben

---

1) Vgl. JUNOD/KAESTLI: Acta, p. 442, die von einer
   "subordination complète au Seigneur" sprechen.
2) Daß hier keine Wortarmut vorliegt, mag der Vergleich
   mit c. 73 zeigen, wo sich Johannes darüber beschwert,
   daß er diesmal nicht in die Pläne des Kyrios vorher
   eingeweiht worden ist.

erreicht, die für sich genommen in ihrer inhaltlichen
Aussage völlig verschieden sind. φανερούν bzw. φάναι
mit ὁ θεός als Subjekt korrespondiert die Tätigkeit des
Apostels:κηρύεειν bzw. δοξάζειν;als Interpretament der
Wirksamkeit beider ist σπλαγχνίζεσθαι aufgewiesen, das
als Eingreifen in das physische Leben konkretisiert wird
(ἀποδιδόναι...εώκαν),weiter präzisiert als ἰᾶσθαι und gesteigert als ἀνιστάναι . Zeichnete c.19 den Erwartungshorizont des Lykomedes angesichts der Offenbarung des
Gottes des Johannes, so bringt der θρῆνος in c.2o in
Kontrast dazu den des Heiden Lykomedes. Hinsichtlich des
sprachlichen Aktes mischen sich Appell- und Ausdrucks-
funktion, wobei jedoch die Appellfunktion der Ausdrucks-
funktion subsumiert ist. Die erste ist gekennzeichnet
durch den einleitenden Imperativ ἴδε (2o,3), durch die
Anrede mittels des Titels (κύριε 2o,3) oder des Namens
(Κλεοπάτρα 2o,9), durch das Personalpronomen der 2.Pers.
Sg. (2o,12 und 17) und durch die Form des Fragesatzes
(2o,8-1o). Dient die Appellfunktion im allgemeinen
der Herstellung der Beziehung zwischen Sprecher und Hörer,
so richtet sie sich hier jedoch nur formal an ein Gegenüber. Ihre eigentliche Funktion liegt darin, die
monologartige Selbstmitteilung des Lykomedes zu unterstützen, die das Kennzeichen der Kundgabefunktion ist.
Der Sprecher dieses θρῆνος will sich also nicht einem
Gegenüber mitteilen, sondern sich selbst ausdrücken.

Gliedert man den θρῆνος in Teilbereiche, so wird dies
deutlich:
1. Die Fixpunkte des θρῆνος sind zunächst Gegenwart
   (2o,3 f.) und Vergangenheit (2o,6-8), die einander ge-
   genübergestellt werden. Eingeleitet wird dieser Teil mit
   dem Appell an den Apostel, der durch seine sprachliche
   Gestaltung in drei parallel gebaute Ausrufesätze große
   Eindringlichkeit gewinnt. Stellen diese Sätze die Gegenwart vor Augen, so bezieht sich die Aussage: οὐδέποτε
   ἠδίκηςα οὐδένα (c.2o,6) auf die Vergangenheit und bringt

zugleich den gedanklichen Hintergrund der gesamten
Rede, der die Vorstellung von einer Entsprechung menschlichen und göttlichen Handelns beinhaltet. Zeichen
für den Bruch dieses gewohnten Denkschemas ist der
Zustand Kleopatras: ἴδε κύριε τὸ μαραντὲν κάλλος
(c.2o,3). κάλλος verbindet sich für den Griechen
mit den Inhalten des Göttlichen und der Ordnung,
die Zusammenstellung mit μαραν ὑέν weist die Zerstörung des Geordneten auf. - Folgt man dem Erzähler
der AJ, der den ersten Teil des c.21 als Antwort
auf diesen Abschnitt im ϑρῆνος des Lykomedes verstanden wissen will, dann legt die Rede des Apostels in
keiner Weise eine erfolgreiche Verständigung der
beiden Parteien nahe; denn die den Zwiespalt des
Lykomedes anzeigenden Adverbien δικαίως bzw. ἀδίκως
werden zur Klärung der Situation nicht mehr benutzt,
die Verhaltensanalyse gelangt über allgemeine Wendungen nicht hinaus. Die von Lykomedes mittels der
Sprache aufgezeigte Situation besitzt für Johannes
keinen Wirklichkeitswert und umgekehrt, insofern
kann der fragliche Redeteil der jeweiligen Sprecher
auch keine Handlung auslösen. Was bleibt, läßt sich
für die Rede des Lykomedes als Übermittlung von Emotionen beschreiben: so sprechen die verwandten Sub-
stantive und Adjektive das Sinnfällige an (μαραν-
ὑέν κάλλος, νεότης, διαβόητον ἄνϑος, ebenso die bildliche Wendung: ὀφϑαλμός ἐχϑρῶν ἔπληξε με) oder spiegeln Gefühlsregungen wider (ταλαίπωρος, τάλας).
Der Versuch einer gedanklichen Durchdringung der Lage
dient allein der Selbstdarstellung des Sprechers mit
dem Ziel, den Hintergrund seiner Emotionen aufzuzeigen.

2. Die Diskrepanz zwischen dem in der Vergangenheit für
die Zukunft sicher Erwarteten und dem Geschehen der
jetzt zur Gegenwart gewordenen Zukunft zeigt dem Sprecher die Fragwürdigkeit seiner Glaubenshoffnung. Sie

gewinnt ihren Ausdruck in Fragen, die der Verfasser
- stellvertretend für sich selbst - an Kleopatra richtet. Die Anrede an Kleopatra wird beibehalten in den
Gedanken über den Selbstmord aufgrund der unerfüllten
Erwartung. Die Fragen tragen rhetorischen Charakter;
ihre Funktion liegt ebenso wie die der folgenden
Aussagesätze, die den gleichen Sachverhalt mehrfach
beschreiben, darin, die Eindringlichkeit der Klage
zu verstärken und das Vorhaben des Lykomedes, aus
dem Leben zu scheiden, zu bekräftigen.

3. Die Kundgabe der Überlegungen mündet in eine ankla-
   gende Verteidigungsrede, bei der die Göttin Dike angesprochen wird.

Die einzelnen Punkte der Anklage gliedern sich in Aussage und Begründung. Der Sprecher erscheint in seinen
Ausführungen als Objekt, Zeichen dafür, daß die Göttin
auch jetzt noch sein Verhalten steuert:

σύ με ... ἐβιάσω
σύ με ... ἐποίησας
σύ με ... ἐβιάσω   (2o,17-19)

Der Sprecher bezieht seine Anklagen auf ein Wirklichkeitsmodell, als dessen Hintergrund die durch das Gebot
der Göttin aufgerichtete Ordnung anzusehen ist, gegen die
der Mensch nicht ungestraft verstoßen.kann. Durch die
Analyse seines Verhaltens wird für Lykomedes der bisher
angenommene Zusammenhang zwischen Wohlverhalten
und Wohlergehen zerstört. Die diesen Teil der Rede tragenden Wörter kreisen um die bei der Göttin zuvor ver-
mutete δικαιοσύνη.

ἀπολογήσομαι τῇ δίκῃ ὡς δικαίως μου ὑποδράξαντος ἐξὸν
δικαςθῆναι πρὸς αὐτὴν ὡς ἀδίκως δικάζουσαν
(2o,14-16) -

Ebenso wie in den vorangegangen Teilen der Rede sucht
Lykomedes im Gespräch mit der Göttin den Dialog mit sich

selbst, diesmal unter dem Gesichtspunkt der Rechtfertigung seiner beabsichtigten Handlung.

Die in den drei Teilen der Rede hervortretenden Appella-
tionen sind damit als stilistisches Mittel anzusehen,
das dazu dient, die Gefühle des Sprechenden auszudrücken.

Diese Absicht verfolgt der Verfasser auch teilweise mit
der Rede des Johannes.[1] Hinzu tritt noch ein anderes:
Sollte in c.2o das Wirklichkeitsmodell eines Heiden in
dessen Selbstdarstellung sichtbar werden, so will der
Verfasser dem jetzt das eines Christen gegenüberstellen.

Die Rede zerfällt in zwei Teile, die verschiedenen
Adressaten zugeordnet sind:
1. Lykomedes,
2. der Kyrios.
Untersucht man das Vokabular des ersten Teils, so fällt
auf, daß einerseits Verben aus c.19 wiederkehren:
φανεροῦν, ἀνιστάναι (ἀπολαμβάνειν entspricht ἀποδιδόναι
c.19), andererseits Ausdruckseinheiten auftauchen, die
das Geschehen in neuer Weise deuten wollen (c.21,4 f.
und 8). Diese Aussagen haben einmal ein völlig anderes
Bezugssystem als die Ausführungen des Lykomedes, zum
anderen findet sich auch in den vorangegangenen Kapiteln
kein Anknüpfungspunkt für sie. Sind sie aber weder aus
dem Vorangegangenen verständlich, noch für das Folgende
von Bedeutung, so stellen sie sich als aufgesetzte Inter-

---

1) JUNOD/KAESTLI: Acta,p.444 kommen zu folgender Kennzeichnung: "Son monologue plaintif du ch.21, après
la mort de Lycomède, est franchement théatral." Sie
charakterisieren diesen Text von der Textsorte her:
"Ces demandes sont formulées dans un discours qui
tient plus du plaidoyer que de la prière "(p.445),
ohne formal eine Beziehung zu dem θρῆνος der griechischen Romanliteratur zu sehen.

pretamente der Situation dar, die mit c.2o gegeben ist.[1]

Drei parallel gebaute Ausrufesätze sowie drei um denselben Sachverhalt kreisende Fragen bestimmen den zweiten Teil, das Gebet, wobei den Fragen dieselbe Funktion
wie den Ausrufen zukommt, nämlich die Gemütsregungen des
Sprechers (Erregung, Zweifel) mitzuteilen. Beide sind
stilistisch als Commemoratio anzusprechen, sie bieten
zugleich neben dieser Wiederholung des Grundgedankens
eine Detaillierung desselben, wobei die Ausrufesätze
noch steigernden Charakter besitzen. Vom Aufbau her rückt
die Darstellung des Sachverhalts in den Mittelpunkt des
Textes; ihr schließen sich wiederum zwei Fragen an, als
deren Adressat der Kyrios genannt wird. Die folgenden
negativ formulierten Bitten bedienen sich ebenso wie
die Ausrufesätze des Anfangs der Anapher ($\tilde{\omega}$ $\kappa\alpha\iota\nu\tilde{\eta}s$,
$\mu\grave{\eta}$ $\delta\tilde{\omega}$). Es folgt eine mit $\dot{\alpha}\lambda\lambda\dot{\alpha}$ angeschlossene positive Bitte, deren allgemeine Formulierung in dem an-
schließenden zweiten Bittsatz präzisiert wird.

Bei beiden Texten fällt eine ausgeprägte Tendenz
1. zur Wiederholung von Gedanken,
2. zu allgemeingültigen Formulierungen,
3. zur wörtlichen Gemination auf.

Ein Abschnitt der Evangeliumsverkündigung - Kap.98

Kap. 98 enthält einen ersten Teil der Offenbarungsrede,
die szenisch in Kap.97, 1-7 vorbereitet worden ist.

Eine Gliederung des Kap.98 ergibt zunächst einen einlei-

---

1) STURHAHN, C.L.: Christologie, p.48 sieht die zitierten
Teile der Rede als sinngemäß passend nach dem Zusammenbruch des Lykomedes an und schließt aus ihrem
vorzeitigen Vorkommen auf eine Störung des Gedanken-
gangs.

tenden Teil, der noch einmal auf den Schlußteil des
vorangegangenen Kapitels zurückgreift, so daß die Eindringlichkeit des Geschehens betont hervortritt. Dieser
Abschnitt ist als ein wortloses Annähern an die eigentliche Wortoffenbarung zu sehen. In ihm lassen sich Teil-
schritte, bezogen auf den Kyrios und den Apostel, erkennen:

Kap.97   Kap.98

φωτίσας   < ἔδειξέν μοι σταυρὸν φωτός
              ἑώρων τὸν κύριον ἐπάνω τοῦ σταυροῦ

λαλῶ   — λέγουσαν πρός με
ἄκουσον   δεῖ ἕνα ... ἀκοῦσαι
ἀκούσῃς   < χρῄζω ἑνὸς ... τοῦ μέλλοντος ἀκούειν

Dem Zeigen des Lichtkreuzes durch den Herrn entspricht
auf der Seite des Apostels das Sehen dieses Kreuzes, das
zum eigentlichen Sehen des Herrn führt, ihn also nicht
nur nicht länger als den in Jerusalem Gekreuzigten identifiziert, sondern ihn in seinem wirklichen Sein erfaßt.

Die Zeilen 98,7 f. geben das auslösende Moment des gesamten Offenbarungsvorgangs an, obwohl grammatisch von
χρῄζω nur ἑνὸς γὰρ ... τοῦ μέλλοντος ἀκούειν abhängig
ist. Mit χρῄζω wird das unpersönliche δεῖ verstärkt,
während die präpositionale Aussage παρ' ἐμοῦ in der
Form χρῄζω mit dem Kyrios als Subjekt aufgenommen wird
und so die Notwendigkeit der Offenbarung personal faßt.

Der Inhalt der Offenbarung richtet sich zunächst auf
15 Begriffe, die keine äquivalenten Bezeichnungen für
das Lichtkreuz sind, da sie, dem menschlichen Begreifen
angepaßt, nicht das Verstehen der Offenbarung tragen können. Aufgrund dieses Aspektes sind die Benennungen untereinander austauschbar. Sechs der Bezeichnungen finden sich in den

ἐγώ εἰμι -Worten des JohEv,[1] hinzu kommt noch der
johanneische Logosbegriff. Während das JohEv gerade
in den ἐγώ εἰμι - Worten die Vollmacht Jesu ausspricht,
stellen die AJ die sie tragenden Begriffe als belanglos
für das Geheimnis des göttlichen Kyrios hin.

Ihnen gegenüber stehen drei Aussagen, die als dem
Lichtkreuz angemessen gelten. Sie sind zugleich die Überschrift zu den folgenden Ausführungen, die die Funktion
des Lichtkreuzes erläutern, wobei der Schluß von Kap.98,
16-19 als Einleitung zu dieser Erklärung zu sehen ist.

Damit ergibt sich für Kap. 98 folgender formal-stilistischer
und inhaltlicher Aufbau:

---

1) θύρα (1o,9), ὁδός (14,6), ἄρτος (6,35), ἀνάστασις
(11,25), ζωή (11,25), ἀλήθεια (14,6).

Περὶ τὸν σταυρὸν ὄχλον πολὺν
μὲν μορφὴν μὴ ἔχοντα ——— σταυρὸν φωτὸς

πεπηγμένον
ἐν αὐτῷ ἦν μορφὴ μία
καὶ ἰδέα ὁμοία

ἔχημε μὴ ἔχοντα
φωνὴν δὲ οὐ ταύτην τὴν
ἡμῖν συνήθη

αὐτὸν δὲ τὸν ἄνδρον
ἐπάνω τοῦ σταυροῦ
ἔχων

ἀλλὰ τινὰ φωνὴν μόνον
ἀλλὰ τινὰ ἡδεῖαν καὶ χρηστὴν
καὶ ἀληθῶς θεοῦ

(... Bezeichnungen)
καλεῖται ἐπ' ἐμοῦ δι' ὑμᾶς

λέγουσεν πρός με

»Ἰωάννη«
οὐ δεῖ πκρι ἐμοῦ ταῦτα ἀκοῦσαι
ἐνὸς γὰρ χρήζω τοῦ μέλλοντος ἀκούειν
ὁ σταυρὸς οὗτος ὁ τοῦ φωτὸς

ΠΟΤΕ μὲν λόγοι ... ποτὲ δὲ νοῦς,
ΠΟΤΕ Χριστός,
ΠΟΤΕ θύρα, ποτὲ ὁδός,
ΠΟΤΕ ἄρτος, ποτὲ σπόρος,
ΠΟΤΕ ἀνάστασις, ποτὲ υἱός,
ΠΟΤΕ πατήρ, ποτὲ πνεῦμα,
ΠΟΤΕ ζωή, ποτὲ ἀλήθεια,
ΠΟΤΕ πίστις, ποτὲ χάρις.
ταῦτα μὲν ὡς πρὸς ἀνθρώπους

πεπηγμένον
ἐν αὐτῷ ἦν μορφὴ μία
καὶ ἰδέα ὁμοία

ὁ δὲ ὄντως ἐστίν, αὐτὸς πρὸς
αὐτὸν νοούμενος καὶ εἰς ἡμᾶς
λεγόμενος
διορισμὸς πάντων ἐστίν,
καὶ τῶν πεπηγμένων ἐξ
ἀνεδραστῶν ἀναβίβασμα,
καὶ ἁρμονία σοφίας,
σοφία δὲ οὖσα ἐν ἁρμονίᾳ

(... gottgewollts
...)

(...)
μέτα Offenbarungsstab)

ὑπέρχουσιν δὲ οἱ ὑπ' αὐτοῦ καὶ κρατοῦσι, ...
γεγόνεν φύσις.

2. Der theologische Aussagegehalt

2.1. Anthropologie

In den AJ findet sich kein Abschnitt, der explizit eine
Lehre vom Sein und des auf diesen Gegebenheiten grün-
denden Dasein des Menschen entwickelt. Es sind somit
Einzelaussagen in jeweils anderem Kontext, auf die
sich die Ausführungen über die Anthropologie stützen
müssen.

2.1.1. Das Sein des Menschen

Methodischer Ausgangspunkt dieses Abschnitts ist der
einzelne Begriff, mit dem menschliches Sein erfaßt
wird.

$\mathring{\alpha} \nu \vartheta \rho \omega \pi o \varsigma$ [1]

Mit $\mathring{\alpha} \nu \vartheta \rho \omega \pi o \varsigma$ als Gattungsbezeichnung wird das gesamte
Sein des Menschen unter dem Gesichtspunkt menschlicher
Insuffienz betrachtet, der die göttliche Machtfülle,
die sich für den Menschen als $\sigma \omega \tau \eta \rho i \alpha$ und $\mathring{\alpha} \nu \mathring{\alpha} \sigma \tau \alpha \sigma \iota \varsigma$
konkretisiert, zugeordnet ist:

$$o i \varkappa o \nu o \mu \acute{\eta} \sigma \alpha \nu \tau \iota \ \mathring{\alpha} \nu \vartheta \rho \acute{\omega} \pi o \iota \varsigma \ \mu \grave{\varepsilon} \nu \ \mathring{\alpha} \pi o \rho o \nu$$
$$\varkappa \alpha \grave{\iota} \ \mathring{\alpha} \delta \acute{\upsilon} \nu \alpha \tau o \nu \ \sigma \omega \tau \eta \rho \acute{\iota} \alpha \nu \ \varkappa \alpha \grave{\iota} \ \mathring{\alpha} \nu \acute{\alpha} \sigma \tau \alpha \sigma \iota \nu$$

(c.79,16 f.; vgl. c.77, 1 f.; c.1o2,4-7; c.1o6,11-13).
Damit ist als Grundmotiv der Anthropologie der AJ die
Erlösungsbedürftigkeit des Menschen anzusehen, mit
der eine Sicht des Menschen verbunden ist, die ihn zu
seiner Rettung auf ein Eingreifen von oben angewiesen
sieht. Über die Ursachen dieser Erlösungsbedürftigkeit,

---

[1] Die Stellen, bei denen sich $\mathring{\alpha} \nu \vartheta \rho \omega \pi o \varsigma$ auf Jesus
oder Johannes bezieht, bleiben hier unberücksich-
tigt.

die sowohl als Hilflosigkeit wie als Gefährdung des
Menschen aufgezeigt wird, werden zwei voneinander di-
vergierende Aussagen gemacht.
1. Die Gefährdung des Menschen ist in ihm selbst begründet. Sein Verhalten wird damit nicht als zufälli-
ges und jederzeit zu änderndes, sondern als seinem
Sein analoges angesehen:

ἔδει δέ σε οὐχὶ τοὺς τόπους ἀφανίσαι, ἀλλὰ τὴν
ἔννοιαν, ἥτις διὰ τῶν μορίων ἐκείνων ἐδείκνυτο
χαλεπαίνουσα· οὐ γὰρ τὰ ὄργανά ἐστι βλαπτικὰ
τῷ ἀνθρώπῳ ἀλλ' αἱ ἀφανεῖς πηγαὶ δι' ὧν πᾶσα
κίνησις αἰσχρὰ κινεῖται καὶ εἰς τὸ φανερὸν πρόεισιν.

(c.54,5-9). Denselben Sachverhalt deckt ein Satz
aus der Rede des Johannes bei der Zerstörung des
Artemistempels διελέξω ὑμᾶς ἀνεωτάτους ὄντας καὶ
νεκροὺς τὸν ἀνθρώπινον λογισμόν
(c.39,1o f.) - Die erzählerische Ausgestaltung
dieses Motivs liegt in der Geschichte vom Vatermörder (c.48-54) und in der Erzählung von Drusiana
und Kallimachus (c.63-86) vor. In beiden Fällen wird
die Selbstgefährdung des Menschen als triebhafte
Besessenheit gesehen, der der Mensch nur aufgrund
eines übernatürlichen Eingreifens entrinnen kann.

2. Neben dieser Darstellung des Menschen steht eine
andere, die den Menschen als Erleidenden sieht, der
den Einwirkungen von außen ausgeliefert erscheint,
ohne daß eine Entsprechung der äußeren fremden Gewalten zum Inneren, zum Selbst des Menschen aufgewiesen
wird:

ἀλλ' ὑμᾶς ὅλους ἐπιστρέφων ἀπιστίᾳ κεκρατημένους
καὶ ἐπιθυμίαις αἰσχραῖς πεπραμένους ὃν κηρύσσω
Ἰησοῦν Χριστὸν εὔσπλαγχνος ὢν καὶ χρηστὸς βούλεται δι' ἐμοῦ τῆς πλάνης ὑμᾶς ἐξελέσθαι·

(c.33,6-9). Kennzeichnend für diesen Zustand sind

die ἐπιθυμίαι , von denen der Mensch gefesselt
wird: χρεία δὲ πρὸ τῶν ἄλλων ἀπάντων τὸν πιστὸν
ἄνθρωπον τὴν ἔξοδον προορᾶν καὶ καταμαν-
θάνειν ταύτην ὁποία τις ἐπιστήσεται, ἆρα διεργὴς
καὶ νηφαλέα καὶ μηδὲν ἐμπόδιον ἔχουσα, ἢ τε-
θορυβημένη καὶ τὰ ὧδε κολακεύουσα καὶ καταδεδε-
μένη ἐπιθυμίαις. (c. 69, 1-5).

So können die Menschen als irregeführt bezeichnet werden:
ὅτι τῶν πλανηθέντων οὗτος ὑπάρχει ἀνθρώπων·
(c.74, 16 f.; vgl. c.68, 3 f.). In diesen Zusammenhang
gehört auch das Bild des Schlafes,[1] den der Mensch abwerfen soll:
ἀπόβαλε τὸν πολὺν ὕπνον ἀπὸ σοῦ
(c.21, 8 f.). Möglich ist ihm dies nur aufgrund göttlichen Eingreifens, das jedoch über den sprachlichen
Akt der Offenbarung hinausgehen und die Form eines
tätigen Handelns (Wunder) annehmen muß (vgl. den Ablauf der Erzählung von Lykomedes und Kleopatra).

Auch das Verhältnis des Menschen zur Offenbarung steht
unter dem Gesichtspunkt menschlichen Unvermögens.
Darauf richtet sich sowohl die Ungläubigkeit (c.92,8)
wie auch die Anmerkung, daß die Namen, mit denen Jesus
bezeichnet wird, ihm nicht adäquat, sondern dem menschlichen Begreifen angemessen sind:
ὁ λεχθεὶς ταῦτα πάντα δι'ἡμᾶς ὅπως καλοῦντές σε
διὰ τούτων γνωρίζωμέν σου τὸ μέγεθος ...
(c.1o9, 15 f.; vgl. c.98, 12 f.).

Zusammenfassung: Der Begriff ἄνθρωπος wird in den
AJ mit zwei unterschiedlichen Aussagen verbunden. Beiden ist jedoch gemeinsam, daß dem Menschen sein eigenes

---
1) vgl. ψυχή

'Ich nicht verfügbar ist und daß er zu seiner Errettung auf die Tat Gottes angewiesen ist.

_ψ‿χή_

Der Begriff ψ.findet sich in unterschiedlichen Textsorten: Er steht innerhalb von Reden und Gebeten (c.23,
14; c.24,9; c.84,12; c.112,6 und 17; c.113,15) in Einleitungssätzen zu Gebeten (c.43,1 f.; c.82,2), in erzählenden Passagen (c.25,8; c.64,13; c.65,2), in Parä-
nesen (c.29,4; c.34,2; c.54,11; c.69,8 ff.; c.1o4,7)
und in Klagereden (c.84,2 und 3).
Teilweise dient ψ.dabei zur Bezeichnung eines Teils des
Menschen (c.21,8; c.23,14; c.24,9; c.64,13).[1]

Inhaltlich umgreift ψ.den Bereich der seelisch-geisti-
gen Funktionen des Menschen - seine Fähigkeit, Gemüts-
und Willensregungen zu äußern; dies verbindet sich mit
dem Aspekt des menschlichen Seins und Handelns im Hinblick auf Ziel- und Wertsetzungen sowie Entscheidungen.
Beides wird auf dem Hintergrund der Relation der Menschen bzw. ihrer ψ.zu Gott gesehen.

ψυχή als Objekt der Beeinflussung

Die Fähigkeit des Menschen zu Emotionen und Verhaltensweisen gründet in seiner Ansprechbarkeit, die in der
ψ.ihren Ort hat. Insofern geht von ihr Aktion im Sinne
von Reaktion aus, wobei die Möglichkeit der Unterordnung
wie auch die der Negierung (hierbei ist der Mensch z.T.
nicht allein tätig) hinsichtlich von außen herangetra-
gener Reize gegeben ist.

---

1) Ob in c.22,14 und c.23,8 der Mensch als ganzer mit
   diesem Begriff erfaßt ist, ist nicht sicher.

Emotionen

Um ein Nicht-Entsprechen der Seele äußeren Reizen gegenüber geht es beim Verhalten Kleopatras angesichts
ihres verstorbenen Mannes (c.23,14; c.24,9). Daß die
Seele von Emotionen frei bleibt, wird ermöglicht durch
den Glauben Kleopatras, der unvermittelt vorausgesetzt
wird (c.23,14). Die Unbewegtheit der Seele als Folge
des Glaubens wird zur Bedingung für die Wiedererweckung
des Lykomedes. - Ebenso wie die ψ. der Sitz der Trauer
sein kann (c.65,2), kann sie der Ort der Freude sein
(c.43, 1 f; c.82, 2). Beide Stellen bezeichnen als
einleitende Sätze zu Gebeten eine auf Jesus gerichtete
Gemütsbewegung. Bei dem zuletzt genannten Text stehen
$\psi\upsilon\chi\acute{\eta}$ und $\pi\nu\epsilon\tilde{\upsilon}\mu\alpha$ parallel, eine Parallelität, wie sie
auch Lk 1, 46 f. in der Erweiterung des atl. Wortlauts
vorliegt. Hier wie dort ist $\pi\nu\epsilon\tilde{\upsilon}\mu\alpha$ nichts anderes als
ein anthropologischer Begriff, der keine überpersön-
liche Kraft beinhaltet, er meint das lebendige Ich, das
der Geführsregung fähig ist.[1] - Mit ψ. wird ferner der
Ort beschrieben, an dem der Mensch dem Anliegen anderer Menschen gegenüber offen und davon beeinflußbar ist
(c.25,8).

Verhaltensweisen

In c.69 (8-23) wird vorausgesetzt, daß es die ψ. ist, die
den Menschen veranlaßt, sich bestimmten Verhaltensweisen
zuzuwenden. Damit läßt sich

1. ψ. als eine empirisch mittelbar erfahrbare Größe de-
   finieren; denn ihr jeweiliger Zustand spiegelt sich
   im Verhalten des Menschen wider.
2. der Mensch als ψ. bestimmen; dies in dem Sinn, daß

---

[1] Dagegen SCHWEIZER, E.: Art. $\pi\nu\epsilon\tilde{\upsilon}\mu\alpha$ $\kappa\tau\lambda$. p.4o2, Anm.466
der in $\pi\nu\epsilon\tilde{\upsilon}\mu\alpha$ nicht einfach menschliche Fähigkeit,
sondern das letztlich nicht von Gottes $\pi\nu\epsilon\tilde{\upsilon}\mu\alpha$ zu
scheidende, dem Menschen geschenkte Ich sieht (zu
LK 1,47).

die ψ. die Kraft ist, die das Sein und Dasein des
Menschen - beide untrennbar miteinander verflochten -
formt;

3. ψ. nicht schon als zu Gott hinstrebender Teil des
Menschen sehen - bzw. der Mensch gehört nicht, insofern er ψ. ist, auf die Seite Gottes - da ja der Begriff ψ. eine zu verwirklichende Aufgabe einschließt;

4. ψ. als eine individuelle Größe fassen.

In den AJ geht es nicht um die Substanz der ψ., sondern
um ihre sittliche Qualität, die in den Handlungen und
Gesinnungen der Menschen deutlich wird und damit der
Beurteilung nach bestimmten Kriterien zugänglich ist.
Neben allgemeinen Wendungen, in denen das Diesseits abge-
wertet wird (Vergängliches; Zeitliches; nicht Bleiben-
des; in Ehre halten, was keiner Ehre wert ist; Frevel-
tat), stehen konkrete Hinweise (schmutzige Lust, Leicht-
fertigkeit, Geldgier, Zorn), eine dritte Gruppe nennt
die Beziehungen zu Gott unter dem Aspekt des sichtbaren Handelns nach dem Glauben. In c.29 (5-9) findet sich
ein Tugendkatalog, in dem von jenen Tugenden u.a. ausgesagt wird:... εἰκονογραφῶν σου τὴν ψυχήν.

Zwei Stellen aus c.64 (9 und 13) gehören noch in diesen Zusammenhang,
in ihnen wird das Verhalten eines Ungläubigen auf seine
ἰδιωτιζούσα ψυχή zurückgeführt bzw. als ψυχικὴ ἀκραύ-
σις erklärt.

ψυχή als der Teil des Menschen, der die Beziehung zu
Gott trägt

Daß die ψ. als solche nicht von vornherein zu Gott hin-
strebt, geht aus c.84, 2 f. hervor,[1] wo die ψ. des Übel-

_____
1) Vgl. auch Punkt 3 im vorhergehenden Abschnitt.

täters Fortunatus als $\overset{,}{\alpha}\mu\epsilon\tau\overset{,}{\alpha}\vartheta\epsilon\tau o\varsigma$ bezeichnet wird, jedoch ist die ψ. der Ort, an dem der Mensch von Gott erreicht wird. Sehr deutlich wird dies in c.21,8 bei der Ermahnung des Lykomedes durch den Apostel: $\overset{,}{\alpha}\nu o\iota\xi\acute{o}\nu$ $\varsigma o\upsilon$ $\tau\grave{\eta}\nu$ $\psi\upsilon\chi\acute{\eta}\nu$ (vorausgegangen ist der $\vartheta\rho\tilde{\eta}\nu o\varsigma$ des Lykomedes angesichts seiner kranken Frau Kleopatra). Diese bildliche Wendung erfährt eine Erläuterung durch das parallel gesetzte $\delta\iota-\upsilon\pi\nu\iota\varsigma\vartheta\eta\tau\iota$ $\varkappa\alpha\grave{\iota}$ $\alpha\overset{,}{\upsilon}\tau\acute{o}\varsigma$, womit gnostisches Gedankengut aufgenommen wird. "Schlaf" ist dort ein beliebtes Bild für das irdische Dasein, für die "Weltverfallenheit" des Menschen.[1] Das Aufwachen bzw. das Abwerfen des Schlafes ist als erster Schritt der Befreiung vom ir-dischen Dasein, als erste Stufe der Erlösung anzusehen. In der Gnosis ist das Erwachen die Folge eines Rufes des Erlösers. Ein solcher Ruf ist hier nicht erwähnt, wird aber vom Vf. wohl durch die vorausgegangene Wortoffen-barung als gegeben angesehen; denn: $o\overset{,}{\upsilon}$ $\pi\rho o\varsigma\acute{\eta}\varkappa\epsilon\iota$ $\overset{,}{\alpha}\pi\epsilon\iota\vartheta\tilde{\eta}\varsigma\alpha\iota$ $\tau\tilde{\omega}$ $\vartheta\epsilon\omega\mu\acute{\epsilon}\nu\omega$ $\varsigma o\iota$(c.21,4 f.). "Schauen" bezeichnet also die Aufnahme der zuteil gewordenen Offenbarung und ist. eben-falls ein Begriff, der sich in der Gnosis in diesem Zu-sammenhang findet.[2] $\tau\tilde{\omega}$ $\vartheta\epsilon\omega\mu\acute{\epsilon}\nu\omega$ und $\overset{,}{\alpha}\nu o\iota\xi\acute{o}\nu$ $\varsigma o\upsilon$ $\tau\grave{\eta}\nu$ $\psi\upsilon\chi\acute{\eta}\nu$ sind vom Kontext her parallel zu setzen, beide beziehen sich auf den Menschen als den, der fähig ist, Gottes Botschaft aufzunehmen.

An einigen Stellen wird die ψ. als der Teil des Menschen angesprochen, der gerettet wird. Dieser Sachverhalt findet verschiedenartigen Ausdruck: In c.23,8 und c.46,14 liegt seiner Bezeichnung jeweils das Verb $\varsigma\tilde{\omega}\xi\epsilon\iota\nu$ zugrunde. Während jedoch in c.46 der Mensch das agierende Subjekt der Rettung als einer un-mittelbaren Folge der Bekehrung zum Herrn ist $\overset{,}{o}\tau\iota$ $\overset{,}{\epsilon}\pi\iota\varsigma\tau\rho\acute{\epsilon}-\psi\alpha\nu\tau\acute{o}\varsigma$ $\mu o\upsilon$ $\pi\rho\grave{o}\varsigma$ $\varkappa\acute{\upsilon}\rho\iota o\nu$ $\varkappa\alpha\grave{\iota}$ $\delta\iota\alpha\varsigma\acute{\omega}\varsigma\alpha\nu\tau o\varsigma$ $\tau\grave{\eta}\nu$ $\overset{,}{\epsilon}\mu\alpha\upsilon\tau o\tilde{\upsilon}$ $\psi\upsilon\chi\grave{\eta}\nu...$

---

1) Vgl. JONAS, H.: Gnosis, p. 113 und 115.
2) Vgl. JONAS; H.: a.a.O., p. 313.

(c.46,13 f.), wird ihm in c.23 eine eher ambivalente
Rolle zugewiesen, seine Wirksamkeit beschränkt sich
auf ἐλπίζειν, welches jedoch durch die parallele Anordnung
zu σώζειν den Charakter einer Voraussetzung erhält:
Ἀνάστηθι, καὶ μὴ γίνου πρόφασις πολλοῖς ἀπιστεῖν θέ-
λουσι καὶ θλῖψις ψυχαῖς δυναμέναις ἐλπίσαι καὶ σωθῆναι.
(c.23,6-8).

Beide Stellen machen keine Aussagen über den Zeitpunkt
der Rettung, eine solche findet sich in c.112,17 f., wo
der Kontext eindeutig auf die Zeit nach dem Tod hinweist;
Joh. bittet kurz vor seinem Tod: δέξαι καὶ τοῦ σοῦ Ἰωάννου τὴν
ψυχὴν τάχα ἠξιωμένη ὑπὸ σοῦ . Um die Bewahrung der
ψ.geht es auch bei zwei weiteren Stellen: καὶ ἁπλῶς ὅλη
συνελθοῦσα ἡ τῶν τοιούτων σύγκρασις χρωμάτων καὶ
μίξις ἐπὶ τὴν ψυχήν σου ἀνέκπλυτον καὶ εὔβεστον
καὶ στερεόμορφον αὐτὴν ἐπὶ τὸν κύριον
ἡμῶν Ἰησοῦν Χριστὸν κατάστησει (c.29,15-18) und καὶ
εἰς τοῦτο οἰκοδομούμενοι ἀκαθαίρετον ὑμῶν τὴν
ψυχὴν ἕξετε (c.104,6 f). Der Kontext beider Stellen
weist einen Bedingungszusammenhang auf zwischen der
Lebensführung des Menschen und dem Schicksal seiner Seele. Hier wie auch in c.23 und c.46 wird die Annahme der
ψ. durch den Herrn auf eine do-ut-des-Ordnung bezogen.
Eine Korrektur dieses Gedankens einer festgelegten Lohn-
ordnung scheint die aus c.112 zuvor zitierte Stelle zu
bringen, allerdings ist aufgrund der Wertung des Apostels zu fragen, ob hier die Bitte nicht lediglich formale Wendung ist. - Die Tätigkeit des Menschen stellt
sich auch dann als dem Eingreifen Gottes vorlaufend dar,
wo an eine irdisch-zeitlich gebundene Wirksamkeit Gottes gedacht ist (c.54,11). Demgegenüber wird in c.112,6
und in c.113,15.21 Gott als der bedingungslos Helfende
gekennzeichnet. Aufgrund seines Eingreifens ergibt sich
aber erst für den Menschen die Möglichkeit, sich ihm

zuzuwenden.

Unter dem Aspekt der Rettung der Seele zeichnet der
Apostel auch seine Aufgabe: ἐκεῖνο δὲ ἐβουλόμην πρῶτον
ἐγκατασπεῖραι ὑμῶν ταῖς ἀκοαῖς τὸ τῶν
ψυχῶν ἐπιμελεῖσθαι   (c.34,1 f.) und lobt das
Verhalten des Verwandten des Artemispriesters: τῷ τῆς ψυχῆς
τῆς ἑαυτοῦ πόνῳ πρότερον τὴν ἑαυτοῦ ἐπιμέλειαν ποιούμενος...
(c.46,1o f.). - Von einer engen Verbindung der ψ. zu Jesus spricht c.96,18: ῥυθμίζεσθαι θέλω ψυχὰς ἁγίας ἐπ' ἐμέ.
Diese Zeilen sind innerhalb des Kontextes nur einer der
zahlreichen Hinweise auf die Beziehungen der Gläubigen
zu Jesus, deren Leitmotiv die γνῶσις ist, die zu einer
unauflösbaren Einheit der Glaubenden mit Christus führt:
ἴδε σεαυτὸν ἐν ἐμοὶ λαλοῦντι   (c.96,1).

Die ψ. ist hinsichtlich ihrer Substanz als nicht-kör-
perlich gekennzeichnet (c.1o3,4). In c.84,12 wird sie
neben σῶμα und νοῦς als ein Teil des Menschen genannt. Dies ist die einzige Stelle, an der ein Anklang
an ein trichotomisches Prinzip der Anthropologie vorliegt.

Zusammenfassung: Innerhalb der Frage nach der Anthropologie der AJ spielt die ψ. eine wesentliche Rolle. Neben
Aussagen, die auf die emotionalen Fähigkeiten des Menschen Bezug haben, stehen solche, in denen der ψ. ein
entscheidender Anteil an der Rettung des Menschen zugeschrieben wird. Diese Ausführungen sind insofern nicht
eindeutig, als sie einerseits die ψ. als selbsttätig
wirkendes Prinzip ansehen, ihr aber andererseits eine
bloß nachfolgende Wirksamkeit zugeschrieben wird. -Es ist
jedoch deutlich geworden, daß die ψ. das physische Leben des Menschen, in dem sich sein Selbst ausprägt,
bestimmt, und zwar in der Weise, daß sie den Menschen als
den zu Gott Gehördenden qualifiziert, indem ψ. und Affinität zu Gott miteinander verbunden das irdische Dasein

'des Menschen in ein endzeitliches Sein transzendieren.

$\sigma \tilde{\omega} \mu \alpha$

Ebenso wie ψ. findet sich auch **6.** innerhalb verschiedener
Textsorten, wobei die Verwendung in der Paränese (c.35,
1.7; c.69,5.23; c.1o3,4 f.) und in Gebeten (c.84,12;
c.112,12; c.113: 4) vorherrschend ist. Die übrigen
Belegstellen verteilen sich auf erzählende Passagen
(c.7o,7; c.93,2) und auf die Einleitung zu einer Wundergeschichte (c.3o,5). Zweimal bezieht sich dabei **6.** auf
den Körper Jesu (c.93,2; c.1o3,4 f.), ansonsten ist der
Körper des Menschen gemeint, und zwar in seiner sinnlich-
sichtbaren Gestalt.

In seiner Grundtendenz deckt **6.** einen negativen Sachverhalt:
a) als Aussage über die Vergänglichkeit des **6.** (c.35,7;
   c.35,1; c.7o,7) und seine Anfälligkeit durch Krankheit, die als Herrschaft des Satans gewertet wird
   (c.3o,5),
b) als Aussage über die mit dem **6.** gegebene Gefährdung
   des Menschen hinsichtlich seiner Zugehörigkeit zu
   Jesus (c.69,23; c.84,12; c.112,12),
c) als Komplementärbegriff zu $\psi\nu\chi\acute{\eta}$, wobei deutlich wird,
   daß die $\psi\nu\chi\acute{\eta}$ ihre eigentliche Existenz nicht innerhalb des $\sigma\tilde{\omega}\mu\alpha$ finden kann, daß dieses ihr vielmehr
   hinderlich ist (c.112,12).

So gehört **6.** zwar zum menschlichen Sein, dieses aber
in der Art, daß der Mensch sein eigentliches Ich nicht
in seinem Verhältnis zum **6.** findet, sich sein wahres Sein
vielmehr in einer Abwehr somatischer Vorfindlichkeit oder
zumindest Distanzierung zum **6.** vollzieht, während bei Pls
der Mensch sein Verhältnis zu sich selbst aufgrund seines

σῶμα -Seins gewinnt.[1] Weder bei ihm noch in den anderen ntl. Schriften kann von einer Abwertung des σ. an sich gesprochen werden. σ. verkörpert damit in den AJ eine fremde, die Eigentlichkeit des Menschen gefährdende Macht, wie es besonders aus den Ausführungen des Joh. kurz vor seinem Tode hervorgeht (c.113). Der Gedanke der Ehelosigkeit als gegenüber der Ehe höher zu wertender Lebensform wird hier im Gegensatz zu Pls (1.Kor 7,1-7)[2] aus dem σ.-Begriff entwickelt, wobei σῶμα und σάρξ innerhalb des Kontextes als parallele Bezeichnungen erscheinen. - Notwendige Folgen dieser Anschauung sind die asketische Grundtendenz der AJ und die Aussagen über das σ. Jesu, das als wandelbar (c.93,2) angesehen wird. Dem entspricht es, daß die Hinwendung zu Jesus sich nicht mit Hilfe eines leiblichen Organs vollzieht, sondern auf die Seele beschränkt bleibt (c.103,4). Kap. 84,12 wird σ. neben anderen das menschliche Sein bezeichnenden Begriffen (ψυχή, νοῦς) als Ort der Einwirkung des Satans aufgezeigt.

Zusammenfassung: σῶμα bezeichnet also den Menschen als den, der der Einwirkung gottfeindlicher Mächte ausgeliefert ist; darüber hinaus wird σῶμα selbst zu einer den Menschen gefährdenden Größe. Ein positives Verhältnis zu σῶμα liegt an keiner Stelle der AJ vor.[3]

σάρξ — σαρκικός

In den AJ findet sich nur an drei Stellen der Begriff σάρξ (bzw. σαρκικός), davon bezieht sich c.84,16 auf die fleischliche Nahrung des Menschen. Die beiden anderen

---

1) Vgl. BULTMANN, R.: Theologie, p.199.
2) Vgl. BULTMANN, R.: a.a.O., p.2o3.
3) C.69,5 ist als vergleichendes Bild in diesem Zusammenhang ohne Bedeutung.

Stellen bezeichnen die σάρξ des Menschen. - In c.28,7
steht σαρκικός innerhalb der Paränese, die der Apostel
angesichts seines im Auftrag von Lykomedes gemalten
Bildnisses hält. Da diese Paränese Ziel und Zweck der
Erzählung ist, kommt in ihr sehr deutlich die Anschauung
bzw. die Tendenz der AJ zum Ausdruck (ὁμοία μοι ἡ εἰκών
οὐκ ἐμοί δέ...ἀλλὰ τῷ σαρκικῷ μου εἰδώλῳ). σαρκικός
dient hier zunächst dazu, die äußerlich sichtbare Gestalt
zu bezeichnen. Gleichzeitig steht im Hintergrund eine
Wertung des Äußerlich-Sichtbaren als des Nicht-Eigent-
lichen des Menschen (εἴδωλον). Dies wird bestätigt
und in gesteigerter Form verbalisiert durch den die Paränese abschließenden Satz: ἔγραψας νεκροῦ νεκρὰν εἰκό-
να (c.29,19).[1] - Die mit dem Vorhandensein der σάρξ verbundene Gefährdung des Menschen wird in c.113,12, dem
Dankgebet des Apostels vor seinem Tod, ausgesprochen: ὁ τῆς
ἐν σαρκὶ ῥυπαρᾶς μανίας χωρίσας με . Die
σάρξ des Menschen wird von vornherein abqualifiziert
als Ort der den Menschen beherrschenden negativen Wünsche.[2] Damit wird die σάρξ selber zu einem den Menschen leitenden Prinzip, das ihn von Gott trennt, wobei
die Trennung wiederum allein vom ὁ νεὸς Ἰησοῦς aufgehoben werden kann.

σάρξ als Begriff spielt, wie schon das zahlenmäßig ge-
ringe Vorkommen zeigt, in den AJ keine wesentliche Rolle;
wo es verwendet wird, liegt eine negative Bedeutung vor.

φύσις

Mit dem Begriff φ.,der, obwohl er in den AJ nicht überaus häufig vorkommt, dennoch wesentlichen Aufschluß über
die Anthropologie gibt, werden zwei inhaltliche Bedeu-

---

1) Vgl. die Ausführungen zu εἰκών.
2) μανία bezeichnet c.63,14 ebenfalls den Geschlechts-
   trieb. c. 114,7 bezieht es sich auf das Wirken des
   Satans.

˙tungen gedeckt. φ. ist einmal die vom Menschen vorge-
fundene Welt, die als Offenbarungsträger dient (so der
Apostel in seinem Dankgebet vor seinem Tod c.112,4 f.):
ὁ διὰ πάσης φύσεως ἑαυτὸν γνωρίσας ,zum anderen
bezeichnet φ. die menschliche Natur, dies in dem Sinn,
daß damit das "wahre Wesen"[1] des Menschen benannt werden soll.

Die Wertung der φ. in der letztgenannten Bedeutung ist
zwiespältig. So spricht der Apostel in dem Dankgebet
c.85,9 davon, daß Christus aus einem Bedürfnis nach der
φ. des Menschen die Rettung dieser vornimmt. In c.35,3 f.
erscheint die φύσις neben νόμος und συνείδησις als Rä-
cherin des Ehebruchs. Daneben stehen Aussagen, in denen der φύσις eine negative Wertung zuteil wird: c.84,2 f.:
ὦ φύσις ἀφύσικος πρὸς τὸ κρεῖττον· ὦ πηγὴ ψυχῆς
μενούσης ἐν ῥύπῳ. Der hier aufgewiesene Zusammenhang zwischen φύσις und ψυχή stellt sich so dar, daß
die φύσις , der jegliche Möglichkeit der Wendung zum
Besseren fehlt, der Bereich ist, an den die ψυχή negativ gebunden ist.[2] Diesen Sachverhalt decken auch die
Aussagen in c.84,9 f.: τοιγαροῦν οἵα ἡ ὁδός σου τοιαύτη καὶ
ἡ ῥίζα καὶ ἡ φύσις - und c.98,18 f.:... Σατανᾶς, καὶ ἡ
κατωτικὴ ῥίζα, ἀφ'ἧς ἡ τῶν γινομένων προ-
ῆλθεν φύσις. Parallel zu φύσις, von der der Mensch
hinsichtlich seines Lebensweges abhängig ist, steht in
c.84: ἡ ῥίζα, während in c. 98 ἡ κατωτικὴ ῥίζα
und φύσις γινομένων eine abgestufte Reihenfolge zeigen.
ῥίζα bedeutet hier soviel wie Ursprung,[3] Verwurzelung
und steht in einer Reihe mit Begriffen, die Machtbesitz

1) KÖSTER, H.: Art. φύσις , p.271.
2) Als Äquivalent zu φύσις erscheint in c.84,6 ὕλη .
3) In diesem Sinne von ῥίζα wird in c.1o9,13 f. von
   Jesus als ἡ ῥίζα τῆς ἀναστασίας und anschließend-pa-
   rallel gesetzt - als ἡ πηγὴ τῆς ἀφθαρσίας gesprochen.

bzw. Wirksamkeit bezeichnen ($\delta \upsilon \nu \acute{\alpha} \mu \epsilon \iota \varsigma, \acute{\epsilon} \xi o \upsilon \sigma \acute{\iota} \alpha \iota, \mathring{\alpha} \rho \chi \alpha \iota,$
$\delta \alpha \acute{\iota} \mu o \nu \epsilon \varsigma, \acute{\epsilon} \nu \acute{\epsilon} \rho \gamma \epsilon \iota \alpha \iota, \mathring{\alpha} \pi \epsilon \iota \lambda \alpha \acute{\iota}, \mathring{\vartheta} \upsilon \mu o \acute{\iota}, \delta \iota \alpha \beta o \lambda o \acute{\iota}, \Sigma \alpha \tau \alpha \nu \tilde{\alpha} \varsigma),$
und zwar gottfeindlicher Art.

Die Kennzeichnung von $\mathring{\eta} \acute{\epsilon} \acute{\iota} \xi \alpha$ als $\kappa \alpha \tau \omega \tau \iota \kappa \acute{\eta}$ wird im
Folgenden - bei gleichem Kontext - auf die $\varphi \acute{\upsilon} \sigma \iota \varsigma$ über-
tragen: $\mathring{\eta} \kappa \alpha \tau \omega \tau \iota \kappa \grave{\eta} \varphi \acute{\upsilon} \sigma \iota \varsigma$ (c.loo,1 f.). Von ihr finden
sich innerhalb des Kontextes weitere Aussagen. Um das
Lichtkreuz, das die Funktion des Trennenden und damit
des Sammelnden hat, [1] gruppiert sich eine große Volksmenge, die in einer nicht einheitlichen Gestalt erscheint
($\mu \acute{\iota} \alpha \nu \mu o \rho \varphi \grave{\eta} \nu \mu \grave{\eta} \acute{\epsilon} \chi o \nu \tau \alpha$ - c.98,2), diese Volksmenge
wird ferner mit $o \acute{\iota} \pi o \lambda \lambda o \acute{\iota}$ und der Aussage $o \acute{\iota} \acute{\epsilon} \xi \omega$
$\tau o \tilde{\upsilon} \mu \upsilon \sigma \tau \eta \rho \acute{\iota} o \upsilon$ (c.loo,lo f.) charakterisiert.

Wurde eingangs von c.loo,1f. von $\mathring{\eta} \kappa \alpha \tau \omega \tau \iota \kappa \grave{\eta} \varphi \acute{\upsilon} \sigma \iota \varsigma$ gesprochen,
die sich $\pi \epsilon \rho \grave{\iota} \tau \grave{o} \nu \sigma \tau \alpha \upsilon \rho \acute{o} \nu$ befindet, so ist der Ort der
$\mathring{\alpha} \nu \vartheta \rho \acute{\omega} \pi o \upsilon \varphi \acute{\upsilon} \sigma \iota \varsigma$, die als $\mu \acute{\epsilon} \lambda o \varsigma \tau o \tilde{\upsilon} \kappa \alpha \tau \epsilon \lambda \vartheta \acute{o} \nu \tau o \varsigma$ gesammelt
wird, $\acute{\epsilon} \nu \tau \tilde{\omega} \sigma \tau \alpha \upsilon \rho \tilde{\omega}$. Erzählerische Ausgestaltung
dieser lehrhaft-theoretischen Trennung in verschiedene
$\varphi \acute{\upsilon} \sigma \iota \varsigma$ wäre dann die Begebenheit mit Fortunatus (c.84),
die die Unwandelbarkeit der $\kappa \alpha \tau \omega \tau \iota \kappa \grave{\eta} \varphi \acute{\upsilon} \sigma \iota \varsigma$ aufzeigt. [2]

---

1) Vgl. dazu 2.2.4. Kreuzigung.
2) Vgl. dazu innerhalb dieses Kapitels $\acute{\epsilon} \pi \iota \vartheta \upsilon \mu \acute{\iota} \alpha - \Sigma \alpha \tau \alpha \nu \tilde{\alpha} \varsigma$
und 2.1.2. - Dasein des Menschen, wo auf die Rolle des
Fortunatus in Auseinandersetzung mit der gegenteiligen
Interpretation von JUNOD/KAESTLI: Acta,p.542 u.ö.
eingegangen wird.

Damit sind insofern Anklänge an gnostische Aussagen
vorhanden, als das Sein bzw. das Verhalten des Menschen auf seine φύσις zurückgeführt wird. Demzufolge
ist auch der Gedanke der σωτηρία im Gesamttext der AJ
nicht mehr eindeutig. Kap. 85,9 spricht ohne Einschränkung von der Rettung der φύσις , eine Aussage, die im
Hinblick auf die κατωτικὴ φύσις (ὄχλος, πολλοί) nicht
durchgehalten wird. Die Ausführung, daß gegenüber diesen πολλοί andere Menschen φύσει σωζόμενοι sind, findet
sich zwar nicht expressis verbis, ist aber inhaltlich
vorhanden.

φύσις wird innerhalb der Soteriologie der AJ zu einem
tragenden Begriff, mit dem in nicht immer durchgehaltenen Ansätzen eine Unterscheidung im Hinblick auf die
Erlösungsmöglichkeit der Menschen durch Christus festgestellt wird.

νοῦς

Von den vier Stellen der AJ, wo sich νοῦς findet, beziehen sich je zwei auf Christus und den Menschen.Letzte-
re stehen innerhalb von Gebeten: Bittgebet (c.84,11),
Dankgebet (c.113,9). In c.84 ist νοῦς Teil einer Aufzählung, in der sich ψυχή und σῶμα[1] als weitere Begriffe finden, die sich auf das Sein des Menschen beziehen . Inhaltlich hat νοῦς die Bedeutung einer Grund-
haltung, eines Prinzips, eines Bestimmtseins durch etwas (hier: Gott, doch auch der Satan kann die νοῦς be-
einflussen[2]). - Der Kontext der bildlichen Wendung
in c.113,9: ἀνοίξας μου τοῦ νοῦ τὰς ὄψεις zeigt νοῦς
in seiner Bedeutung für konkretes Wollen und Handeln
(hier: die Ehelosigkeit). An dieser Stelle ist mit νοῦς

---

1) Vgl. zu dieser Stelle: ψυχή
2) Dieser Gedanke verschiedener Beeinflussung der
   νοῦς findet sich auch in der Gnosis. Vgl. den Hinweis von BEHM, J.: νοέω κτλ. ,p.955 auf das Corp.
   Herm. (IX, 3).

der Teil des Menschen genannt, der das Vermögen besitzt,
Gottes Willen zu bejahen. Damit ist **νοῦς** jedoch nicht
eo ipso zur Erkenntnis des Willens Gottes bestimmt.

Während jedoch der Mensch nur **νοῦς** besitzt, wird von
Christus bzw. von dem ihn verkörpernden Lichtkreuz ausgesagt, daß er ganz **νοῦς** ist (c.95,14 f.: νοηϑῆναι ϑέλω
νοῦς ὢν ὅλος .[1] Kap. 98,9 schränkt diese Aussage allerdings insofern ein, als diese Bezeichnung eine neben
anderen ist, die dem Fassungsvermögen des Menschen an-
geglichen ist.

καρδία

Noch weniger als **νοῦς** ist **καρδία** zentraler Begriff anthropologischer Aussagen. Kap. 39,8 sieht **κ.** als Er-
kenntnisorgan für durch Joh. aufgezeigte göttliche
Macht. In c.86,8 ist **κ.** nichts weiter als ein Organ,
dessen Zustand zur Konstatierung des Todes dient.

πνεῦμα

Der Begriff **π.** findet sich an sieben Stellen in den AJ.
Drei von ihnen entfallen dabei auf τὸ πνεῦμα ἅγιον
als Person (c.94,12; c.96,23 und c.98,11), eine Stelle
umschreibt mit παρέδωκε τὸ πνεῦμα das Sterben des Apostels (c.115,4). Von den drei übrigen Stellen (c.46,8;
c.82,1 und c.86,4) sieht c.82 πνεῦμα als Teil des Menschen und parallelisiert es mit ψυχή als dem Ort der
Freude über göttlich gewirktes Geschehen. In c.86 und
c.46 umschreibt πνεῦμα die dem Apostel verliehene Be-
fähigung, um Ereignisse in räumlicher Entfernung und
um Gedanken anderer Menschen zu wissen.

---

1) Vgl. die Ähnlichkeit zu gnostischen Aussagen:
   σὺ ὁ νοῦς (Corp.Herm.XIII,21) BEHM, J.: ebenda.

μορφή

μορφή deckt, obwohl sich dieser Begriff recht selten in
den AJ findet, verschiedene inhaltliche Aussagen ab,
deren Kontexte unterschiedliche Textsorten sind.

1. μ. bezeichnet äußerlich Sichtbares und hat dann die
   Bedeutung "Form, Gestalt", ohne daß auf etwas dieser
   Form Zugrundeliegendes reflektiert wird (vgl. c.28,2,
   wo sich μ. in einem Redeteil mit Gesprächscharakter
   auf die individuelle äußere Erscheinung des Apostels
   bezieht).

2. In c. 28,1o und c.29,3 f. - einer Paränese - wird
   μ. verwandt, um das Wesen des Menschen zu charakterisieren, über das Christus Kenntnis und auf das er
   Einfluß besitzt: ὁ τὰς μορφὰς καὶ τὰ εἴδη καὶ τὰ σχήματα καὶ
   τὰς διαθέσεις καὶ τοὺς τύπους τῶν ψυχῶν ἡμῶν ἐπιστάμενος
   (c.29,3 f.). μ. ist hier auf die ψυχή des Menschen
   bezogen, wobei der Kontext die Verhaltensweise des
   Menschen als Spiegel der μ. der ψυχή deutlich werden
   läßt.[1]

3. Eine Überlagerung beider zuvor genannten Bedeutungen
   von μ. findet sich in c.98,2 und c.1oo,2 f.. Hier liegt
   der Gedanke zugrunde, daß das sich der Wahrnehmung
   Darstellende äußerlich sichtbarer Ausdruck einer
   Seinsweise ist. Den Zusammenhang im Kontext gibt die
   die Evangeliumsverkündigung abschließende Offenbarungsrede Christi während der in Jerusalem stattfin-
   denden Kreuzigung. μορφή zielt hier nicht auf eine
   individuelle Ausprägung, sondern bezeichnet einen Vorgang innerhalb endzeitlichen Geschehens. Im Mittelpunkt
   steht das Lichtkreuz,[2] das neben der Funktion der
   Sammlung und Trennung auch die der Gestaltgebung be-

---

1) Vgl. auch ψυχή
2) Vgl. STURHAHN, C.L.: Christologie, p.21 ff.

sitzt, was sich im Vorhandensein bzw. Nichtvorhanden-
sein einer μ. dokumentiert. -

μ. in dieser Verwendung deckt also die Vorstellung einer
nicht-individuellen Erlösung in dem Sinn, daß der Erlöste sich in die Gestalt des κύριοϳ hineintranszendiert,
dieser Verlust der Individualität ist jedoch notwendige
Voraussetzung der Erlösung, da der einzelne Mensch Teil
des Herabgekommenen wird und mit den anderen die μία
μορφή bildet. Was hier im Hintergrund steht, ist die
Lehre vom Fall und Wiederaufstieg des ἄνϑρωποϳ. [1]
Die μία μορφή stellt sich als ein Zusammenschluß
der μέλη des κατελϑών dar, zugleich ist damit die Vorstellung einer Identität von Erlöser und Erlösten verbunden:
καὶ οὐκέτι ἔσται ὃ νῦν ἔστιν, ἀλλ' ὑπὲρ αὐτὸν ὡς κἀγὼ
νῦν · (c.1oo,6 f.). Indirekt wird μ. dadurch zur Bezeichnung für Christus, der dann als erlöster Erlöser
greifbar wird. [2]

Zusammenfassung: μ. bezeichnet in den AJ primär das Wesen des Menschen, und zwar im Zusammenhang mit dem
Christus-Geschehen. Dabei liegt das Hauptgewicht auf
der Soteriologie, insofern es hier um die endgültige
μ. des Menschen geht, die unter einem überindividuellen
Aspekt gesehen wird. - Letztlich verbindet μορφή Anthropologie, Soteriologie und Christologie.

εἰκών

Der Kontext, in dem sich εἰ. verständlicherweise am
häufigsten findet, ist die Erzählung vom Bild des Johannes
(c.26-29); dem entspricht die vorherrschende - zunächst
wertfreie - Verwendung von εἰ. in seiner konkreten Bedeu-

---

1) SCHLIER, H.: Untersuchungen, p.97.
2) Vgl. zu μορφή ϑεοῦ in der hellenistischen Mystik
   REITZENSTEIN, R.: Mysterienreligionen, p.357 f.

tung (c.26,12; c.27,3.9.11.17; c.28,3). Die negative
Qualifizierung einer bidlichen Darstellung des Menschen (hier des Apostels)erfolgt in c.28,6 auf dem
Hintergrund der Anschauung, daß das Wesen des Menschen
in seiner äußerlich sichtbaren Erscheinung bzw. in deren
bildlicher Darstellung nicht erkennbar ist. Die äußere
Erscheinungsform ist ein $\sigma\alpha\rho\varkappa\iota\varkappa\grave{o}\nu$[1] $\epsilon\check{\iota}\delta\omega\lambda o\nu$[2] ,also
etwas Trügerisches,[3] und wird letztlich als das
tote Bild eines Toten gekennzeichnet (c.29,18 f.). Dahinter verbirgt sich, wie der Kontext zeigt, eine Abwertung des Irdischen als unvollkommen; denn erst durch
die Einwirkung Jesu, deren Vermittler der Apostel ist,
gewinnt der Mensch seine Eigentlichkeit, die in den
Ausprägungen der $\psi\upsilon\chi\acute{\eta}$ ihren Ort hat.[4]

Eine übertragene Verwendung von $\epsilon\check{\iota}$. - hier als $\epsilon\check{\iota}\varkappa o\nu\iota\zeta\acute{o}\mu\epsilon\nu o\nu$

---

1) Vgl. dazu $\sigma\acute{\alpha}\rho\xi$
2) Vgl. dazu BÜCHSEL, H.M.F.: $\epsilon\check{\iota}\delta\omega\lambda o\nu$, p.373:
   "$\epsilon\check{\iota}\delta\omega\lambda o\nu$ wird z.B. vom Abbild eines Menschen gebraucht; dabei kommt es darauf an, daß das $\epsilon\check{\iota}\delta\omega\lambda o\nu$
   die Gestalt des Abgebildeten wiedergibt, aber eben
   nicht dieser Mensch selbst ist."
3) JUNOD/KAESTLI: Acta, p. 448 ff. verweisen auf eine
   sehr ähnliche Anekdote, die sich bei Porphyrius in
   der Lebensgeschichte Plotins findet. In beiden Erzählungen wird festgestellt, daß die Porträts das wahre Sein des Abgebildeten nicht erfassen (p.45o).
   Darüber hinaus sehen JUNOD/KAESTLI in dieser Erzählung der AJ die Spuren einer Diskussion um die Frage,
   ob Kunst nicht über das Sichtbare hinausgelangen
   müsse, da sie nur so das Dargestellte in seinem
   Wesen erfassen könne (p.451 f.).
   - Das eigentliche Ziel der Rede des Johannes ist
   jedoch im soteriologisch-ethischen Bereich zu sehen.
   Vgl. zur Analyse von c. 29 den Abschnitt 2.4. Ethik.
4) Vgl. zu $\psi\upsilon\chi\acute{\eta}$

'liegt in c.1o9,16 f. vor. Inhaltliche Bezugsgröße von
εἰκονιζόμενον ist der Jesus zugeordnete ἄνϑεωπος ,
grammatisch bezieht sich εἰκονιζόμενον auf τὸ μέγεϑος
(ʼΙησοῦ).[1] STURHAHN vermerkt zu dieser Stelle:
"Gegenstand und Inhalt der Offenbarung ist nicht die
transzendente Erlösergottheit in ihrer οὐσία , sondern
nur ihr εἰκών , nämlich der ihr zugehörige ἄνϑρωπος "[2]
Dieser Aussage ist insofern nicht zuzustimmen, als in
c. 1o9,16 f. keine Aussage über eine beschränkte Offenbarung, sondern über eine begrenzte Erkenntnisfähigkeit
einer bestimmten Menschengruppe, der καϑαροί , gemacht
wird. Sie ist weiterhin nicht richtig, weil nicht der
ἄνϑρωπος Gegenstand der Offenbarung ist, sondern
gerade das, was über ihn hinausweist.[3] Es ist also zu
unterscheiden zwischen dem, was offenbart, und dem, was
erkannt wird. Demnach geht es hier um eine Diskrepanz
zwischen der Offenbarung und dem Erkenntnisvermögen selbst
der dem Herrn zugehörenden Menschen, zu deren Überbrük-
kung die εἰκών Jesu, der ἄνϑρωπος benötigt wird.[4]

---

1) JUNOD/KAESTLI: Acta, p. 3o2, Anm. 7 korrigieren εἰκονιζόμενον aufgrund des armenischen Textes in εἰκονιζομένοις
   als Apposition zu καϑαροῖς . Mit der grammatischen
   Differenz verschieben sich auch die inhaltlichen Aussagen. Εἰκονιζόμενον in der grammatischen Zuordnung
   zu τὸ μέγεϑος bleibt thematisch im Rahmen des Kontextes mit dem Bezugspunkt der über alles menschliche
   Begreifen hinausgehenden Göttlichkeit des Herrn,
   die auch den ἄνϑρωπος als εἰκών des Herrn versteht.
   In der von JUNOD/KAESTLI bevorzugten Lesart wird
   diese inhaltliche Einheitlichkeit verlassen, im Blick-
   punkt stehen jetzt die "Reinen" als die Erlösten.
   D.h., ἄνϑρωπος ist in der ersten Lesart christologisch zu beziehen, während die zweite Lesart soteriologisch zu verstehen ist. Wenn JUNOD/KAESTLI dazu
   ausführen: "La construction de la phrase est ainsi
   grammaticalement plus satisfaisante, car «le grandeur»
   est déjà suffisamment qualifiée par l'anithèse ἀνεύ-
   ρητον ... ϑεωρητόν " (p.3o3), so ist dies eine
   rein subjektive, von der Kontextthematik nicht ab-
   zusichernde Entscheidung.
2) STURHAHN, C.L.: Christologie, p.28.
3) Vgl. dazu c.1o1.
4) Der vorausgegangene Text sagt überdies deutlich, daß
   die Bezeichnungen für Jesus in gleicher Weise als Hilfs-
   mittel des Begreifens seiner Person wie seines Wirkens
   dienen.

$\grave{\epsilon}\pi\iota\vartheta\upsilon\mu\acute{\iota}\alpha - \Sigma\alpha\tau\alpha\nu\tilde{\alpha}\varsigma$

Die Behandlung dieser Begriffe in einem Abschnitt erfolgt
unter dem Gesichtspunkt, daß sie den Menschen als den
zeigen, dessen Bindung an Jesus gestört bzw. zerstört
ist. Für die Verwendung dieser Begriffe gilt, daß nicht
der Mensch partiell, sondern als ganzer in den Blick
gerät. - Dabei erscheint $\grave{\epsilon}\pi\iota\vartheta\upsilon\mu\acute{\iota}\alpha$ geradezu als eine
Macht, die der Mensch zu beherrschen nicht in der Lage
ist. Kap.33,7 wird davon gesprochen, daß der Mensch an
Begierden verkauft sei; c.35,11 ist von einem Versklaven durch Begierden die Rede; c. 69,5 steht der Mensch
als der von Begierden Umstrickte da. Gekennzeichnet
wird die $\grave{\epsilon}\pi\iota\vartheta\upsilon\mu\acute{\iota}\alpha$ z.T. durch die Angabe über die Art:
c.33,7 und c.35,11: $\alpha\grave{\iota}\sigma\chi\rho\acute{\alpha}$ c.70,4: $\delta\epsilon\iota\nu\sigma\tau\acute{\alpha}\tau\eta$; ohne
Zusatz steht $\grave{\epsilon}\pi\iota\vartheta\upsilon\mu\acute{\iota}\alpha$ in c.68,6 und c.69,5. Direkte
Angaben über den Gegenstand, auf den sich die $\grave{\epsilon}\pi\iota\vartheta\upsilon\mu\acute{\iota}\alpha$
richtet, fehlen; aus dem Kontext gehen einmal das ir-
dische Dasein allgemein ($\tau\grave{\alpha}$ $\tilde{\omega}\delta\epsilon$ c.69,4) und das geschlechtliche Verlangen in einer konkreten Situation her-
vor (c.70,3 ff.). Der Sitz der Begierde bzw. ihr Träger
wird bezeichnenderweise in keinem Teilorgan des Men-
schen gesehen, er als Gesamtperson ist Träger der $\grave{\epsilon}\pi\iota\vartheta\upsilon\mu\acute{\iota}\alpha$
- Aufschlußreich ist die Zusammenstellung mit $\grave{\alpha}\pi\iota\sigma\tau\acute{\iota}\alpha$
in c.33,7 und die Aussage über die $\grave{\epsilon}\pi\iota\vartheta\upsilon\mu\acute{\iota}\alpha$ als Hinder-
nis für die $\pi\acute{\iota}\sigma\tau\iota\varsigma$ (c.68,3 ff.), wodurch $\grave{\epsilon}\pi\iota\vartheta\upsilon\mu\acute{\iota}\alpha$
deutlich als gegen Gott gerichtet erscheint.

Zusammenfassung: Mit $\grave{\epsilon}\pi\iota\vartheta\upsilon\mu\acute{\iota}\alpha$ wird weniger ein bestimmtes Verhalten als eine beständige Seinsverfassung be-
schrieben.

Während die $\delta\alpha\acute{\iota}\mu\sigma\nu\epsilon\varsigma$ in den AJ in der Rolle kosmischer
Mächte erscheinen,[1] wird der personhaft vorgestellte
Satan[2] fast ausschließlich als eine den Menschen be-

---

1) Von der Besessenheit eines Menschen durch einen Dämonen
ist in c.49,4 und c.70,4 die Rede.
2) Neben $\Sigma\alpha\tau\alpha\nu\tilde{\alpha}\varsigma$ finden sich auch noch $\grave{\sigma}$ $\delta\iota\acute{\alpha}\beta\sigma\lambda\sigma\varsigma$, $\grave{\sigma}$ $\grave{\alpha}\nu\tau\acute{\iota}\delta\iota\kappa\sigma\varsigma$
und Umschreibungen (3o,11;1o8,11), ohne daß ein sach-
licher Unterschied vorliegt.

einflussende Gestalt gesehen. So ist es verständlich, daß
ein unmittelbar feindliches Gegenüber der Person Jesu
und des Satans in den AJ nicht thematisch wird, ihre
Gegnerschaft ist mittelbarer Art. Allgemeine Reflexio-
nen über das Vorhandensein des Satans und über seine
Macht an sich finden sich nicht, wohl aber können for-
melhafte Aussagen über seine Tätigkeit als Widersacher
des Menschen gemacht werden (c.69,16 f; c.112,1o).

In c.7o wird der $\overset{\text{'}}{\epsilon}\pi\iota\vartheta\upsilon\mu\iota\acute{\alpha}$ das Wirken des Satans pa-
rallel geordnet. Von den $\tau\acute{\epsilon}\chi\nu\eta$ des Satans, die den
Menschen auf falsche Wege führen, ist in c.54,1o die
Rede. Auch der Apostel bleibt in seinem Handeln von dem
Wirken des Satans nicht verschont (c.21,13 f.). Als
Summe allen Verderbens, das die Güter des Christen zerstört, erscheint der Satan in der Rede des Joh. anläßlich der Unwandelbarkeit des Fortunatus (c.84,18). Be-
vor die Aufzählung der Verderben bringenden Mächte in der
Nennung des Satan-Namens gipfelt, Fortunatus selbst wird
als Kind des Teufels bezeichnet (c.86,1o), werden u.a. φύσεις
ἀγνώσικος,πηγῆ ψυχῆς μενούσης ἐν ῥύπω, οὐσία φθορᾶς σκό-
τους πλήρης, θάνατος, ὕλη (c.84,2 ff.) aufgeführt. Sie
alle erscheinen als Auswirkungen oder Gestaltungen des
Satans.

Während STURHAHN[1] in Kallimachus und Fortunatus
die erzählerische Ausgestaltung des gnostischen Dualismus sieht, bestreiten JUNOD/KAESTLI diese Möglichkeit
der Deutung: "... nous ne pensons pas que l'opposition
entre Callimaque et Fortunatus ait à l'origine pour
fonction d'illustrer le dualisme ontologique de la
gnose." (2)
JUNOD/KAESTLI weisen darauf hin, daß vom Gesichtspunkt
der Erzählung aus über Fortunatus kein Urteil im voraus gefällt ist, da sich ja auch der Apostel im Gegensatz zu Kallimachus Drusianas Bitte um die Auferweckung
des Toten nicht verschließt. Gegen JUNOD/KAESTLI ist
einzuwenden:

---

1) Christologie, p. 41-46.
2) Acta, p.542, vgl. dazu auch p.553, worauf sich die
   folgenden Punkte beziehen.

1. Dieser ontologische Dualismus wird zwar nicht prä-
   judiziert, letztlich liegt aber ein Teilziel dieser
   Erzählung in der Herausarbeitung einer mangelnden
   Disposition zur Erlösung.
2. Insofern ist Fortunatus einer derjenigen, die ihren
   Ursprung in der κατωτικὴ ῥίζα haben und an sie bzw.
   den Satan (c.98,18) gebunden bleiben.
3. Da JUNOD/KAESTLI mit der Textstelle in Kap.98 "un
   dualisme ontologue radical"(1) bezeugt sehen, Fortunatus aber als "Kind des Satans" bezeichnet wird,
   ist der gedankliche Hintergrund wohl nicht in der
   situativen Entscheidung zu sehen, sondern als Ausdruck der Seinsbeschaffenheit des Fortunatus zu begreifen, die vor dem Geschehen verdeckt, jetzt aber
   deutlich geworden ist. (2)
4. Damit ist zugleich auf eine Verbindung zwischen den
   Kap.94-1o2 und diesem Teil des Erzählstoffes hinzuweisen.

Eine ähnlich enge Verbindung des Menschen mit dem Satan
wie bei Fortunatus wird auch in c.63,2 aufgezeigt, wo
Kallimachus, der Drusiana mit seiner Liebe bedrängt,
als Abgesandter des Satans erscheint. Die Anschauung,
daß der Teufel auf den körperlichen Zustand des Menschen
einwirkt und Krankheit und Schwäche hervorruft, liegt
in c. 3o,11 vor. Als Träger des satanischen Wirkens
wird in c. 69,16 f. und in c.112,9 f. die ψυχή genannt.[3] - Auf eine kosmologische Rolle des Teufels
spielen c. 98,18 f. und c.114,5 f. an, wobei die letzt-
genannte Stelle eine apokalyptische Vision anklingen läßt.
Vom Sieg Jesu über den Satan wird noch in c.54,9 ff.
und in c. 112,9 f. gesprochen. Die beiden letztgenannten
Stellen beziehen sich auf ein Eingreifen Gottes auf die
ψυχή, c.114 stellt den Sieg über den Satan in seiner
Verspottung dar.

Zusammenfassung: Sowohl ἐπιθυμία wie auch Σατανᾶς
sind Gewalten, die den Menschen als Gesamtperson versklaven.

---

1) A.a.O., p.663, Note 13 zur AJ 98.
2) Vgl. dazu 2.1.2. und 2.3.
3) Vgl. ψυχή (Verhaltensweisen).

Beider Ziel ist das Verderben des Menschen, das als Trennung von Jesus konkretisiert wird. Dabei spielen die Verlockungen dieser Welt eine entscheidende Rolle, so daß im Nachgeben ihnen gegenüber eine Auslieferung des Menschen an die ἐπιθυμία bzw. an den Σατανᾶς vorliegt.

Zusammenfassung-Anthropologie

1. Der Mensch der AJ ist wesentlich bestimmt durch seine Erlösungsbedürftigkeit, die
2. überwiegend als Folge des Dualismus seiner Bestandteile angesehen, z.T. aber auch mit Einwirkungen von außen begründet wird, so daß er
3. durch diese mit seinem Sein gegebene oder von außen bewirkte Ambivalenz zwischen Gott und Welt einer ständigen Gefährdung ausgesetzt ist, der er
4. nur durch eine völlige Absage an die Ursachen begegnen kann, wozu er zumeist als ohne die Hilfe Gottes unfähig angesehen wird.[1]

Diese vier Punkte zeigen eine Grundtendenz der AJ auf; differenziert man die Aussagen, so wird deutlich, daß sie teilweise der Einschränkung bedürfen.
Neben den Aussagen über eine völlige Hilflosigkeit des Menschen hinsichtlich seiner Rettung[2] stehen andere, die von einer mitwirkenden[3] oder sogar der Tat Gottes vorauslaufenden Tätigkeit des Menschen sprechen,[4] bzw. die Erlösung als mit dem Sein des Menschen gegeben oder nicht gegeben ansehen.[5]

Die dualistische Sicht ist zwar unverkennbar eine Tendenz der AJ, sie wird jedoch nicht rein durchgehalten.

---

1) Zur Begrenzung und Dauer dieser Hilfe vgl. 2.4.
2) Vgl. ἄνθρωπος und z.T. ψυχή
3) Vgl. 2.1.3.
4) Vgl. ψυχή
5) Vgl. φύσις

·So erfährt die ψυχή eine zwiespältige Darstellung, die
ihre Bedeutung als Gegensatz zu σῶμα und σάρξ einschränkt. Einer ähnlich wechselnden Bewertung unterliegt
die φύσις, wobei letztlich ein Vorhandensein verschiedener φύσεις angenommen wird, ohne daß diese Anschauung Grundlage aller Ausführungen über die φύσις ist. -
Eindeutig ist die dualistische Grundtendenz nur im negativen Bereich; die die z.T. positiven Seinsaussagen
tragenden Begriffe sind ambivalent in sich oder zwei-
deutig aufgrund der unterschiedlichen Grundaussage.

Diese Einschränkung der dualistischen Aussage hat eine
Begrenzung hinsichtlich der Gefährdung des Menschen
zur Folge, und zwar insofern, als jetzt nicht mehr jeder
Mensch als gefährdet erscheint, sondern nur der, der
sich ἔξω τοῦ μυστηρίου befindet, dies aufgrund
seiner κατωτική φύσις. Die mit σῶμα, σάρξ, ἐπιθυμία
und Σατανᾶς gegebene Gefährdung - allgemein oder punktuell - bleibt in diesem Zusammenhang ebenso unberücksichtigt wie die Aussagen, die mit der Uneigentlichkeit
der äußeren Erscheinungsform (εἰκών) zusammenhängen.
- Von daher erscheint dann die Absage an das Irdische
als Befreiung des Menschen zu seinem eigentlichen Sein,
als Weg der Erlösung zumindest für die Menschen der
ἄνω φύσις nicht mehr zutreffend, da sie der Gefährdung durch das Irdische aufgrund ihres Seins nicht ausgesetzt sind.

Versucht man, diese Einzelaussagen über die seinsmäßi-
ge Verfassung des Menschen in einen Zusammenhang zu
bringen, so finden sich Spuren einer Klassifizierung
der Menschen. Schematisiert ergibt sich folgendes Bild:

Seinsbeschaffenheit	ἡ ἄνω φύσις	ψυχή ↔ σῶμα, ὕλη	ἡ δαιμονίη φύσις
Kennzeichen	die in dem Kreuz befindlichen Menschen	die noch zusammenzufassenden Glieder des Herabgekommenen	nicht einförmige Masse der unteren Natur – Masse, die außerhalb des Mysteriums ist
Weg zur Erlösung	──────────────→	Gefährdung durch das Irdische auf Zeit begrenzt ──────────────→	dauernd weltverhaftet (Die Menschengruppe ist aus der unteren Wurzel hervorgegangen, Natur des Werdenden, vgl.c.98) ──────────────→
Endzustand	Erlösung	Erlösung	keine Erlösung

Damit dürfte deutlich sein, daß die Anthropologie der
AJ nicht nur in ihrer - wenn auch nicht immer durchgehaltenen - dualistischen Ausrichtung, sondern auch
in ihrer Einteilung der Menschen in Klassen eine große
Nähe zur Gnosis zeigt. Daß diese gnostischen Ansichten
nicht im Zusammenhang lehrmäßig entwickelt, sondern
verstreut eingebracht werden, liegt an der episoden-
haft erzählenden Konzeption des Werkes.

2.1.2. Das Dasein des Menschen: Lebenszeit und Lebensraum

Ebenso wenig wie das Sein des Menschen werden auch Raum
und Zeit als die Faktoren, die das Dasein des Menschen
umgrenzen und begrenzen, systematisch entfaltet. Methodischer Ausgangspunkt ihrer Analyse ist weniger der einzelne Begriff, da die Wertung von Zeit und Raum nicht
an sie gebunden ist und nicht nur vereinzelt erfolgt,
sondern vielmehr die das Werk durchziehende Gesamtrichtung,
die man im Anschluß an R. SÖDER als tendenziöses Element
der AJ bezeichnen könnte. Diese Tendenz entwickelt
sich auf dem Hintergrund der Auffassung vom Sein des Menschen und seiner Bestimmtheit, unterschieden nach verschiedenen Gruppen.[1]

Zu der im Folgenden verwendeten Begrifflichkeit ist vor-
auszuschicken, daß durch die fehlende Bindung der Aussagen über den Lebensraum des Menschen an eine bestimmte
Terminologie es für die Interpretation des Textes metho-
disch notwendig ist, einen Oberbegriff einzuführen,
um unnötige Umschreibungen zu vermeiden. Wenn also fort-
an von der "Welt" als dem Lebensraum des Menschen gesprochen wird, so ist darunter ein Zusammenschluß von
verschiedenen Einzelelementen gemeint, die als Bezugs-
größen des menschlichen Daseins anzusprechen sind. Es

---

1) Vgl. die Zusammenfassung von 2.1.1.

geht also nicht um den kosmologischen, sondern um den
anthropologischen Horizont von Welt.

Ebenso wie "Welt" ist auch "Zeit" als ein für die Interpretation notwendiger Oberbegriff eingeführt, der inhaltlich als Summe allen subjektiven Zeiterlebens anzusehen ist. Die Betrachtungsweise von Zeit ist also
ebenfalls anthropologisch bestimmt. Zeit wird als individuelle Zeitstrecke erlebt, sie ist Lebenszeit, die in
Zusage und Absage an die Welt gebunden und in sie hin-
eingebunden ist. Zeit begegnet damit nicht als theoretisch reflektierte Größe, sondern als Erfahrungsgröße:
Geschehniszeit. Dabei erscheint sie in sich nicht ge-
gliedert, sie wird als Einheit gesehen, die im Tode
ihre natürliche Begrenzung findet.

Die Beziehung des Menschen zu Welt und Zeit wird in den
AJ durchweg negativ bewertet. Der Mensch lebt in einer
Welt, die nicht zu bejahen ist, und die Zeit seines Lebens wird als wenig wertvoll angesehen. Sein Streben
muß es sein, in Abkehr von der Welt zu leben, um mög-
lichst rein aus ihr zu scheiden (vgl. c.65,3 f. 7f). Kennzeichen von Welt und Zeit sind neben ihrer Begrenztheit
und Vergänglichkeit (vgl. c.34,3 f.) ihre Möglichkeit,
den Menschen auf dem Weg zu Christus zu gefährden (vgl.
c.69,1o f.).

Predigt (Paränese) und Gebet sind die Kontexte, in denen
das Verhältnis des Menschen zu Welt und Zeit thematisch
wird. Grundzug dieser Ausführungen ist neben der Verfallenheit des Menschen an die Dinge des irdischen
Daseins eine dualistische Betrachtungsweise, die jedoch
meist nicht in Gegensatzpaaren entfaltet ist, sondern
das positive Verhalten des Menschen zu Welt und Zeit als
Negierung der aufgezeigten negativen Formen nur indirekt
aussagt. - Der Bereich des Negativen ist sehr weit ge-

spannt und umschließt außer den moralisch zu verurtei-
lenden Handlungen alle irdischen Bereiche, in denen der
Mensch Halt und Sicherheit zu gewinnen trachtet. So beinhaltet die Bezeichnung der Welt als κτίσις nicht die
Vorstellung einer schöpferischen Tat Gottes, sondern
die des Abstandes zu Christus. Der Kontext dieser Aussage – ein Lobpreis des Apostels vor der Auferweckung
der Drusiana – ordnet die κτίσις anderen Mächten zu, die
als gottfeindlich qualifiziert werden (πᾶσα δύναμις ἄρ-
χοντική, πᾶσα ἐξουσία, ἐπιθουσία, δαίμων (79, 10 ff.). Ebenso wie
sie steht die κτίσις aber nicht außerhalb der Herrschaft
Gottes,[1] die jedoch nicht durch ein fortwährendes ak-
tives Eingreifen, sondern durch eine Wirksamkeit aufgrund des Vorhandenseins bestimmt wird: ὃν ἡ κτίσις
ὅλη κατημανοῦσα μετριάζει   (c.79,13). Ihr
untersteht auch nicht der κοσμοκράτωρ (c.23,5), der mit
dem ἄρχων identisch ist. Dahinter steht die Vorstellung
eines als Person gedachten Weltherrschers, des Teufels.
Diese Übermacht Gottes wird auch im Abschluß der Evangeliumsverkündigung, einem Lobpreis, betont: ...ἀλλὰ θεὸν
ἀμετάτρεπτον, θεὸν ἀκράτητον, θεὸν πάσης ἐξουσίας
ἀνώτερον καὶ πάσης δυνάμεως, καὶ ἀγγέλων πάντων
καὶ κτίσεων λεγομένων... καὶ αἰώνων ὅλων πρεσβύτερον καὶ ἰσ-
χυρότερον (c.104,2-5). Die Zusammenordnung von Engeln, sogenannten Schöpfungen und allen Äonen zeigt zunächst
eine Vielfalt der gegnerischen Mächte gegenüber der
Einmaligkeit Gottes. Sie zeigt ferner einen Lebensraum,
in dem der Gott zugehörige Mensch nicht heimatlich werden
kann. Zugleich wird dieser entgötterte Raum durch die
Gegenmacht Gottes, die sich auf die Priorität des Alters und die größere Stärke gründet, wieder entmachtet.
Dahinter steht – in dieser Zusammenstellung – die Vorstellung von den Engeln als kosmisch-weltlichen Mächten,

---

1) Vgl. c.22,7 f.; c.23,2-6 - Kontexte: Bittgebete,
   die durch Lobpreisungen eingeleitet werden.

'd.h. ungöttlichen, dämonischen Kräften. Damit ist zugleich der Schöpfungsgedanke verneint und das dualistische Weltverständnis bejaht; verstärkt wird es noch
durch die Aussage über eine Vielzahl von Schöpfungen,
die als λεγομέναι entwertet werden. Über die ihnen
zugeordneten αἰῶνες ὅλοι werden keine weiteren Angaben
gemacht, so daß sich auch nicht feststellen läßt, ob
persönlich überirdische Mächte oder jenseitige Welten
gemeint sind oder eine Gleichsetzung beider zugrunde
liegt.[1]

Obwohl der Begriff σκότος in den AJ nicht sehr zahl-
reich ist, kommt ihm doch Bedeutung zu. Die Beziehung
des Menschen zur Welt wird mit σκότος
1. - im übertragenen Sinn gebraucht - in das Dasein
nach dem Tod prolongiert. σκότος μέγιστον in c.36,8 f.
umschreibt zusammen mit πῦρ ἄσβεστον, βυθὸς κολαστηρίων,
ἀπειλαὶ αἰώνιοι die Hölle[2] und wird als notwendige Konsequenz einer verfehlten Daseinshaltung zur
Welt dargestellt.
2. - in die Nähe einer Personifikation gerückt -
in dem Bereich erfahrbaren Verhaltens sichtbar gemacht. Fortunatus erscheint als der Typus des Menschen,
in dem die Finsternis Gestalt gewinnt: ὦ οὐσία
φθορᾶς σκότους πλήρη| (c.84,3 f). Primärer Exponent
dieser Sphäre ist der Satan (c.84,18 und c.86,1o).

---

1) In c.1o9, einem Dankgebet nach der Eucharistiefeier
vor dem Tod des Johannes, werden die αἰῶνες in
einem anderen Zusammenhang erwähnt. Christus erhält
neben den Prädiaktionen ἡ ῥίζα τῆς ἀθανασίας, ἡ πηγὴ
τῆς ἀφθαρσίας die Bezeichnung ἡ ἕδρα τῶν αἰώνων
(c.1o9,12). Zwischen Christus und den Äonen besteht
ein enger Zusammenhang. Hierzu gehört auch c.82,3:
Gott der Äonen, Jesus Christus. Vgl. die Ausführungen
zu 2.2. Christologie und 2.3. Soteriologie.
2) So schon in klass. Griechisch, vgl. CONZELMANN, H.:
Art. σκότος κτλ. p.426.

3. - als personhafte Macht erkennbar - in dem
   Bereich des für den Menschen nicht mehr Gefährlichen
   gesehen, da diese Herrschermacht und die mit ihr verbundenen Mächte sich vor Christus fürchten (c.23,2 ff.).
4. - als Gegensatzpaar $\varphi\tilde{\omega}\varsigma$ - $\sigma\varkappa\acute{o}\tau o\varsigma$ - auf dem Hintergrund des dualistischen Weltverständnisses akzen-
   tuiert, ohne daß jedoch der Gegensatz weiter ausge-
   führt wird (Hymnus c.94,16 f.):
   $$\varepsilon\grave{\upsilon}\chi\alpha\rho\iota\sigma\tau o\tilde{\upsilon}\mu\acute{\varepsilon}\nu\ \sigma o\iota\ \varphi\tilde{\omega}\varsigma\ \acute{\varepsilon}\nu\ \tilde{\omega}\ \sigma\varkappa\acute{o}\tau o\varsigma\ o\grave{\upsilon}\varkappa\ o\grave{\iota}\varkappa\varepsilon\tilde{\iota}.$$
5. - in dem Bereich endzeitlichen Seins gesehen -
   als durch die Erlösung letztlich überwundenes ange-
   sprochen: $\varkappa\alpha\grave{\iota}\ \acute{\varepsilon}\rho\chi o\mu\acute{\varepsilon}\nu o\upsilon\ \mu o\upsilon\ \pi\rho\grave{o}\varsigma\ \sigma\grave{\varepsilon}\ \acute{\upsilon}\pi o\chi\omega\rho\eta\sigma\acute{\alpha}\tau\omega\ \pi\tilde{\upsilon}\rho\cdot$
   $\nu\iota\varkappa\eta\vartheta\acute{\eta}\tau\omega\ \sigma\varkappa\acute{o}\tau o\varsigma$ (c.114,1 f.[1]).

Wie schon zuvor gesagt, unterliegt die Zeit ebenso wie
die Welt einer negativen Bewertung. Der mit dem Terminus
$\beta\acute{\iota}o\varsigma$ gedeckte Vorstellungsinhalt bezeichnet
1. das rein physische Leben des Menschen in seiner
   zeitlichen Erstreckung
2. die Lebenszeit als Zeit der Versuchung und Bewäh-
   rung, wobei letztlich $\acute{o}\ \beta\acute{\iota}o\varsigma$ selbst entwertet wird.
   In den damit verbundenen Anweisungen ist der negative
   Aspekt vorherrschend in dem Sinn, daß in den AJ
   zwar eine reiche Entfaltung der Gefährdungen des
   Glaubenden vorliegt, ein positives Gegenbild aber
   nur in Ansätzen entwickelt wird (vgl. c.34-36 und
   c.68-69 gegenüber c.1o7 und c.113). Der Grund liegt
   in der Unfähigkeit, die in Christus eröffnete Freiheit in positive Lebensbezüge umzusetzen (vgl. dagegen Paulus z.B. Röm 12,15).
Auf dem Hintergrund der zugrundeliegenden dualistischen Vorstellung kommt es zur Negierung aller Bindungen, die dem Menschen in seiner Lebenszeit zuwachsen

---

1) Vgl. zu dieser Stelle auch 2.3.

(c.34). Ihre unterschiedslose Abwertung ist gegensätzlich
zu den Ausführungen des Paulus (1.Kor 7,29-31). Damit
gewinnt der Mensch sein eigentliches Sein in einer
Abkehr von seinem βίος ; mit anderen Worten: nicht im
βίος kann er seine Eigentlichkeit im Sinne seiner Bestimmtheit finden, sondern nur in einer Abwendung von
ihm. Die gewollte Beziehungslosigkeit des Menschen zur
Welt geht mit der zu seinem Leben Hand in Hand.

Den nur in Negationen greifbaren Auswirkungen des Glaubens in der Lebenszeit entspricht eine positive Wertung des Todes (c.65,4- Ϸάνατος als Begriff fehlt
hier), die den Gesichtspunkt der Abwertung der irdischen
Existenz verdeutlicht ("ungerechtes Leben"), wobei eine
Reflexion der Aussage ἐπὶ βελτίονι ἐλπίδι μετῆλϑεν völlig
fehlt. Die sich anschließende Antwort des Andronikus akzentuiert denn auch deutlich die Wertigkeit des Lebens
für die Wertung der Person: ὅτι κακϑαρῶς τοῦ βίου ἀνέ-
λυϭεν) - ohne die mit ἐλπίς angeschnittene Thematik mit
mehr als einer floskelhaften Wendung zu berühren.

In c.113 scheint mit dem Begriff Ϸάνατος das Ende der
dem Menschen zugemessenen Zeit thematisch zu werden.
Innerhalb des Kontextes erhält jedoch die Aussage:
ὁ τοῦ πικροῦ Ϸανάτου ϭτερήϭας με (c.113, 11) eine
völlig andere Bedeutung. Tod meint hier das leibliche Leben in seiner ungebrochenen Zuwendung zur begegnenden
Umwelt. Beleg dafür ist die Zeitstufe (ϭτερήϭας), mit
der der Tod für Joh. nicht als zukünftig, sondern als
vergangen bestimmt wird - vergangen nicht in dem Sinn
eines Ereignisses als vielmehr eines Zustandes. In dem
Hingeführtwerden zu Jesus hat Joh. den Tod derart überwunden, daß er in Losgelöstheit zu dem leben kann, was
ihn einst mit der Welt verbunden hat. Diese Deutung
wird durch c.84,4 verstärkt. Der Tod ist hier in eine
Aussagenreihe eingeordnet, die den Menschen in seinem

Sein und in seinem im Verhalten ausgeprägten Wesen dem
Verderben, d.h. der Getrenntheit von Christus zuordnet.
- ϑάνατος deckt also in beiden Aussagen inhaltlich
weder die Sicht des Todes als Naturphänomen noch als
spezifisch menschliches Schicksal ab. Tod ist nicht Ende
des Lebens, sondern Merkmal des Lebens überhaupt, das
sich fern von Christus vollzieht. Nur in dieser allgemeinen Formulierung zeigt sich eine vermeintliche Nähe
zu den Ausführungen des NT über das Todesproblem. Während jedoch dort der Tod seinen Stellenwert im Heilsgeschehen in der Bindung an Tod und Auferstehen Christi
hat, fehlt in den AJ dieser Bezugspunkt notwendigerweise,[1] so daß die Aussagen über eine schon stattgefundene
Überwindung des Todes in anderer Weise zu verstehen
und mit den Aussagen im Joh.-Evgl. (5,24; 6,5o; 11,25 f.)
nicht vergleichbar sind.

Der Auffassung von der Welt als Reich des Todes entspricht das Verständnis von ἀνάστασις als Befreiung von
der Welt und ihrer Zeit. Zunächst und vordergründig bezeichnet ἀνάστασις bzw. ἀνιστάναι die Aufweckung toter
Personen, der Begriff haftet an den Wundergeschichten.[2]
Ihre eigentliche Bedeutung gewinnt ἀνάστασις jedoch
erst auf dem Hintergrund des den AJ zugrundeliegenden
Weltverständnisses. Rückkehr vom Tod als Ende der physischen Existenz des Menschen bedeutet noch nicht Leben
im eigentlichen Sinn: Νῦν ἀναστὰς οὐ ζῇς ὄντως (c.47,1o f.).
Die Erweckungen der Wundergeschichten erhalten damit
einen doppelten Sinn: Die Auferstehung des Toten ist
nur das Vorspiel für die eigentliche ἀνάστασις, die sich als
eine Änderung des bisherigen Verhaltens zur Welt aufgrund
der πίστις darstellt. Eine Auferstehung ohne Bekehrung

---

1) Vgl. 2.2.: Christologie.
2) C.23,5.18 f.; c.24,17 f.; c.47,1o f.; c.53,1 f.;
   c.73,5 f.; c.76,1o f. u.ö.

ist sinnlos,[1] und so stirbt der unbelehrbare Fortunatus
nach seiner Auferstehung an den Folgen eines Schlangen-
bisses (c.86), was von Joh. mit den Worten kommen-
tiert wird: Ἀπέχεις τὸ τέκνον σου, διάβολε (c.86,1o).
- Ἀνάστασις ist ein Begriff, der nicht aus sich selbst
heraus verständlich ist, sondern nur in Relation zu
anderen Begriffen seinen Inhalt gewinnt.

Begriff	Fortunatus (I)	Artemispriester (II)
ζωή	bloße physische Existenz	
θάνατος	1. ζωή = θάνατος 2. physischer Tod	
ἀνάστασις	—	1. physische Auferstehung 2. sinnfälliger Ausdruck der Bekehrung und Abkehr von der Welt
ζωή	bloße physische Existenz	
πίστις	—	Annahme der johanne- ischen Verkündigung
θάνατος	endgültig 1. ζωή = θάνατος 2. physischer Tod	letztlich 1. ζωή = θάνατος über- 2. physischer wunden Tod
ἀληθινὴ ζωή	—	Eigentlichkeit des Lebens neben und außerhalb der im Welt- und Zeitbezug behaf- teten physischen Existenz

---

1) "Der Gläubige hat das Leben auch im Tod wie Drusiana,
... während eine Auferweckung, zu der kein Glaube des
Erweckten hinzutritt, folgerichtig von selbst hinfällig
wird." (SCHÄFERDIEK,K.: Herkunft,p.265) - Eine gleiche
Ausrichtung des wunderwirkenden Handelns des Apostels
stellen JUNOD/KAESTLI u.a. bei der Heilung der alten
Frauen (c.3o-36) heraus: "Mais l'objectif de cette
guérison est la conversion de l'âme." (Acta, p.458).

·Während die $\overset{\prime}{\alpha}\nu\acute{\alpha}\varsigma\tau\alpha\varsigma\iota\varsigma$ in I sich lediglich als ein Wie-
dergewinn von Zeit, als ein zeitweiliges Aussetzen der
Auslöschung physischer Existenz darstellt, die Bestimmt-
heit der $\zeta\omega\acute{\eta}$ als $\vartheta\acute{\alpha}\nu\alpha\tau o\varsigma$ also nicht aufgehoben ist,
bringt die $\overset{\prime}{\alpha}\nu\acute{\alpha}\varsigma\tau\alpha\varsigma\iota\varsigma$ in II den Bruch zum bisher Gültigen.
Der $\vartheta\acute{\alpha}\nu\alpha\tau o\varsigma$ ist als menschliches Schicksal ohne Bedeu-
tung (vgl. den Tod des Apostels c.115)[1]. Die Toten-
auferweckungsformeln der Wundergeschichten bringen das
Nicht-Weltliche in die irdischen Bezüge Welt und Zeit
ein. Ebenso wie in der Gnosis der Ruf des Gesandten
dringt auch der Auferweckungsspruch des Apostels als des
"Gesandten Christi" auf eine Lösung des Menschen aus
seiner bisherigen Daseinshaltung. So ist mit der Auferstehung die Aufforderung zum Glauben und die Verheißung
des wahrhaften Lebens verbunden, wobei die in c.47,12 f.
ausgesprochene Aufforderung: $\kappa\alpha\grave{\iota}$ $\nu\tilde{\upsilon}\nu$ $\pi\acute{\iota}\varsigma\tau\epsilon\upsilon\varsigma o\nu$ als
Vorbedingung für die endgültige Erlösung anzusehen ist:
$\kappa\alpha\grave{\iota}$ $\zeta\acute{\eta}\varsigma\epsilon\iota\varsigma$ $\epsilon\acute{\iota}\varsigma$ $\overset{\prime}{\alpha}\pi\alpha\nu\tau\alpha\varsigma$ $\alpha\grave{\iota}\tilde{\omega}\nu\alpha\varsigma$ (c.47,13). "Die Totenauf-
erweckungsgeschichten der Johannesakten machen dieses
Ineinsfallen von Glauben und Haben des Lebens unmittelbar und eindrücklich deutlich, das Erwecktwerden vom
Tod zum Leben wird in der Verknüpfung von Totenaufer-
weckungs- und Bekehrungsgeschichten zu einem konstitu-
tiven Element der Bekehrung..."[2]
Der $\overset{\prime}{\alpha}\nu\acute{\alpha}\varsigma\tau\alpha\varsigma\iota\varsigma$ korrespondiert die $\pi\acute{\iota}\varsigma\tau\iota\varsigma$, ebenso wie in
der Gnosis dem Ruf und der Belehrung die Annahme der
Botschaft entspricht.[3] Die mit dem gnostischen Ruf ver-
knüpfte Belehrung ist in gleicher Weise wie die mit
der Erweckungsformel verbundene Aufforderung zum Glauben
durch die Tendenz der Entweltlichung gekennzeichnet.
- Wie diese Parallelen einzuordnen sind, wird noch zu

1) Vgl. bei JONAS, H.: Gnosis, p. 13o f., Anm. 1 den
   Verweis auf Ginza 134: Scheidet jemand aus dem Körper,
   so weinet nicht und erhebt keine Klage und Jammer
   über ihn.
2) SCHÄFERDIEK; K.: Herkunft, p.265.
3) Vgl. JONAS, H.: Gnosis, p.125.

klären sein. Festzustellen ist auf jeden Fall, daß
die ἀνάστασις des Menschen keinen christologischen Bezugspunkt hat, auch c.1o9,5 f. spricht nicht dagegen:
δοξάζομέν σου τὴν δειχθεῖσαν ἡμῖν διὰ σοῦ ἀνάστασιν;
dennoch: ὁ λεχθεὶς ταῦτα πάντα δι'ἡμᾶς ὅπως καλοῦντές σε διὰ
τουτῶν γνωρίσωμέν σου τὸ μέγεθος... (c.109,14f.)

Zusammenfassung: Welt und Zeit sind die Faktoren, die
den Menschen bei einer bloßen physischen Lebendigkeit,
die in Wahrheit als θάνατος anzusehen ist, behaften.
Erst ihre Überwindung, d.h. aber die Loslösung des Menschen aus seiner mit Welt und Zeit gegebenen geschichtlichen Bestimmtheit, ermöglicht den Gewinn der eigentlichen Bestimmtheit, der ἀληθινὴ ζωή . So dankt der
Apostel kurz vor seinem Tod: ὁ τῆς προσκαίρου φαντασίας
ῥυσάμενός με καὶ εἰς τὴν ἀεὶ μένουσαν ὁδηγήσας με (c.113,
11 f.). Eine Aufgabe des Christen in der Welt für die
Welt während der Zeit seines irdischen Daseins gibt
es nicht, die ἀληθινὴ ζωή vollzieht sich in der Negierung aller weltlichen Belange und zeitlichen Zustände.

2.1.3. Lebensgestaltung

Die Lebensgestaltung des einzelnen Menschen erfährt
mit seiner Bekehrung grundsätzliche Veränderungen, die
seine Einstellung zu seinem Sein und Verhalten, zu den
Sachbezügen und Menschen seiner Umwelt betreffen. Die
bisherigen Bindungen verlieren ihre inhaltliche und
damit formende Gültigkeit, ihr Wert wird als Unwert aus-
gewiesen. Der Mensch kann jetzt seine Eigentlichkeit
nicht in seiner Vorfindlichkeit gewinnen; er erfährt
Bestandteile seines Menschseins als hinderlich auf dem
Weg zu Christus und sieht sich von Begierden bestimmt,
denen er unterliegt; Gott kann ihn nicht als den annehm-
men, der er ist. So zwingt die Erkenntnis seiner Un-

vollkommenheit den Menschen in einen Abstand zu sich
selbst, der ihn letztlich aus seiner geschichtlichen
Existenz fortführt. Während bei Pls der Mensch sein
neues Selbstverständnis nur im Hinblick auf Kreuz und
Auferstehung Christi als $\chi\acute{\alpha}\rho\iota\varsigma$ begreifen kann, durch
die ihm Freiheit von Gesetz, Sünde und Tod geschenkt
wird,[1] sieht sich der Mensch der AJ seinem neuen Selbstverständnis als einem neuen Gesetz gegenüber. In dem mit
der $\dot{\alpha}\nu\acute{\alpha}\sigma\tau\alpha\sigma\iota\varsigma$ gegebenen Neuanfang gibt er sich nicht
der Gnade Gottes anheim, er wird vielmehr unter neue
Forderungen gestellt, die ihn auf die eigene Leistung
zurückwerfen[2] und bindend und verpflichtend über die
$\sigma\omega\tau\eta\rho\acute{\iota}\alpha$ entscheiden. Die im Ansatz vorhandene Unterscheidung der Menschen in Gruppen hinsichtlich ihrer
$\phi\acute{\upsilon}\sigma\iota\varsigma$ [3] ist hier nicht relevant, da die Erlösung des
Menschen entweder durch Überwindung der $\phi\acute{\upsilon}\sigma\iota\varsigma$ erbracht
bzw. nicht erbracht wird oder aufgrund der $\phi\acute{\upsilon}\sigma\iota\varsigma$ schon
vorhanden ist, in jedem Fall also der Rückverweis auf
den Menschen selbst erfolgt. Damit befinden sich die AJ
innerhalb der Entwicklung der nachapostolischen Zeit,
in der die gänzliche Angewiesenheit des Menschen auf
die Gnade (Paulus) oder die Liebe Gottes (Johannes)
immer mehr aus dem Blick schwindet. "Der von der früheren Schuld gereinigte Mensch hat nunmehr die Chance
eines neuen Anfangs erhalten, ist aber auf seine eigene
Kraft gestellt, um durch seinen Gehorsam des künftigen
Heils würdig zu werden."[4]

Analysiert man im Hinblick auf diese Wandlung das in den
AJ gegebene Selbstverständnis am Beispiel von c.1o7,14-18

---

1) Vgl. BULTMANN, R.: Theologie, p. 332-353.
2) Die Haltung Kleopatras wird zur Voraussetzung für
   die Auferstehung des Lykomedes.
3) Vgl. die Zusammenfassung 2.1.1.
4) BULTMANN, R.: Theologie, p.553.

εἰ μὲν οὖν μηκέτι ἀμκετάνετε, ἃ ἐν ἀγνοίᾳ ἐπεάξετε ἀφίησιν ὑμῖν ·εἰ δὲ καὶ αὐτὸν ἐγνωκότες ... ἐν τοῖς ὁμοίοις ἀνακτρέφεσθε ... καὶ οὐχ ἕξετε μέρος ἢ ἔλεος ἐν αὐτῷ-so fällt folgendes auf: Ist auf der einen Seite das bisherige Leben durch die ἄγνοια ge-kennzeichnet, so steht das nunmehr begonnene neue Leben unter der γνῶσις 'Ιησοῦ (αὐτὸν ἐγνωκότες), der die Aussage ὑπ'αὐτοῦ ἐλεηθέντες zugeordnet wird. Fällt die Bekehrung also einerseits mit dem Gewinn einer neuen und richtigen Gotteserkenntnis zusammen, so ist sie andererseits von der Vergebung der bisherigen Sünden ge-kennzeichnet. Das Erbarmen Gottes wird jedoch insofern zu einem punktuellen Geschehen, als dessen Charakter für den Menschen nur den Umkehrpunkt,nicht aber durch-gängiges Geschehen kennzeichnet, die Erkenntnis der früheren Sünden und das in das Vermögen des Menschen gestellte Bestreben, von nun an sündlos zu leben, ver-binden sich zu einer unauflösbaren Relation.[1] Demnach ist der Mensch kein Sünder im Sinn von Röm 7,1-3,[2] son-dern ebenso wie er zum Sünder wird, kann er auch zum Sündlosen werden. Die paulinische Reflexion über den Ge-setzesweg wird hier in ihr Gegenteil verkehrt.

Überdies bestätigt die zitierte Stelle noch einmal mehr die Uneinheitlichkeit der Anthropologie der AJ. Das, was BULTMANN bei Pls im Gegensatz zur Sphäre der Subjek-tivität als transsubjektive Tendenz[3] bezeichnet, lassen die AJ in Ansätzen erkennen. So wies der Terminus ἄνθρω-πος z.T. auf die mit dem Menschsein selbst gegebene Gefährdung des Menschen hin und damit auf die totale Erlösungsbedürftigkeit, die jegliche Aufrechnung von Verhalten des Menschen und Erlösung ausschließt. Die

---

1) Auf die Einmaligkeit der Sündenvergebung weisen auch JUNOD/KAESTLI: Acta, p.572 f. hin: "Dieu pardonne à l'ignorant, mais il ne pardonne plus à celui qui l'a connu."
2) Vgl. BULTMANN, R.: Römer 7.
3) Vgl. BULTMANN, R.: a.a.O., p.32.

gegenteilige Aussage wird aber teilweise bei den Ausführungen über die ψυχή deutlich (vgl. dazu auch die
zitierte Textstelle c.1o7,14-18).Hier wird die Sphäre der
Subjektivität maßgebend in dem Sinn, daß man von einem
bewußten Handeln des Menschen zum Heil oder Unheil reden kann.[1]

Zusammenfassung: Die Erlösung des Menschen wird im
Sinn eines Anstoßes zur Selbsterkenntnis auf die Gotteserkenntnis reduziert, für deren Kontinuität und jeweili-
ge Aktualisierung der Mensch allein in seiner Lebensgestaltung verantwortlich ist. Ihr Spiegelbild ist das
Verhältnis zu seiner Umwelt, wobei der Maßstab ihres
Wertes bzw. Unwertes allein in ihrer Funktion auf dem
Weg zu Christus liegt. Irdische Bindungen brechen und
werden geradezu schädlich, da sie der Zielrichtung der
eigentlich notwendigen menschlichen Bemühungen wider-
sprechen: sie verhaften den Menschen in der Welt als dem
Bereich, den er eigentlich fliehen muß. Von hier aus ist
die Hochschätzung der Askese verständlich, die den
Wert der Ehe als einer menschlichen Lebensgemeinschaft
restlos negiert, da mit ihr geschlechtliche Beziehungen
verbunden sind: Drusianas Verhalten zu ihrem Ehemann
wird auf eine brüderliche Beziehung reduziert, den
Negativ-Spiegel erhält der Leser in der Gestalt des
Kallimachus vorgehalten, der seinen körperlichen Trie-
ben bis zur Leichenschändung verfallen ist. Stellte Pls
die den Menschen bestimmenden irdischen Bezüge unter
das ὡς μή (1 Kor.7,29-31), so erfolgt in den AJ mit
seinem Fortfall eine radikale Negierung, die den Menschen,
so wie er sich nun einmal vorfindet, in seinem Lebensraum heimatlos macht und auch machen will und muß;

---

1) Vgl. JUNOD/KAESTLI: Acta, p.572: "La conversion
au Dieu unique et transcendant entraîne une rupture
avec la conduite passée et elle exige une permanence dans la conduite nouvelle."

denn ebenso wie der Erlöser darf auch der die Erlösung
Erstrebende keinen Anteil an der Welt haben. Die Welt
wird nicht als Gottes Eigentum aufgrund des Schöpfungsgedankens reklamiert, sondern als das Widergöttliche
schlechthin deklariert.

2.2. Christologie

Christologische Vorstellungen und Formulierungen haben
einerseits ihren Ursprung in der gegenwärtigen Wirk-
lichtkeitserfahrung derjenigen, die sie neu prägen
oder als ihrem Verständnis angemessenes Traditionsgut
übernehmen können, andererseits sind sie gebunden an
das Geschick Jesu als Grundlage der Christusverkündi-
gung. Letzteres wird auch in der Evangeliumsverkündigung
(= E) der AJ deutlich, die in ihrer "Wiedergabe der
Geschichte Jesu" christologische Aussagen legitimieren
will. Für den Verfasser ist sie Ausdruck der eigenen
religiösen Erfahrung und Deutung von Welt und Wirklichkeit.

Christologische Aussagen sind insofern aus dem Zusammentreffen zweier Wirklichkeiten erwachsen: der - wie
immer auch verstandenen - Wirklichkeit Christi und der
Wirklichkeit der ihr begegnenden Gemeinde.

2.2.1. Zur Einheitlichkeit der Evangeliumsverkündigung

         (c.87-1o5)

Zentrum der christologischen Aussagen der AJ ist die
E, die zunächst auf ihre Einheitlichkeit bzw. Uneinheitlichkeit untersucht werden soll.

2.2.1.1. Literarische Gestaltung

JUNOD/KAESTLI nehmen die Kap. 94-1o2 als Fremdkörper
aus diesem Abschnitt heraus und ordnen die Kap. 87-93 und
Kap. 1o3-1o5 zu einer Einheit zusammen, die sie mit der
Bezeichnung "discours" belegen.[1] Sie begründen ihre
Aufteilung also zunächst von der Textsorte her: "ils
(= les chapitres 94-1o2) n´appartiennent pas à ce
discours."[2] In dem Aufbau des discours finden sie die
traditionellen Elemente: "exorde, narration, argumentation, péroraison."[3]

Zuzustimmen ist JUNOD/KAESTLI sicher darin, daß c.88,8
der Abschluß einer Einleitung ist.[4] Auch den folgenden
Teil kann man trotz unterschiedlicher Inhalte und voneinander differierender Textsorten allgemein als
"narration" bezeichnen, einen Teil, der seinen Abschluß
in c.93,17 findet. Formal beginnt nun zwar mit c.94
eine neue Textsorte, inhaltlich ist aber zwischen den
c.93 und c.94 keine Zäsur im Sinne von JUNOD/KAESTLI,
sondern ein Übergang von einem Themenkomplex zu einem
anderen festzustellen. D.h. für eine Aussage über die
Einheit bzw. Uneinheitlichkeit der c.87-1o5 ist die
Auflistung nach Textsorten ebensowenig wie die Zusammenstellung nach Inhalten ein Kriterium. Maßgebend allein
ist, inwiefern sich die Einzelintention der jeweiligen
Abschnitte, gestützt durch Form und Inhalt, zu einer
Gesamttendenz fügen.

---

1) JUNOD/KAESTLI: Acta, p.466.
2) Ebenda.
3) A.a.O.: p.467.
4) A.a.O.: p.467 f.,
   vgl. auch die Übersetzung von SCHÄFERDIEK in:
   Hennecke/Schneemelcher: Apokryphen, Bd. II, p.15o
   (Überschrift zu Kap.87-88,8).

Kapitel	formale Bestimmung	inhaltliche Aussage	Zeit des Geschehens	Adressaten	Intention
1) 87-88,8	Einleitung (mit Andeutung eines Dialogs)	Drusianas Erfahrung mit der Polymorphie des Herrn erweckt Fragen,	nach der Befreiung Drusianas	Drusiana und die übrigen Begleiter des Apostels // - Leser	Bereitstellen der Situation,die - durch eine besondere Erfahrung gekennzeichnet - die Hörer/ Leser für das Ungewöhnliche der Botschaft aufschließt
2) 88,9-93,17	Erlebniserzählung (aus Einzelgeschichten zusammengesetzt -Charakter allgemeiner Mitteilung an einen Kreis Nahestehender	die der Apostel dadurch, daß er seine Erfahrungen aus dem Zusammensein mit dem Herrn den Erlebnissen Drusianas parallel setzt, beantwortet,	Beginn und Folgezeit des Wirkens des Herrn / Chronologie des Lebens des Herrn	Johannes allein kann die Polymorphie seines Herrn als Ausdruck seiner Göttlichkeit deuten und bezeugen, daß der visionär geschaute Kyrios der "geschichtliche" Kyrios ist.
3) 94-96	Hymnus (mit einleitender Situationsangabe) -setzt,unterstrichen noch durch den gemeinsamen Tanz, einen Kreis Gleichgesinnter voraus	um sodann den Herrn in einer Abschiedsbotschaft an alle Jünger über sich selbst sprechen zu lassen, wobei die in der Polymorphie erahnte Göttlichkeit des Herrn durch seine Worte bestätigt und die Jünger zu weiterer Erkenntnis geleitet werden sollen.	vor der Verhaftung des Herrn	Jünger Drusiana/ Begleiter →Leser	Johannes ist zusammen mit anderen Jüngern Zeuge der Selbstoffenbarung des Herrn

Fortsetzung der Tabelle

Kapitel	formale Bestimmung	inhaltliche Aussage	Zeit des Geschehens	Adressaten	Intention
4) 97-1o2	Offenbarungsrede (mit Abschluß des Hymnus, Einleitung und Abschluß der Offenbarungsrede) -Form einer Mitteilung an Auserwählte, die in engster Beziehung zum Sprecher stehen	Aber erst in der Stunde des Abschieds enthüllt er seinem Jünger Johannes allein sein wahres Wesen und das Ziel seines Kommens.	vermeintlicher Kreuzestod	Johannes → Drusiana / Begleiter → Leser	Aber: Johannes allein ist der Garant für das Evangelium, für die Botschaft des Gottes Jesus Christus.
5) 1o3-1o4	Mahnrede	Aufforderung zum glaubenden Festhalten an dem verkündeten Herrn	nach der Befreiung Drusianas	Drusiana/ Begleiter → Leser	Stärkung des Glaubens, dessen Inhalte allein der Apostel mit Vollmacht verkündigen kann.
6) 1o5	Abschluß	Drusiana folgt dem Apostel		Leser	Drusiana wird durch Johannes zu einer vollkommeneren Stufe des Glaubens geführt.

1. Die vorausgegangene Tabelle hat unter den Gesichtspunkten: formale Bestimmung, inhaltliche Aussage,
   Zeit des Geschehens und Adressaten deutlich zu machen
   versucht, daß innerhalb der Kap.87-1o5 die einzelnen
   Abschnitte ineinandergreifen. Eine Ausgrenzung einzelner Kapitel läßt sich nur dahingehend vornehmen,
   daß die Kap.87-88,8 einerseits und die Kap.1o3-1o5
   andererseits einen Rahmen bilden (s.Ausgrenzung in
   der Tabelle). So ist die Aussage JUNODS und KAESTLIS:
   "La derniere phrase du ch. 93 constitue une excellente
   conclusion aux revelations de Jean sur la polymorphie du Christ..."[1] - wie schon gesagt - dahingehend
   einzuschränken, daß hier nur ein teilthematischer
   Abschluß vorliegt. Der Teilsatz τὸ νῦν σεσιγημένω
   (c.93,16) dieses letzten Satzes spricht nicht dagegen,
   da der unmittelbare Kontext deutlich sagt, daß sich
   dieses Schweigen auf τὰ γὰρ μεγαλεῖα αὐτοῦ καὶ θαυ-
   μάσια beziehen soll, sie allein aber waren in dem
   von JUNOD/KAESTLI als "narration" bezeichneten Abschnitt (c.88,9-93,17) Gegenstand der Mitteilung.
   Die Zeilen 93,15-17 erinnern vielmehr an ein Summa-
   rium, wie es aus den Evangelien bekannt ist. Hier wie
   dort geht es darum, "daß die berichteten einzelnen
   Taten Jesu nur Beispiele seiner viel umfassenderen
   Tätigkeit sind."[2] Die Formulierung ἔργα ὄντα καὶ τάχα
   οὐ δυνάμενα οὔτε λέγεσθαι οὔτε ἀκούεσθαι (c.93,16 f.)
   unterstreicht dies auf dem Hintergrund des Geheimnisvollen, mit dem der Verfasser der AJ den Kyrios und
   seinen Apostel umgibt.
2. Ein weiteres Unterscheidungsmerkmal zwischen den
   Kap. 94-1o2 (und 1o9) und dem "discours" sehen JUNOD/
   KAESTLI in der fehlenden bzw. vorhandenen Anrede,
   die keinen bzw. einen Zuhörerkreis voraussetzt:

---

1) JUNOD/KAESTLI: Acta, p.581.
2) VIELHAUER; Ph.: Geschichte, p. 338.

"La présence de l'auditoire est marquée par l'emploi
répeté du vocatif $\mathring{a}\delta\epsilon\lambda\varphi oi$ (c.88,1; 9o,18; 93,1; 93,14...)
et du pronom de la deuxième personne du pluriel
(c.88,4.5.6. ...). Ces traits distinctifs font
totalement defaut dans les ch.94-1o2."[1] Dieser
zuletzt zitierte Satz ist mit dem Hinweis auf c.97,1
zu korrigieren: $\tau\alpha\tilde{v}\tau\alpha, \dot{\alpha}\gamma\alpha\pi\eta\tau o\acute{\iota}_\iota \chi o\rho\epsilon\acute{v}\epsilon\alpha\varsigma \mu\epsilon\vartheta' \dot{v}\mu\tilde{\omega}v \acute{o}$
$\varkappa\acute{v}\rho\iota o\varsigma \dot{\epsilon}\xi\tilde{\eta}\lambda\vartheta\epsilon v$.[2] - Was nun die Häufigkeit der
Anrede anbelangt, so ist sie sicherlich nicht als
Kriterium für eine Ausgrenzung des Kap.94-1o2 zu
verwenden, da sich aufgrund der unterschiedlichen
Textsorten eine Anrede häufiger nahelegt (Erzählung)
bzw. verbietet, da sie in den Zusammenhang nicht hin-
eingehört (Hymnus, Offenbarungsrede). Sprecher aller
Abschnitte ist der Apostel, wenn man sie auf die
Wiedergabe an den Hörer-/Leserkreis bezieht. Allerdings ist hier insofern zu differenzieren, als der
Verfasser der AJ im Hymnus und in der Kreuzesoffen-
barung Sprecheinheiten geschaffen hat, die er als
Ich-Rede dem Kyrios in den Mund legt, den der Apostel
also zitiert. Unmittelbare Ansprechpartner des Herrn
aber sind die Jünger bzw. Johannes allein. Eine Anrede an den Hörerkreis des Apostels kann zwangsläufig
ihren Ort hier nicht haben. Der Kontakt mit den Hörern wird jedoch, abgesehen von der Anrede in c.97,1
noch auf andere Weise gewahrt:
a) Sowohl dem Hymnus wie der Kreuzesrede ist jeweils
   eine Einleitung vorangestellt, die in die Situation
   einführt, wobei der Anfang des Kap.97 zugleich
   die Aufgabe übernimmt, den vorangegangen Abschnitt
   abzuschließen.

---

1) JUNOD/KAESTLI: Acta, p.582.
2) Die Funktion dieses Satzes ist eine knappe erzählende
   Überleitung von der Szene des Tanzes zur "Kreuzigung".

b) Der Beginn des Kap.1o2 setzt deutlich einen Hörerkreis voraus:

- Joh teilt ihnen mit, daß die Offenbarungsrede
  des Kyrios hier ihr Ende findet: $\tau\alpha\tilde{\upsilon}\tau\alpha\ \epsilon\grave{\iota}\rho\eta\varkappa\acute{o}\tau o\varsigma$
  $\pi\rho\acute{o}\varsigma\ \mu\epsilon$ (c.1o2,1)

- Joh weiß, ähnlich wie in c.93,15-17, noch mehr
  zu sagen, aber er schweigt darüber, dem Willen
  seines Herrn entsprechend: $\overset{\text{ő}}{\epsilon}\tau\epsilon\rho\alpha\ \overset{\text{`}}{\underset{.}{\alpha}}\ o\overset{\text{'}}{\upsilon}\varkappa\ o\tilde{\iota}\delta\alpha$
  $\epsilon\grave{\iota}\pi\epsilon\tilde{\iota}v\ \overset{\text{`}}{\omega}\varsigma\ \alpha\grave{\upsilon}\tau\grave{o}\varsigma\ \vartheta\acute{\epsilon}\lambda\epsilon\iota$ (c.1o2,1 f.).

3. JUNOD/KAESTLI sehen ein weiteres Argument für die
   von ihnen vertretene Aufgliederung der E in der unterschiedlichen Intention der beiden Teile. Während
   sie dem als discours bezeichneten Teil die Merkmale
   "exhorter" und "affermer la foi" zuschreiben, charakterisieren sie die ausgegrenzten Kapitel dahingehend,
   daß es hier darum gehe: "d'initier et de communiquer
   la connaissance."[1] Auch die unterschiedliche Stellung
   des Apostels ("disciple trop curieux" - "celui que
   le Seigneur a expressement choisi pour recevoir une
   révélation supérieure"[2]) bestärkt sie in dieser
   Analyse. Dagegen ist einzuwenden, daß schon in den
   Kap. 89-93 Joh in der Rolle des auserwählten Jüngers
   gesehen wird.[3] Hinzu kommt,daß zu fragen ist, inwieweit eine einzelne Episode (der neugierige Johannes -
   9o,15 ff.) eine inhaltlich zusammenschließende Funktion für mehrere Kapitel haben soll, in denen dieser
   Einzelzug keinerlei Erwähnung mehr findet. Dies zudem noch unter dem Aspekt, daß in Kap.87, das ja auch
   zu der von JUNOD/KAESTLI postulierten literarischen
   Einheit gehört,über Joh gänzlich anderes ausgesagt
   wird. JUNOD/KAESTLI schreiben zu dieser Stelle:

---

1) Acta, p.583.
2) Ebenda.
3) Joh wird von Jesus bevorzugt (c.89,1o-12); Petrus
   und Jakobus scheinen eifersüchtig auf Joh zu sein
   (c.91,1 f.), sie fragen ihn als den, der in ihren
   Augen mehr weiß (c.91,4 ff.); Joh allein wacht, während
   die anderen schlafen, und wird Zeuge einer Erscheinung
   und eines Zwiegesprächs (c.92).

"L'apparition sous la forme de l'apôtre montre que
celui-ci est par excellence l'instrument de l'
économie divine parmi les hommes; il est signifi-
catif que l'apôtre soit la seule personne concrète
et individualisée dont le Seigneur revête l'apparence."[1]

Was nun die Intention der Kap.88-93 anbelangt, so ist
der Satz: Καὶ ταῦτα ὑμῖν ἔτι ὥσπερ προτροπῆς ἕνεκεν,
ἀδελφοί, τῆς ἐπ'αὐτὸν πίστεως ὁμιλῶ · (c.93,14 f.)
nur dann geeignet die Redeabsicht "exhorter et affermer la foi" auszudrücken, wenn man die Gestalt des
Apostels und die die Zuhörer bewegende Frage nach der
Polymorphie Christi und ihren Kosequenzen für Christologie und Soteriologie ausblendet und von den Kapiteln
1o3-1o4 aus in der Form argumentiert, daß man sie allein
auf die Kap. 88-93 bezieht.

Sieht man die E als Einheit, in der unterschiedliche
Textsorten verwendet worden sind, die der inhaltlichen
Aussage jeweils Rechnung tragen, so ist deutlich, daß
der Verfasser der AJ, dem chronologischen Aufriß der
kanonischen Evangelien folgend, ein eigenes Evangelium
an ihre Stelle setzen will. Sein Garant ist der Apostel Johannes. Von da aus ist der Frage der Intention
weiter nachzugehen.

2.2.1.2. Themenkreise

Themen der E sind die Berufungsgeschichte des Jakobus
und Johannes, die Verklärung, Wunder, der Hymnus Jesu,
die Offenbarungsrede aufgrund der "Kreuzigung" in Jeru-

---

1) Acta, p.473.

salem. Sie sollen den die Christologie sichernden geschichtlichen Hintergrund, den Haftpunkt für den Glauben an den in den AJ dargestellten Kyrios bilden.

a) Die Identität des geschichtlichen, d.h. des dem
   Apostel zu seinen Lebzeiten begegnenden Jesus,
   des Offenbarers und des im Glauben verehrten Kyrios—
   Als auslösendes Moment wird für die E im Kontext
   die Erfahrung Drusianas mit der wechselnden Gestalt des Herrn angegeben. Indem Joh sich in seiner
   E auf seine Erlebnisse mit dem ihm in der vergange-
   nen Zeit begegnenden geschichtlichen Jesus bezieht und sie als den gegenwärtigen Widerfahrnis-
   sen Drusianas adäquat darstellt, sichert er die
   Identität des "historischen" mit dem verkündigten
   und in visionärer Gläubigkeit erfahrenen Herrn.

b) Die Mehrdeutigkeit der irdischen Erscheinungsweise
   Christi als Indiz für seine Göttlichkeit –
   Gleichzeitig wird das Mehrdeutige der irdischen
   Erscheinungsweise Jesu aus dem Bereich des Zweifel-
   haften in den göttlicher Offenbarung gezogen und
   dem herkömmlichen menschlichen Wissen gegenüber
   als zwangsläufig notwendig und nicht allen zugänglich erklärt. Christus durchbricht in der
   persönlichen Erfahrung des Jüngers Johannes die
   Grenzen menschlicher Existenz und geschichtlicher
   Vorfindlichkeit. Er wird in seiner gestalthaften
   Ausprägung (Knabe, Jüngling, Greis) und sub-
   stantiellen Vorfindlichkeit (materiell, immateriell,
   hart, weich) als nicht eindeutig erfahren. Dennoch
   liegt den AJ daran, die Einheit dieses sich so
   verschieden zeigenden Herrn zu bekräftigen (c.91,6).
   Hinsichtlich dieser die Christologie mittragenden
   Komponente zeigt sich deutlich die Esoterik der
   E, die allein einen kleinen Kreis von Wissenden
   umgreifen will, denen sich der Herr in seinem Wesen erschließt.

Adressatenkreis: "Jean n'annonce pas la révélation d'un mystère indicible, réservé à un cercle d'élus."(1) Dieser Aussage ist nur dem Wortlaut nach zuzustimmen, da der Text nicht expressis verbis von Auserwählten spricht, sie ist jedoch zu bestreiten, wenn man den vorgegebenen Zuhörerkreis betrachtet. Joh spricht nicht zu einer Volksmenge wie in Kap.26 oder 31, sondern zu seinen Begleitern, zu denen also, die seiner Verkündigung Glauben geschenkt, sich ihm deshalb angeschlossen haben. Sieht man Drusiana als ein Beispiel dieses Adressatenkreises, so ist deutlich, daß hier mit Sicherheit ein Kreis von Erwählten angesprochen ist. Außerdem geht auch aus den anderen Erzählungen hervor, daß die Begleiter des Apostels immer zugleich die Auserwählten sind, denen alle Verheißungen gelten (z.B. 47,11-14; 54,12-15; 59,8-1o). Als Typus des Auserwählten par excellence ist schließlich noch Joh selbst zu erwähnen, der schon zu Lebzeiten seines Herrn mehr an Kenntnis über ihn besitzt als die anderen Jünger und der schließlich allein Empfänger der Offenbarung des vermeintlich Gekreuzigten ist. (2)

JUNOD/KAESTLI sehen in der von den AJ vertretenen Polymorphie eine Verbindung zum ägyptischen Sonnenkult,[3] dessen einfachste Form sie folgendermaßen beschreiben: "le dieu apparaît sous des formes différentes liées à des âges différents; il manifeste de la sorte son éternité qui est synonyme de sollicitude; il est le dieu éternellement présent et attentif."[4] Nach ihrer Ansicht weichen die AJ von diesem Typus und seiner Verwendung in keiner Form ab.[5]

---

1) JUNOD/KAESTLI: Acta, p.468.
2) Zu der Frage des Adressatenkreises als einer Gruppierung von Auserwählten vgl. auch die Tabelle zur Aufgliederung des Evangeliums (2.2.1.1.).
3) "En ce qui concerne les phénomènes de polymorphie présents dans les AJ, nous estimons qu'ils se rattachent vraisemeblablement à un 'type' particulier qui trouverait son origine dans le culte solaire égyptien." Acta, p.471.
4) Ebenda.
5) JUNOD/KAESTLI: Ebenda: "Les AJ s'en tiennent strictement à cette utilisation simple de la polymorphie."

Gegenüber anderen christlichen Texten weisen JUNOD/
KAESTLI darauf hin, daß hier jegliche Bezugnahme zu
einer trinitarischen Aussage fehle.[1] Auch treffe man
nicht wie bei Origenes auf eine Entsprechung von Erscheinungsform und Kenntnis des göttlichen Wesens.[2]
Von diesen vergleichenden Überlegungen her ordnen sie
der Polymorphie der AJ eine "théologie négative"[3]
zu. - Neben der Funktion der Polymorphie, die Unmöglichkeit vor Augen zu führen, Gott adäquat zu beschreiben, steht in der Drusiana-Erzählung die der mit
einer Erscheinung des Herrn verbundene Befreiung.[4]

Da JUNOD/KAESTLI keine Strukturierung sehen, die die
Einzelaussagen über die Polymorphie verbindet,[5] listen
sie die zwölf Zeugnisse für die Vielgestaltigkeit auf[6]
und versuchen dann, jeweils kleinere Sinnzusammenhänge aufzuzeigen. - Über diese vorgenommenen Einordnungen hinaus
und in Kritik dazu soll versucht werden, deutlich zu
machen, daß sich zwei große Abschnitte abzeichnen, von
denen der eine aufgegliedert als Rahmen dient. Während ein
Teilaspekt des zweiten Abschnittes die Verbindung zur
ersten Aussagereihe schafft, ist es die Intention des
zweiten Teilaspektes (c.91; 92,1-8), eine hinweisende
Vorausdeutung auf die Kap.94-lo2 zu geben.[7]

1) Ebenda.
2) Vgl. a.a.O.: p. 472 und ferner p. 491.
3) A.a.O.: p. 472 "... l'impossibilité de définir et de
   décrire Dieu."
4) JUNOD/KAESTLI: Acta, p.473: "L'apparition est liée
   à une déliverance miraculeuse; le Seigneur se joue
   des obstacles pour se courir ses serviteurs."
5) Acta, p.475.
6) A.a.O.: p.474 f. Die Nummern 3 und 11 sind jedoch
   entgegen JUNOD/KAESTLI nicht im exakten Wortsinn als
   polymorph zu bezeichnen. Diese Textstellen sind in der
   Analyse (s. Tabelle) deshalb eingeklammert.
7) JUNOD/KAESTLI trennen 9 von 6,7,8 ab, eine Einteilung,
   die nicht einsichtig ist, da zumindest 8 und 9 das Phä-
   nomen der Doppelgestalt zum Inhalt haben, worauf auch
   JUNOD/KAESTLI in einer Anmerkung hinweisen: "La vision
   offerte à Pierre et Jacques fait penser à celle que Jean
   va décrire au ch.92: "le Seigneur dialogue avec un
   autre lui-même (vieillard dans un cas, semblable au
   Seigneur dans l'autre cas)." Allerdings sehen sie nicht
   darin, sondern im Gespräch der Gestalten untereinander
   das wesentliche Element dieser Szene (vgl. a.a.O.:p.486).

Textstelle (Auflistung nach JUNOD/KAESTLI: Acta, p.474 f.)	Einordnung nach JUNOD/KAESTLI: Acta, p. 476-487	Art der Polymorphie	Bezugspunkt bzw. Art der Veränderung	Einordnung
1) 88,9-2o	-3/12: Signes classiques de divinité sans rapport avec un fait narré dans les évangiles (p.476 f.)	Knabe-Mann	äußere Gestalt	Polymorphie zeigt Unbegreif-barkeit des Herrn, der den menschlichen Erfahrungsbe-reich und die Grenzen mensch-licher Existenz durchbricht (1.Teil des 1. Abschnitts)
2) 89,1-6		kahl mit Bart-Jüngling	äußere Gestalt	
[3] 89,6-8	-11: Un témoignage parti-culier: les repas chez un Pharisien (p.477 f.)	nie geschlossene Augen	----	
4) 89,9-1o		veränderbare Größe	äußere Gestalt	
5) 89,1o-15	-1/2: La polymorphie lors de la vocation de Jacques et Jean et aussitot après (p.479-481)	Brust: hart-weich	Materie	Polymorphie trägt Offenba-rungscharakter (2.Abschnitt)
6) 9o,1-4		Lichtgestalt	"äußere" Gestalt	Transzendie-rung des ir-dischen Gestalt-wandels
7) 9o,4-22	-4: Le témoignagne sur le changement de taille du Seigneur (p.481)	Lichtgestalt ohne Kleider, Haupt reicht bis zum Himmel,Füße erhellen Erde	"äußere" Gestalt	
8) 91	-6/7/8: La polymorphie lors des transfigurations (p.482-484)	Doppelgestalt: 2 Personen	"äußere" Gestalt	Hinweis auf den himmli-schen Offen-barer (vgl.dazu 3.1.- Hinweis auf Kreuzes-geheimnis: vgl.92,6-8 und 1oo,2-4)
9) 92,1-8		Doppelgestalt: 2 Personen	"äußere" Gestalt	
1o) 93,1-4	-9: La dédoublement du Seigneur, la nuit à Gennésareth (p.485 f.)	Körper: fest,mate-riell-immateriell, unkörperlich	Materie	
[11] 93,4-1o	-5/1o: Les propriétés du corps du Seigneur (p.487)	Jesus ißt nicht	----	(2.Teil des 1.Abschnittes)
12) 93,1o-13		keine Spur der Schritte	Materie	

Ausgehend von einer Verwandtschaft zwischen einem Kommentar des Clemens von Alexandrien zu 1. Joh 1,1 und dem Punkt 1o (s.Tabelle) kommen JUNOD/KAESTLI zu dem Schluß, daß sich beide auf bestimmte "Traditionen" stützen. Deren Ursprung sehen sie nicht in dem Kreis, aus dem der 1. Joh erwachsen ist, vielmehr habe der Verfasser dieses Briefes sich einer doketisch ausgelegten Formel des Gegners bedient und ihr die gegenteilige Aussage unterlegt. Die im 1.Joh anvisierten Gegner hätten zur Unterstützung ihrer Aussage auf johanneische Traditionen zurückgegriffen, von denen Clemens und die AJ abhingen.[1] Mit dieser Hypothese wollen JUNOD/KAESTLI deutlich machen, daß der Verfasser der AJ in diesem Teil seines Werkes vorgegebene Quellen verarbeitet, wozu auch der Rückgriff auf die Evangelien (Johannes und Lukas) zählt, obwohl sie für ihn keine Autorität sind. Als das eigene "Werk" des Verfassers sehen JUNOD/KAESTLI sein Insistieren auf der Polymorphie und dem Wandel der körperlichen Substanz an.[2]

Wesentlich an dieser Quellen-Hypothese erscheint der Hinweis auf johanneische Traditionen, die ihre unterschiedliche Ausdeutung erfahren haben. Allerdings ist mit SCHÄFERDIEK[3] gegenüber JUNOD/KAESTLI die Auseinandersetzung im johanneischen Traditionskreis selbst zu nennen, bei der offensichtlich um verschiedene Auslegungen von Überlieferungen, die mit dem Namen Johannes verknüpft waren, gestritten wurde. Sowohl die Überlieferungen wie auch die Auseinandersetzungen mit ihnen belegen eine Wertschätzung des Apostels. Ihm als "qualifiziertem Traditionsgaranten"[4] sieht sich der Verfasser der AJ bei der Gestaltung seines Werkes allein verpflichtet.

---

1) Vgl. dazu: Acta, p.487 f.
2) Vgl. a.a.O.: p.488 f.
3) SCHÄFERDIEK; K.: Herkunft, p.256.
4) A.a.O.: p.256.

JUNOD/KAESTLI weisen für die Kap.87-93/1o3-1o5 jede
doketische Ausrichtung ab, da weder Inkarnation noch
Passion mit einem Wort auch nur erwähnt werden.[1]
Die doketischen Spuren, die sich hier feststellen
lassen,[2] spielen ihrer Ansicht nach keine Rolle, da
die beiden wesentlichen Elemente fehlen. Abgesehen davon,
daß innerhalb dieses Abschnittes die Passion nicht zum
Thema werden kann, sagt gerade die Polymorphie indirekt
zur Inkarnation sehr viel aus. Sie unterstreicht mit
jedem neuen Aspekt der Polymorphie das vere Deus, um
das vere homo stillschweigend zu negieren. Psychologisch
gesehen wird in dieser Weise geschickter vorgegangen
als in einer argumentativen Auseinandersetzung. Mögliche
entscheidende Streitpunkte geraten gar nicht erst ins
Bewußtsein des Lesers, er wird vielmehr eingefangen
von Offenbarungen über den Herrn, die nicht allen zugänglich sind.[3] In ähnlicher Weise verfährt der Verfasser auch bei der "Kreuzigung". Die Trauer des Joh
über den vermeintlichen Tod seines Herrn - vom Aufbau
her gesehen ein Spannungselement - und die sofort anschließende Kreuzesrede sind inhaltlich eine gelungene
Hinführung des Lesers in den Kreis derer, die mit Joh und
seinen Begleitern zu den schon Geretteten gehören.

Auch unter diesem Aspekt sind die Kap.87-1o5 nicht auf-
zuspalten. Die Inkarnation wird durch die Polymorphie gegenstandslos, die Passion verliert angesichts des Lichtkreuzes jede Bedeutung. Beide Aussagen stehen in un-
trennbarer Beziehung zueinander: sich steigernd bzw.
sich gegenseitig stützend und erklärend. Sie sind die
theologische Zentralaussage der AJ, und nur von ihr aus
ist die asketische Tendenz der Erzählungen zu verstehen,

---

1) Acta, p. 493.
2) "... le Seigneur ne mange pas, ses yeux ne se ferment
   pas, son pas ne laisse aucune trace, son corps est
   immatériel..." (ebenda).
3) Vgl. Adressatenkreis.

in denen sich der Doketismus auf der Ebene der Soteriologie und Ethik Audruck verschafft.[1]

c) Die Esoterik der Offenbarung als Merkmal der Per-
   sonprägung des Herrn -

Der in der Welt lebende und ihr auch zugänglich schei-
nende Erlöser ist dieser Welt in seiner Eigentlichkeit
zutiefst verborgen. Ihm entspricht es auch nicht, eindeutig erfaßbar und begreifbar zu sein, vielmehr bestimmt sein Verhülltsein seine Person, und zwar dahingehend, daß er letztlich der Unbegreifbare bleibt. Dies
in dem Sinn, daß - bis auf die Auserwählten - die Menschen ihn aufgrund ihrer eigenen Seinsvorfindlichkeit
nicht verstehen können. Dieser Jesus Christus ist so
sehr der Transzendente, daß er den Menschen auch in seiner menschlichen Gestalt nicht als der der Welt Imma-
nente begegnen kann, vielmehr ist seine irdische Erscheinungsform, wird sie als Ausdruck seines Selbst-
seins genommen, Täuschung, wie Kreuzigung und Polymorphie zeigen. Er geht nicht als der Menschgewordene
in diese Welt ein, sondern er geht, indem er nur scheinbar Mensch ist, an dieser Welt vorbei, dies in Entsprechung zu der in den AJ artikulierten und strukturierten Wirklichkeit von Mensch und Welt. Jesus wird also
zur entscheidenden Instanz, an der die Größen Welt und
Mensch gemessen werden, gleichzeitig gibt das Verständnis von Welt und Mensch die Situation an, in die die
"Wirklichkeit" Jesu hineingetragen wird. Indem nun diese
"Wirklichkeit" Jesu der Wirklichkeit Welt und Mensch
radikal entfremdet wird, Ausdruck dafür ist die Esoterik des Christusgeschehens, wird gleichzeitig ein
Erwartungshorizont eröffnet, der der Hoffnung auf eine
entscheidende Wende Ausdruck gibt. Erfüllt wird er mit
der γνῶσις, die die aus der Welt erlösende Offenbarung

---

1) Vgl. zur Frage des Doketismus 2.2.4.3.

'bringt. Sie ist damit Nachricht von außen und erwächst
nicht aus einer inneren Gewißheit des Menschen.[1]

Spricht man nun von der Esoterik der Christologie und
setzt andererseits eine bestimmte geschichtliche Situation voraus, so muß man an eine Zeit denken, die eben
in dieser esoterischen Christologie ihre eigenen Hoff-
nungen adäquat ausgedrückt fand, wenn sie in der Christusgestalt den Erlöser aus der eigenen als bedrückend
empfundenen Vorfindlichkeit sah. Der Mensch, seine
Welt, seine Geschichte, sind als negativ und wertlos
erkannt, in ihnen kann sich Offenbarung nicht mehr
vollziehen, sie kann sich im Gegenteil nur jenseits von
Mensch, Welt und Geschichte ereignen.

2.2.1.3. Die gemeinsame Intention der Evangeliumsver-
kündigung und der Erzählteile

Die E und ihr erzählerischer Gesamtrahmen werden vom
Vf. als intentionale Einheit gesehen. In beiden geht es
ihm darum, den Kyrios als allein wahren Gott darzu-
stellen, der Heil und Rettung des Menschen im Glauben
an ihn verbürgt. Diesem Glauben parallelisiert ist die
Verachtung der Welt und der irdischen Bindungen, die
in den Erzählungen der AJ ihren Ausdruck in der Welt-
verachtung, in der Evangeliumsverkündigung in der Transzendenz des Erlösers findet. Die Tendenz der Abkehr vom
Irdischen ist beiden in der Weise gemeinsam, daß man
die in den Erzählteilen geforderte Distanz von der
Welt und der in ihr üblichen Lebensgestaltung nur verstehen kann als Konkretion der im Lichtkreuz deutlich wer-
denden Negierung aller irdischen Beziehungen, in der

---

1) Vg. COLPE, C.: Schule, p.187 f., Anm.2 zu dieser
Differenz.

·die in der Polymorphie erahnte Transzendenz des Erlösers zur Gewißheit wird.

In der Erkenntnis des Lichtkreuzes, das die wahre Erkenntnis des Herrn einschließt, geschieht die Sammlung
der Glaubenden, die den Leib des Transzendenten my-
sterienhaft real bilden. Auch Pls kann von den Glaubenden als Glieder Christi sprechen (vgl.Röm 12,4 f.;
1. Kor 12,12 ff.), bei ihm geht es jedoch immer um die
mit der Wirklichkeit konfrontierte Gemeinde, die gerade
in der Welt ihre Zugehörigkeit zu Christus beweist
(ekklesiologische Ausrichtung), die E hingegen fordert
unter dem Gesichtspunkt des Glied-Seins zur Flucht vor
und aus der Welt auf (soteriologisch-mystische Ausrichtung), wird doch der Gott Jesus Christus als der gezeigt,
der dieser Welt, die in ihrer Grundlage gottfeindlich
ist, nicht zugehören kann, er ist der jenseitige Gott.
Das Lichtkreuz in seiner Bedeutung als Begrenzung
(c.98,14; c.99,2) trennt Wissende und Unwissende, läßt
Verlorene unter dem Anspruch der Exklusivität und Esoterik, für den der Apostel stellvertretend steht, verloren sein. Die Rettung kommt nicht allen zu: τῶν οὖν
πολλῶν ἀμέλει καὶ τῶν ἔξω τοῦ μυστηρίου καταφρόνει
(c.1oo,1o f.).

Indem die E als vom Vf. gewählter Fixpunkt seines Werkes das Christentum zur Geheimreligion für Auserwählte
macht, sollen die AJ dem Bereich der bloßen Erbaulich-
keit entnommen werden und ihre Funktion im Rahmen der
durch die Erkenntnis zu gewinnenden Erlösung erhalten.

2.2.2. Die Gottheit Christi

Person: - Wenn im Folgenden von der Person Christus gesprochen wird, so ist damit die Einheit des Transzendenten gemeint, für den die "menschliche" Erscheinungsform nur bedeutungsloses Akzidens ist. -
Gegenüber allen anderen Bezeichnungen, die Christus in
den AJ zur Kennzeichnung seiner Person beigelegt werden, ist die Prädikation Ѳεός - ob explizit genannt
oder implizit vorausgesetzt - die primäre: Christus ist
der Ѳεός. Jedoch geschieht ihre Entfaltung nicht auf
dem Hintergrund der άνϑρωπος - Prädikation oder in
Analogie zu ihr, sie besitzt vielmehr als die allein zutreffende Aussage über die Person Christi Ausschließlich-
keit, andere Prädikationen oder Hoheitstitel sind ihr
untergeordnet.
Die Ablehnung eines auch nur dem menschlichen Sein vergleichbaren Seins Christi findet ihren Niederschlag
in der Polymorphie, gleichzeitig wird damit die Aussage
über die Göttlichkeit verstärkt. Gefestigt wird die uneingeschränkte Bezeichnung Christi als Gott durch den
Kult,[1] der in Christus den faßbar gewordenen Gott begreift, ergreift und preist, ermöglicht wird sie, folgt
man den Ausführungen in den AJ, durch konkrete wunderbare Erfahrung und bestätigende Verkündigung des Apostels.

Das Prädikat Ѳεός

Die Bindung von Ѳεός an den Kult zeigt sich darin, daß
Ѳεός als Seinsbestimmung für Christus überwiegend den
Gebeten und der E zugeordnet ist, die entweder Bestand-
teile (Gebete) oder Bezugspunkt (E) der berichteten Wun-

----

1) Vgl. BOUSSET, W.: Kyrios Christos, p. 225.

dertaten sind, durch die das Gottsein Christi Lebendigkeit und Realität gewinnen soll. In diesen Wundern
erfahren Erzählgestalten und Leser eine solche Macht-
fülle, so daß deren Urheber $\vartheta\epsilon o\acute{\jmath}$ sein muß. Die Bezeichnung Christi als $\vartheta\epsilon o\acute{\jmath}$ findet nur Verwendung:
- in der Abwehr des Heidentums
- in der Entfaltung ethischer Forderungen
- bei der Darlegung des Wegs der Erlösung
- in den Aussagen über die Erkenntnis Gottes als
Kennzeichnung seiner Eigenschaften.

2.2.2.1. $\vartheta\epsilon o\acute{\jmath}$ - Abwehr des Heidentums

Die Auseinandersetzung mit der heidnischen Umwelt, in
die die AJ Erzählfiguren und Leser versetzen, findet
ihren verbal deutlichsten Ausdruck in den Kapiteln
37-45, der Erzählung über die Zerstörung des Artemistempels. In ihrer Anlage des Entweder-Oder im Machterweis erinnert sie an die atl. Geschichte der Auseinandersetzung zwischen Baal und Jahwe (1.Kön 18, 16 ff.). -
Als zeitlichen Fixpunkt des Geschehens wählt der Vf. in
der Einleitung zu der Szene das Stiftungsfest des Artemistempels. Der Apostel, schon äußerlich von der Menge der Festteilnehmer unterschieden, tritt als Einzelner
einer andersgläubigen Volksmenge unter dem nominellen
Einsatz seines Lebens, sich seines Erfolges wohl be-
wußt (c.4o,6-9), gegenüber. Das Ziel liegt in der völligen Anerkennung des alleinigen Gott-Seins Christi gegenüber dem mehr von dem Apostel als von den Artemis-
Gläubigen vorausgesetzten Anspruch der heidnischen Gottheit.

Aufbau:[1]

Bekenntnis des Joh: ὁ θεός, ὁ ὑπὲρ πάντων λεγομένων θεῶν ὑπάρχων θεός (c.41,1 f.)

Situation in der Stadt: (ὁ θεός,) ὁ μέχρι σήμερον ἐν τῇ Ἐφεσίων πόλει ἀθετούμενος (c.41,2 f.)

Bitte des Apostels:- δεῖξον τὸ σὸν ἔλεος ἐν τῷ τόπῳ τούτῳ, ὅτι πεπλάνηνται (c.41,8 f.) ──────── Umkehr-

Machterweis: ὁ βωμὸς τῆς Ἀρτέμιδος διέστη punkt εἰς μέρη πολλά...(c.42,1 f.)

Bekenntnis des Volkes: εἷς θεὸς Ἰωάννου (c.42,7)

Dank des Apostels: Δόξα σοι Ἰησοῦ μου, ὁ τῆς ἀληθείας μόνος θεός (c.43,2 f.)

Versucht man in dieser Szene Merkmale der einander wi-
derstreitenden Glaubensaussagen zu finden, so ergibt
sich folgendes:

Artemis	Gott des Johannes
δαίμων (c.41,8), ὑπὲρ δὲ τὴν Κύλβ: αἱ θυσίαι, αἱ γενέθλιαι ἡμέραι, αἱ ἑορταί, τὰ στεφανώματα, ἡ πολλὴ μαγεία, ἡ φαρμακεία (c.43,10-12), εἴδωμεν τοὺς θεοὺς ἡμῶν ματαίως ἱδρυμένους (c.44,9f.)	μόνος θεός (c.38,5), ὁ θεός, ὁ ὑπὲρ πάντων λεγομένων θεῶν ὑπάρχων θεός (c.41,1f.), εἷς θεὸς Ἰωάννου (c.42,7); ὅτι σὺ μόνος θεός (c.42,7f.) ὁ τῆς ἀληθείας μόνος θεός (c.43,2f.) γνῶτε αὐτοῦ τὴν ἀφανῆ δύναμιν εἰς τὸ φανερὸν ὁρωμένην καὶ τὰ θαυμαστὰ ἔργα παρ' ὀφθαλμοῖς ὑμῶν γινόμενα (43,6f.)

──────────

1) JUNOD/KAESTLI: Acta, p.5oo beschreiben den Aufbau
(auf Kap.41 beschränkt) wie folgt: "invocation, un
rappel des bienfaits et des actions passées de
Dieu, et enfin la requête proprement dite."

Auffallend bei der "Auseinandersetzung" ist das Fehlen
jeglicher Bekenntnisaussagen der Artemisanhänger über
das Gott-Sein ihrer Göttin, die sie demnach wohl von
vornherein als ohnmächtig ansehen. Um so deutlicher
fallen die Aussagen über die Gottheit Christi aus;
Artemis erhält durch den Apostel das Prädikat δαίμων,
das parallel zu εἴδωλον und διερευνᾶτος φύσις; steht, damit ist
die negative Bedeutung festgelegt. Artemis, die von
ihren Verehrern in den Raum des Göttlichen eingeordnet
wird, ist vom Apostel als widergöttliche Macht dargestellt, die zu einem falschen Glauben verführt;[1]
(ὁ θεὸς) ὁ πᾶσαν θεοσέβειαν ἐλέγξας διὰ τῆς σῆς ἐπιστρο-
φῆς (c.41,4 f.) θεοσέβεια ist hier durch den Gegensatz
zu ἐπιστροφή jeglicher positiven Aussage entkleidet,
inhaltlich dürfte der Begriff in diesem Zusammenhang
das fromme Verhalten bezeichnen, das sich in kultischen
Übungen konkretisiert, hier: das Stiftungsfest. Steht
θεοσέβεια ursprünglich in Gegensatz zum Aberglauben,[2]
so ist hier der Unglaube gemeint (vgl. c.39,14: ἀπιστία ;
c.40,6: πλάνη ; c.41,8:... δαίμονος, ὅστις πλανᾷ τοσοῦτον
ὄχλον).

Ein argumentierender Dialog mit den Artemis-Anhängern
entfällt, Joh. muß nur der Form nach bekehren, in Wirklichkeit redet er aus einer gesicherten Position heraus,
die Entscheidung ist schon gefallen. - Vergleicht man
diese Szene mit der Areopagrede in der Apostelgeschichte
(17, 22-31), so zeigt sich eine völlig andere innere
Struktur. Während dort argumentativ verfahren, ein Ge-
dankengang entfaltet und zu seinem Höhepunkt gebracht

1) Vgl. FOERSTER, W.: Art. δαίμων κτλ. in ThW, Bd.II,
p.4, wo er die Auffassung von δαίμων als Zwischen-
wesen in Relation zum Volksglauben darlegt. JUNOD/
KAESTLI verweisen darauf, daß τὸ εἴδωλον bzw. τὸ εἴδωλον
(est) "un mot étroitement lié à la polémique
juive, puis chrétienne, contre les idoles: il sert
à designer le temple paien comme une ‚demeure d'idole'"
(Acta, p.5o5).
2) Vgl. BERTRAM; G.: Art. θεοσεβής κτλ. ,p.125.

wird, arbeitet der Vf. der AJ auf emotionaler Basis,
der Zusammenbruch des Tempels ist äußeres Zeichen
innerer Vorgänge. Dazu stimmt die Erregung der Volksmenge ebenso wie die von Joh. eingebrachte Zuspitzung der
Auseinandersetzung. Die Aussage $\acute{o}$ $\tau\tilde{\eta}s$ $\mathring{a}\lambda\eta\vartheta\epsilon\acute{\iota}\alpha s$ $\mu\acute{o}\nu o\int$
$\vartheta\epsilon\acute{o}\int$ (c.43,2 f.) bleibt Floskel, der angehängte
$\acute{o}\tau\iota$-Satz entfaltet sie ebenso wenig wie die folgenden
Sätze. Die "unsichtbare Macht, die öffentlich sichtbar
wird" (c.43,6) ist weiter nichts als ein Spektakel. Die
Frage, wer denn nun der $\mu\acute{o}\nu o\int$ $\vartheta\epsilon\acute{o}\int$ sei, wird im Bereich
theologisch nicht greifbarer Vorfindlichkeiten entschie-
den; denn die Auseinandersetzung findet in einer emotional
aufgewühlten Szenerie statt, die dem Leser das Nach-
denken verwehrt, um im Staunen über das Spektakuläre des
Vorgangs bei ihm Emotionen freizusetzen, die ihn in den
Bezugsrahmen der imaginären Gleichzeitigkeit einfügen.
Die Aussagen über das alleinige Gottsein Christi sind
auch vom Heidentum nicht angezweifelte Vergewisserungs-
punkte, denen die Bedeutsamkeit realer Missionspraxis
nicht zukommt.

Die Fiktivität der Erzählung wird noch unterstrichen durch
die öffensichtliche Unkenntnis des Verfassers über die
Stadt Ephesus und ihren Tempel. Sowohl die Lage und
Größe des Tempels wie auch seine Bedeutung sind ihm
unbekannt.[1] JUNOD/KAESTLI sehen das Vorbild für diese
Erzählung im Judentum, und zwar sowohl in Hinblick auf
die Motive der Gegenüberstellung Gott – Götze und der
Tempelzerstörung wie auch in vergleichbaren Einzelzügen
oder Begriffen.[2] Sie betrachten die Kap.38-44 als
"l'exemple le plus ancien de l'utilisation chrétienne
de ces motifs."[3]

---

1) Vgl. JUNOD/KAESTLI: Acta, p.5oo-5o3.
2) Ebenda.
3) A.a.O., p. 5o5; eine Anlehnung der AJ an die kanonische
   Apostelgeschichte lehnen sie mit Recht unter dem
   Hinweis auf den unterschiedlichen Blickwinkel und Inhalt
   ab (ebenda).

Der zweite Text, in dem ein Ansatzpunkt zur Auseinandersetzung gegeben ist, ist die Erzählung von Lykomedes
und Kleopatra. Lykomedes sieht sich in seiner bisherigen
Verehrung der Göttin Dike verunsichert und klagt sie
an. Aber auch hier bleibt das Gegeneinander im Bereich
des Privat-Emotionalen, die Göttin Dike ist nur insoweit
wichtig, als sie Anlaufstelle für Verzweiflung und Be-
schuldigung ist.[1] Es geht also letztlich nicht darum,
den bisherigen Glauben des Lykomedes mit der Botschaft
des Apostels zu konfrontieren, sondern das massive, im
Verlauf der Erzählung gesteigerte Wunder ist Fixpunkt;
es allein macht Bekehrung möglich, bliebe es aus, wäre
die Mission gescheitert. Dem vom Apostel verkündeten
Gott bleibt gar keine andere Wahl, als in extremen Situationen menschlichen Erfahrungen zuwider machtvoll
Wunder zu tun. Insofern wird dieser Gott auch folgerichtig apostrophiert als der Gott, durch dessen Macht beide,
Lykomedes und Kleopatra, auferstanden sind (c.24,22 f.
und c.25,1 f.).

Der Dialog mit dem Heidentum um das Gott-Sein Christi
findet in beiden Fällen auf der Ebene massiver Wunder-
gläubigkeit statt, er ist emotional orientiert und beläßt den Leser in einer Szene unterhaltsamen Staunens.
In beiden Erzählungen ist die Anwesenheit des Apostels
für den Weiterbestand des Glaubens unaufgebbare Bedingung
(c.25,7; c.45,7-1o).[2] Der Lykomedes-Erzählung folgt

---

1) Lykomedes bleibt zwar mit seinen Anklagen im Bereich
dessen, was der Göttin zugeschrieben wird (vgl.
KERENYI, K.: Mythologie, Bd. 1, p.82 f.), dennoch ist
nicht Götterglaube - Gottglaube Zielpunkt der Erzählung.
2) Vgl. dazu JUNOD/KAESTLI: Acta, p.5oo: "Comme l'avaient
déjà fait Lycomède et Cléopatre (cf. 25), les
Ephésiens exigent la présence de Jean; leur espérance
est trop précaire pour se fonder sur l'intervention
miséricordieuse dont ils viennent d'être les bénéfici-
aires."

-114-

'eine paränetisch ausgerichtete Geschichte, in der der
verkündete Gott letztlich für asketische Zwecke vereinnahmt wird (c.29), an die Artemis-Erzählung schließt
sich ein weiteres Wunder an (c.46 f.), in dem der Priester des alten Kultes durch die Bekehrung nach seiner
Auferstehung den Triumph des Apostels vollkommen macht.
Insofern ist die Feststellung von JUNOD/KAESTLI: "Le récit
s'intéresse à la conversion d'un individu"[1] zu differenzieren. Zwar fehlt die Reaktion des Volkes auf das
Geschehen,und der Blickwinkel scheint sich auf den Priester (und seinen Verwandten) zu verengen, gleichzeitig
aber ist dieser Auferweckte nicht irgendein Einwohner
von Ephesus, sondern als Artemispriester herausragender
Vertreter des Irrglaubens. So ist seine Auferweckung
und Bekehrung erst in zweiter Linie individuelles Geschehen, sein Verbleiben bei Johannes ist Ausdruck einer
völligen Preisgabe des früheren Glaubens nicht nur für
seine Person, sondern primär für die Stadt Ephesus.

2.2.2.2. Ͽεός - Entfaltung ethischer Forderungen[2]

Das Gott-Sein Christi begründet z.T. den normativen Charakter der entwickelten Ethik, dies in dem Sinn, daß
eine Annäherung bzw. Identifizierung des mit den ethischen
Forderungen konfrontierten Menschen erstrebt wird. Es
kommt also zur Entwicklung eines Idealtyps von Menschen,
der als direktiv für die Gestaltung des christlichen Lebens
angesehen wird. Das Subjekt dieses ethischen Handelns ist
der Mensch als Christus-Gott-Glaubender, dem - so wird
teilweise begründet - der Herr die Kraft zu diesem Verhalten verliehen hat (c.29,1-4).

---

1) A.a.O., p.5o9.
2) Zur weiteren Darstellung der Ethik, vgl. 2.4.. Hier
   soll nur unter dem Gesichtspunkt des Gott-Seins Christi ein auslösender Faktor für die ethischen Forderungen näher betrachtet werden.

'In c. 33 gibt Joh. das Ziel seines Aufenthaltes in
Ephesus mit folgenden Worten wieder: οὐδέ τις ἔμπορος τυγ-
χάνω ἀντιπράσεις ποιούμενος ἢ ἀντικαταλλαγάς· ἀλλ' ὑμᾶς ὅλους
ἐπιστρέψων ἀπιστίᾳ κεκρατημένους καὶ ἐπιθυμίαις αἰσχραῖς
πεπραμένους ὃν κηρύσσω 'Ιησοῦν Χριστὸν εὔσπλαγχνος ὢν καὶ χρηστὸς
βούλεται δι'ἐμοῦ τῆς πλάνης ὑμᾶς ἐξελέσθαι (c. 33, 5-9)
'Απιστία und ἐπιθυμίᾳ αἰσχρᾷ werden gleichgeordnet
unter der Notwendigkeit der Abkehr, beide zusammen werden mit dem Begriff πλάνη gekennzeichnet. Die nun anschließende Rede des Apostels,[1] als deren Adressat die
im Theater versammelten heidnischen Bewohner von Ephesus
anzusehen sind, hat aber keinerlei Glaubensinhalte zum
Thema, sie ist vielmehr eindeutig auf ethische Forderungen ausgerichtet und umfaßt neben Straftaten auch
Freude an Besitz und Wohlergehen als tadelnswert.[2] Der
Apostel selbst kennzeichnet diese Belehrung als vorran-
gig (πρῶτον c.34,1); verständlich wird dies auf dem
Hintergrund des Selbstverständnisses von Christentum in
den AJ. Maßgebend ist hier nicht die Situation einer
christlichen Gemeinde, die, obgleich der zukünftigen
Welt zugeordnet, noch in der alten leben muß, sondern
vielmehr die Abqualifizierung jeglicher irdisch gebundenen Lebensäußerungen. Indem die Verfallenheit des
Menschen an die Welt aufgewiesen wird, wird gleichzeitig wieder die Befreiung davon in das sittliche Bestreben des Menschen gestellt. Wenn der θεός Jesus Christus
zu einer Autorität wird, die ein ihm angemessenes Verhalten in Einzeltaten und einzelnen Gesinnungen fordert,
so wird der Mensch auch nicht mehr ganzheitlich erfaßt,
sondern nur aspekthaft in je seinem besonderen Verhalten
beurteilt. Was sich hier zeigt, ist ein moralistisch-

---

1) JUNOD/KAESTLI: Acta, p.460 ff. gliedern die Kap.33-36
   in die vier Abschnitte auf, die für die Rede wesentlich sind: "l'exorde, la narration, l'argumentation
   et la péroraison" (p.460 f.). Die Kap.34,3-36,9
   gehören zur Argumentation.
2) Vgl. 2.4.

gesetzliches Denken, das die Sündlosigkeit allein unter dem Gesichtspunkt normhaften Verhaltens sieht. Im
Namen Christi, der nach Pls (Röm 1o,4) das Ende des Ge-
setzes als Heilsweg ist, wird in den AJ durch den Apostel eine neue Gesetzlichkeit aufgerichtet, der der
Mensch um seiner Seele willen Sorge tragen muß, wenn er
nicht in ewige Verdammnis geraten will: ἐκεῖνο δὲ ἐβουλόμην πρῶτον ἐγκαταλεπεῖραι ὑμῶν ταῖς ἀκοαῖς τὸ τῶν
ψυχῶν ἐπιμελεῖσθαι (c.34,1 f.).[1]

2.2.2.3. θεός - Weg der Erlösung[2]

Die Thematik der E ist in den Kap. 97-1o1 ὁ σταυρὸς φωτὸς
πεπηγμένος . Dieses Lichtkreuz[3] und nicht das
hölzerne Kreuz in Jerusalem zeigt den eigentlichen Vorgang der Erlösung. Es macht deutlich, daß die Gläubigen
als Glieder des Herabgekommenen ihre endgültige Gestalt
im Hören auf die Stimme des Transzendenten gewinnen. Diese Zuordnung bedeutet die Erlösung, deren Spezifikum
jedoch im Unterschied zum Nt das μανθάνειν ist: ἐγώ σοι
ὑπέβαλον ἀνελθεῖν εἰς τοῦτο τὸ ὄρος ὅπως ἀκούσῃς ἃ δεῖ μαθητὴν
παρὰ διδασκάλου μανθάνειν καὶ ἄνθρωπον παρὰ θεοῦ (c.97,
10-12)
In diesen Einleitungssätzen, die der esoterischen Offenbarung vorangehen, findet sich eine Parallelität von
διδάσκαλος - θεός und μαθητής - ἄνθρωπος . Der von
Joh. verkündete Gott erscheint - gerade was den Weg der
Erlösung anbelangt - als der Lehrende, dies in der Form,
daß im Zugang zu dieser Lehre die Entscheidung über
die Erlösung fällt. So mahnt der Herr den Apostel:

---

1) Vgl. 2.4. Ethik.
2) Vgl. 2.3. Soteriologie.
3) Sowohl in 2.3. wie in 2.4. wird das Lichtkreuz im
   Zusammenhang mit Soteriologie und Ethik erneut thematisch.

τῶν ἔξω τοῦ μυστηρίου καταφρόνει (c.1oo,11 f.). Zwar
tritt auch Jesus in den kanonischen Evangelien als der
Lehrer auf, aber an diesem Punkt wird der Unterschied
zu den AJ überaus deutlich: In den Lehren Jesu geht
es im NT "um die Beanspruchung des ganzen Menschen
durch Gott",[1] so ist das Merkmal des Jesus zugehörenden μαθητής nicht das μανθάνειν , sondern das
ἀκολουθεῖν [2].Demgegenüber bedarf der μαθητής
Johannes des διδάσκαλος, damit er durch ihn von einem
Unwissenden zu einem Wissenden gemacht wird. Erst dadurch ergibt sich für ihn die Möglichkeit der zuvor erwähnten Gemeinschaft mit Gott. Formal ist diese Unterweisung durch ihren Charakter als esoterische Offenbarungsrede gekennzeichnet, inhaltlich handelt es sich um eine
Rede, die sich an den Intellekt wendet und in reflek-
tierender Form die Uneigentlichkeit der Kreuzigung gegenüber dem erscheinenden Herrn erweisen will: Das Täu-
schende des irdischen Geschehens soll durchschaut und
die Offenbarung soll erkannt werden: γίνωσκε γάρ με ὅλον
παρὰ τῷ πατρὶ καὶ τὸν πατέρα παρ'ἐμού (c.1oo,11 f.);
νόησον οὖν με λόγου αἵρεσιν ... (c.1o1,12); τὸ μὲν οὖν
πρῶτον λόγον νόησον, εἶτα κύριον νοήσεις, τὸν δὲ ἄνθρωπον τρίτον καὶ τὸ
τί πέπονθεν (c.101,14-16).Für den Erkennenden aber gilt
die Gewißheit: τοῦτο μόνον κρατύνων ἐν ἑαυτῷ ὅτι συμβολικῶς
πάντα ὁ κύριος ἐπεγυμνατεύσατο καὶ οἰκονομικῶς εἰς ἀνθρώπου
ἐπιστροφὴν καὶ σωτηρίαν (c.1o2,4-7).

2.2.2.4. Θεός - Erkenntnis Gottes

Die Aussagen, die in den AJ über das Wesen Gottes gemacht werden, sind aspekthaft eingebunden in einen Gesamt-

---

1) RENGSTORF, K.H.: Art. διδάσκω κτλ., p.143.
2) Vgl. RENGSTORF, K.H.: Art. μανθάνω κτλ., p.4o8.

kontext, in dem es um die Erkenntnis dieses Gottes und
um die Erfahrung mit ihm geht. Indem in der Gestalt des
Apostels der Träger dieser persönlich erfahrenen, ihm
zuerst zukommenden Gotteserkenntnis gesehen wird, wird
er zur Voraussetzung aller Aussagen über ihn in dem
Sinne, daß sie an ihm und durch ihn verifiziert werden.
Durch die E werden diese Aussagen als aus dem Empfang
der Offenbarung fließend als zutreffende gekennzeichnet
und erhalten das Merkmal der Esoterik. Schon damit ist
das Offenbarungsgeschehen der AJ von der ntl. Offenbarung streng geschieden: Jesu Leben bedarf dort nicht
der nachträglichen Korrektur durch Geheimoffenbarung.
Ferner: NT und AJ sind in ihren Aussagen über die Offenbarung darin einander gänzlich fremd, daß sie zwar
beide ihren "Ansatz" bei Jesus haben, daß im NT aber
gerade Menschwerdung, Kreuz und Auferstehung Gott offenbar werden lassen, während in den AJ eben Menschwerdung
und Kreuz als die Offenbarung nicht enthaltend angesehen werden, sie sind vielmehr ein Geschehen, das dem
Gott der AJ gänzlich unangemessen ist (c.99,6 f.) - die
Auferstehung entfällt zwangsläufig. - In gleicher Weise
steht er dem geschichtlichen Geschehen fern, er kann
nicht in die Geschichte im Sinn einer Teilnahme eingehen, verharrt jenseits von ihr, bleibt der transzendente Gott, der in der Erlösung den Menschen - aber nicht
als personhaft Ganzen - aus der ihm nicht gemäßen Immanenz in die Transzendenz ruft.

Ausgehend von diesen vorläufigen Kennzeichnungen ist
nun nach den konkreten Aussagen über den $\vartheta\varepsilon\acute{o}\varsigma$ der AJ zu
fragen. Überblickt man die Fülle der Prädikationen,[1] so
läßt sich eine Gliederung im Zusammenhang mit dem Kontext unter drei Gesichtspunkten vornehmen:

---

1) Belegstellen in Auswahl.

1. Aussagen, die die Macht Gottes an sich beschreiben
2. Aussagen, die Macht und Handeln Gottes gegenüber Menschen, Welt und Dämonen beinhalten
3. Aussagen, die die Prädikationen relativieren.

Zu 1)	Macht Gottes an sich		
c. 22	König	A	Übertragung irdischer Hoheitsverhältnisse.
c. 99	Herr des Ortes der Ruhe		
c. 1o4	Gott: der Unwandelbare der Unüberwindliche	N	Verneinung bzw. vorausgesetzter Gegensatz
	der höher ist als alle Gewalt und Macht und älter und stärker als alle Engel und sogenannten Schöpfungen und Äonen	BP	Überhöhung aller denkbaren Gewalten und Vorfindlichkeiten in Hinblick auf Macht und Alter
c. 43	Jesus, einziger Gott der Wahrheit	P	vorausgesetzter Gegensatz
	seine unsichtbare Macht (vgl. zu 2)	N	Verneinung
c. 52	lebendiger Gott	P	
	der wahre Gott	P	vorausgesetzter Gegensatz
c. 77	Größe (Vgl. zu 2) Freiheit (vgl. zu 2)	P	Überhöhung
	unbegreifliche Herrlichkeit (vgl. zu 2) du bist allein Gott und kein anderer	P	vorausgesetzter Gegensatz
	dessen Macht allen Anschlägen enthoben ist	P	Überhöhung
c. 79	der du allein Gott bist	P	vorausgesetzter Gegensatz
	der Übergroße	P	Überhöhung
	der Unaussprechliche der Unbegreifliche	N	vorausgesetzter Gegensatz
c. 82	Gott der Wahrheit	P	vorausgesetzter Gegensatz
	daß du allein Gott bist	P	vorausgesetzter Gegensatz
c. 1o8	der du in allen bist und überall da bist und alles erfüllst	P	Überhöhung

Die Prädikationen werden auf dem Weg der Übertragung
irdischer Hoheitsverhältnisse (A), der Überhöhung denk-
barer Vorfindlichkeiten in Hinblick auf Macht, Alter, Anwesenheit und Größe (B) und des vorausgesetzten, aber
nicht genannten Gegensatzes gefunden. Sie betonen alle
die Totalität und Absolutheit des verkündeten Gottes, dabei stehen Aussagen negativer Begrifflichkeit (N) neben
anderen einer positiven Gewißheit (P). Eine unmittelbare Entfaltung dieser Prädikationen findet sich nicht,
sie stellen zunächst nicht hinterfragte Aussagen dar,
ihre Tendenz wird erst im übergreifenden kompositionellen
Zusammenhang sichtbar.

Zu 2) Macht und Handeln Gottes gegenüber Menschen, Welt
und Dämonen

c.21	dein Erbarmen	E
c.22	Arzt, der du umsonst heilst	E
	Gebieter über das All deine Macht	A
c.23	(Christus wird dargestellt als derjenige, den alle Mächte fürchten)	A
	Kraft meines Gottes	Ei
c.33	Jesus, der barmherzig und gütig ist Macht	Ei
c.91	Gnade Weisheit	Ei
c.99	Das Kreuz hat durch das Wort das All zusammengefügt	A
c.1o3	Gnade des Herrn und seine Liebe zu uns	Ei
	sein Erbarmen erfahren haben	R
	Gott der Eingeschlossenen	(E) situativ
c.43	erkennt seine unsichtbare Macht, die öffentlich sicht- bar wird	E/Ei
c.44	da wir von ihm Erbarmen erfah- ren haben	R
c.47	durch dessen Namen und Macht du auferstanden bist	E

c. 52	hat auch bis zu dir sein gü- tiges Erbarmen und sein nicht überhebliches Mitleid sich er- strecken lassen	R
	Gnade Gottes	R/Ei
c. 53	meiner hat sich Gott erbarmt, daß ich seine Macht erkenne	R/Ei
	Vergebung erlangen von der Güte Gottes	R/Ei
c. 75	Gott, der du jegliche schäd- liche Kraft bezwingst	A
	dessen Wille in Erfüllung geht	A
c. 77	mächtig ob deiner großen Barmherzig- keit und unendlichen Langmut	Ei
	Größe, die in die Knecht- schaft herabgestiegen ist (vgl. 1)	Ei
	unaussprechliche Freiheit, die von uns geknechtet wird (vgl. 1)	Ei
	unbegreifliche Herrlichkeit für uns (vgl.1)	Ei
	der Vater, der Erbarmen und Mitleid gehabt hat	R
	Dank für deine Güte und Lang- mut	R/Ei

Die Prädikationen

a) sind Ausdruck der ins Positive gekehrten negativen
Erfahrung und Sicht der Realität, die in ihnen als
überwunden gilt (R),

b) spiegeln die unmittelbare Erfahrung seitens des betroffenen Menschen wider (E),

c) sind aufgrund dieser Konkretisierung vorgenommene
Verallgemeinerungen im Stil der Überhöhung und Allgemeingültigkeit (A),

d) werden so zu Eigenschaften Gottes, die sich im
Handeln gegenüber Mensch, Welt und Dämonen jeweils
neu konkretisieren (Ei).[1]

Zu 3)   Relativierung der Prädikationen
c. 98   (Namen für das Lichtkreuz um der Menschen willen:)

          Logos
          Vernunft
          Christus
          Tür
          Weg
          Brot
          Same
          Auferstehung
          Sohn
          Vater
          Geist
          Leben
          Wahrheit
          Glaube
          Gnade

c. 1o7   euer guter Gott, der Barmherzige, der Mitleidige,
           der Heilige, der Reine, der Unbefleckte, der Im-
           materielle, der Einzige, der Eine, der Unveränder-
           liche, der Hehre, der Truglose, der Zornfreie
           der Gott Jesus Christus, der höher und erhabener
           ist als jede von uns ausgesprochene und gedachte
           Prädikation
c. 1o9   du bist allein, Herr, die Wurzel der Unsterblichkeit,
           die Quelle der Unvergänglichkeit, der Sitz der
           Äonen
           der du als dieses alles jetzt um unseretwillen bezeich-
           net worden bist, damit wir, wenn wir dich damit be-
           nennen, deine Größe erkennen, die uns gegenwärtig
           nicht erschaubar ist, den Reinen aber erschaubar
           nur abgebildet allein in deinem Menschen.

JUNOD/KAESTLI setzen bei ihrer Wertung der Namensvielfalt für den Kyrios zwar bei der durch sie vermittelten
Begrenztheit und Unvollkommenheit der Erkenntnis ein,[2]

---

1) Diese hier vorgenommenen Unterscheidungen sind bei
   den einzelnen Prädikationen keineswegs immer so klar
   abzugrenzen, die Übergänge sind fließend.
2) Acta, p.618: "Leur multiplicité même est signe de
   leur insuffiance. Ils ne peuvent faire accéder à
   la pleine connaissance de l´être de la Croix de
   lumierè ou à la contemplation immédiate de la
   Grandeur divine."

differenzieren diese Aussage dann jedoch zunächst dahingehend, daß sie aufgrund des "à cause de nous" den
Zweck der Namen darin sehen "que le Dieu transcendant
et ineffable condescend à se laisser connaître et
glorifier par des mots humains".[1] Der eigentliche
Hintergrund zur Erklärung der verschiedenen Namen ergibt sich für sie von der Person des Kyrios aus, wie
sie sie in Kap.94-1o2 verstanden wissen wollen: "Le
Seigneur d'AJ 94-1o2 est la manifestation visible
ici-bas des éons divins qui ont contribué à sa
naissance. En sa personne, ce sont les membres du
plérôme eux-mêmes qui dansent et psalmodient, manifestant
par là leur volonté de sauver les spirituels prisonniers
de la déficience."[2] Die Bezeichnungen Jesu und die
Unaussprechlichkeit des transzendenten Namens sind nach
JUNOD/KAESTLI damit eine Entfaltung des einen Prinzips
in einer Vielzahl göttlicher Hypostasen: "toute la
lignée des éons est continue en germe dans le fils;
tous les noms singuliers sont des émanations du Nom
unique et ineffable."[3]
Gestützt sehen sie ihre Auslegung durch die Reflexion
über den göttlichen Namen, wie sie im Ev Ph und Ev
Veritatis vorliegt.[4] Gegen diese Annahme einer Verwandtschaft ist zunächst von Kap. 98 aus einzuwenden,
daß die Relativierung der Namen nicht wie im EvPh 11 unter der Alternative "langage chrétien ordinaire" -
"le gnostique" geschieht, d.h. in ihnen nicht einerseits
Nicht-Erkenntnis andererseits Erkenntnis gegeben ist.
Kap.98 setzt vielmehr den Prädikationen des Lichtkreuzes "um euretwillen" die ihm einzig angemessenen Bezeichnungen entgegen, durch die jene jede gültige Aussagekraft

1) Ebenda.
2) A.a.O., p.617.
3) A.a.O., p.62o.
4) A.a.O., p.619 f.

und Erkenntnis verlieren: ταῦτα μὲν ὡς πρὸς ἀνθρώπους· ὃ δὲ ὄντως ἐστὶν αὐτός, πρὸς αὐτὸν νοούμενος καὶ εἰς ὑμᾶς λεγόμενος, διορισμὸς πάντων ἐστὶν καὶ τῶν πεπηγμένων ἐξ ἀνεδραίστων ἀναγωγὴ βεβαία καὶ ἁρμονία σοφίας· σοφίας δὲ οὔσης ἐν ἁρμονίᾳ ... (c.98,12-16)[1]. Der inhaltlichen Aussage entspricht die äußere Situation: die Menge in Jerusalem und mit ihr die Jünger bleiben in Trauer und Unkenntnis, Johannes allein wird herausgerufen und zur Erkenntnis seines Herrn geführt.

Die von JUNOD/KAESTLI im Vergleich von EvPh 12 und AJ 1o9 gezogene Schlußfolgerung: "... les noms sont donc produits par la Vérité[2] elle-même à cause de nous , par amour pour les gnostiques qui doivent vivre dans le monde"[3] ist zu bestreiten. Dagegen spricht auch nicht Kap.1o9,14-17; denn die dort ausgesprochenen Prädikationen sind nur vordergründig notwendiges Vehikel menschlicher Erkenntnis der Größe des Herrn. Indem Joh ihren unzureichend vorläufigen Charakter heraushebt, beläßt er sie auf der Stufe des über sie hinausweisenden Erkennens, die er jedoch schon überwunden hat.

So ist gegenüber JUNOD/KAESTLI eine andere Möglichkeit zur Interpretation der Namensvielfalt zu erwägen. Sie geht davon aus, daß nicht gemeinsame Christusprädikationen oder der auch in Vergleichstexten zu findende Hinweis πρὸς ἀνθρώπους primäre Faktoren der Deutung sind, sondern der engere und weitere Kontext der fraglichen Kapitel. - Neben den von JUNOD/KAESTLI herangezogenen Kap.98 und 1o9 ist auch noch Kap.1o7 zu berücksichtigen,

---

1) Bei keiner der genannten positiven Bezeichnungen (98,14-16) kann man von Personifizierungen sprechen, sie besitzen ihre Gültigkeit nur, sofern sie dem Lichtkreuz zugeordnet sind.
2) In Kap. 98 und 1o9 ist nicht la Vérité, sondern der Kyrios der Redende, eine Identifizierung beider ist in den AJ nicht gegeben.
3) A.a.O., p. 619.

·das ebenfalls von einer Relativierung der Prädikationen
ausgeht und eine isolierte Betrachtung der Kap.94-1o2
und 1o9 nicht selbstverständlich erscheinen läßt.

Kap. 98 ist ein Abschnitt aus der Offenbarungsrede
Christi an den Apostel, der unter dem Thema einer notwendigen mysterienhaften Wissensvermittlung steht, die
für die Erlösung unabdingbar ist. Kap.1o7 hat als näheren
Kontext die Metastasis des Joh. und bringt ein parä-
netisches Vermächtnis, innerhalb dieses Zusammenhangs
steht auch Kap.1o9, allerdings liegt hier ein Dankgebet
vor, wobei die Prädikationen durch den Begründungszu-
sammenhang den Charakter des Geheimnisvollen erhalten. -
In der Relativierung der Prädikationen zeigt sich zunächst einmal die Ungleichheit zwischen menschlichem Erkennen und dem zu Erkennenden, das Verhältnis beider
zueinander ist negativ und verweist auf eine faktische
Nicht-Erkennbarkeit Gottes. Aber diese wird zugleich
wieder aufgehoben und erneut relativiert, indem sie in
den Bezugsrahmen einer esoterischen Offenbarung hinein-
gestellt wird. Was hier vorliegt,ist nicht die Anerkennung eines menschlichen Unvermögens der Gotteserkenntnis an sich, dem Aussagen über Gott trotz der
Ungleichheit dennoch aufgrund der Gnade Gottes in seiner
Offenbarung in Christus möglich sind, sondern es ist
das Hinauswachsen des Menschen über sich selbst, das
Verlassen der Rolle als Geschöpf in seiner dauernden
Angewiesenheit auf den Schöpfer aufgrund einer Offenbarung, die den Auserwählten in den Stand des nun zu-
verlässig Wissenden erhebt.[1] Indem die Aussagen über
Gott von diesem Standpunkt aus relativiert und als nicht
maßgebend dargestellt werden, bleibt Gott nun aber gerade
nicht der verborgene Gott, sondern wird letztlich der
gänzlich offenbare Gott. Zwar ist seine Hinwendung zum
Menschen in der irdischen Erscheinung hintergründig und
täuschend, aber mit der Erkenntnis dieser Täuschng ist

---

1) Vgl. 2.5.

zugleich gültiges Wissen um Gott gegeben.

Auf diesem Hintergrund werden auch die unter den Punkten
1 und 2 zusammengestellten Prädikationen fragwürdig;
denn in ihnen wird Gott nicht erkannt. Die von ihm
ausgesagten Eigenschaften und die ihm zugeordneten Bezeichnungen sind Vehikel menschlichen Begreifens, das
aber dem eigentlichen Gott-Erkennen fern steht. Sie
sind Namen um der Menschen willen, sie entsprechen dem
Gott Jesus Christus nicht; wenn sie dennoch zur Erkenntnis seiner Größe führen sollen, so bleiben sie auf das
Wissen um ein Mehr-sein-als beschränkt (c.1o7).
Dagegen unterliegt im NT die Offenbarung Jesu Christi
nicht aus sich selbst heraus der Täuschung und Verhüllung, im Kreuz Christi offenbart sich Gott. Dieses
σκάνδαλον des gekreuzigten Gottes wird in den AJ nun
fortgewischt und als Irreführung erklärt, es besitzt
keine Wirklichkeit im Sinn einer Bedeutsamkeit, folglich auch keinerlei Gewicht für die Erkennbarkeit Gottes,
vermittelt in Aussagen über Gott aufgrund dieses Geschehens: Gotteserkenntnis geschieht abseits davon, getrennt
von irdisch wahrnehmbaren Ereignissen, vollzogen im
Geheimen, dann aber in letzter Gewißheit erfahren.

Anders als in dem von JUNOD/KAESTLI unter dem Gesichtspunkt der "parenté" zitierten Text aus dem Exc Thdot
(36,2) geht es in den AJ nicht um die Konzeption "l´Un
qui a été divisé à cause de nous".[1] An keiner Stelle
der AJ werden die Namen des Erlösers identifiziert oder
auch nur in Beziehung gesetzt mit "les éons" oder " des
membres du ‹corps de la Vérité›".[2] Die vielfältigen
Namen sind vielmehr Ausdruck des ausschließlichen Gott-
Seins des Kyrios, wobei dies auf die Vaterprädikation

---

1) Acta, p.621.
2) A.a.O., p.62o f.

·in ganz besonderer Weise zutreffen dürfte, akzentuiert
sie doch die "Einheit des Offenbarers mit Gott".[1]
Gnostisierender Deutung stehen also nicht die Namen
an sich, sondern steht ihre Funktion offen: Sie sind
vorläufiges, überwundenes Vokabular, über das die Erkenntnis dessen hinausgreift, dem sich der Herr geoffen-
bart hat - Johannes. Er, als mittelbarer Offenbarungsträger, führt im Auftrag seines Herrn (c.113,3) durch Tat
(Wunder) und Wort (Evangeliumsverkündigung) zu der Erkenntnis, die allein Erlösung bedeutet.

2.2.3. Wundergeschichten

Wundergeschichten, die der Bekehrung und Mission dienen, können kein Gottesbild vermitteln, das jenseits
sozialer Gegebenheiten angesiedelt ist, die religiöse
Gestimmtheit der Zeit außer acht läßt, eine existentiel-
le Bedeutsamkeit nicht beansprucht, geschichtliche Wir-
kungen nicht beabsichtigt. Diese Bindung an die Zeit
hat G. THEIßEN für die ntl. Wundergeschichten folgendermaßen hinsichtlich ihres Verständnisses gekennzeichnet:
"Überlieferungen können nur aus dem realen Zusammenhang
des sozialen und geschichtlichen Lebens verstanden werden."[2] Wundergeschichten geben nun einerseits über
diesen Zusammenhang - in welcher Form auch immer - Auskunft und stellen ihn zugleich, indem sie in ihm Gott
in wunderbarer Weise handeln sehen, in eine bestimmte
Beziehung zu eben diesem Gott.

In diesem Abschnitt der Analyse der Wundergeschichten

---

1) SCHÄFERDIEK, K.: Herkunft, p.267.
2) THEIßEN, G.: Wundergeschichten, p.229.

soll nun unter Berücksichtigung des genannten Zusammenhangs hinsichtlich der Frage nach der Christologie der
AJ die Struktur des Heiligen, wie sie hier sichtbar wird,
herausgearbietet werden. Die Wundergeschichten der AJ
sind ebenso wie die syn. Evgl.[1] von dieser Struktur ge-
formt, darin liegt ihre Übereinstimmung, in der Darstellung und Erfassung des Heiligen jedoch ihr Unterschied.[2]
Die funktionale Betrachtungsweise soll dazu dienen, eine
phänomenologische Beschreibung des in den Wundergeschichten sich manifestierenden Gottes zu ermöglichen.

die soziale Funktion

Die in einer Wundergeschichte auftretenden Personen
sind zumeist Angehörige der Oberschicht, sieht man von
der Vatermördergeschichte und dem Auftreten der un-
differenzierten Volksmenge ab. Sie alle befinden sich
in einer Situation, die als bedrohlich für ihre gegenwärtige Existenz anzusehen ist: unheilbare Krankheit,
Tod, Verlust des Partners, drohende Störung der für die
Erlösung notwendigen Lebensform, Ohnmacht der bisher
verehrten Götter. Es sind Situationen, die alle Schichten in gleicher Weise treffen können; wenn sie dennoch
überwiegend Personen des gehobenen Standes erleben,
so ist darin wahrscheinlich das Anliegen des Autors zu
sehen, das Christentum als angesehene Religion zu schildern. Diesen Menschen erscheint ihr weiteres Leben in
dieser Lage ungesichert, sie zweifeln teilweise an dem
Sinn ihres Daseins. Das Wunder befreit nicht nur aus
dieser Situation, sondern stellt gleichzeitig das
Leben dieser Menschen auf eine Basis, die Transzendentes erschließt und die Frage nach dem Sinn des Irdischen
in eine neue Dimension lenkt.

---

1) Vgl. THEIßEN, G.: a.a.O., p. 297 zur Struktur der
   Heiligen in den Wundergeschichten.
2) Vgl. die Zusammenstellung von Theißen, a.a.O., p.296 f.

Lokalisiert sind die Wundergeschichten mit Ausnahme
der Vatermördererzählung im städtischen Bereich Kleinasiens. Die Lebensumstände der Personen werden mit nur
wenigen Stichworten angedeutet: Beruf, soziale Zugehörigkeit, religiöse Bindung, Lebensführung. Der Wandlung unterworfen sind durch das wunderhafte Geschehen
religiöse Bindung und Lebensführung; die Betroffenen
werden veranlaßt, ihre bisherigen Traditionen und ihre
Daseinsgestaltung zu verlassen aufgrund der Verheißung,
die mit dem Auftreten des neuen Gottes in der wunderwirkenden Kraft seines Verkünders Joh. gegeben ist.

soziale Intention

Die Verheißung des Gottes Jesus Christus wird unter verschiedenen Stichworten gefaßt (Auswahl):

c. 47   Erbe des wahrhaftigen Lebens,
         du wirst leben in Ewigkeit

c. 22   gerettet werden

c. 76   stirb, auf daß du lebst

c. 1o7   Teil und Erbarmen vor ihm haben

c. 112   Erkenntnis über dich

c. 113   dem bitteren Tod entrissen

Durch die Konkretisierung dieser Verheißungen in den
Wundern kommt es zur Wirkung in die Öffentlichkeit hinein, und zwar in doppelter Weise:
a) unmittelbare Folge der Wunder sind Bekehrungen, die
   sich unter der Anteilnahme einer größeren Menschen-
   ansammlung vollziehen (Ausnahme: Kallimachus),
b) sie stellen den Apostel in den Mittelpunkt der Auf-
   merksamkeit des Volkes (c.26; c.31).
Bei beiden Aspekten wird die missionarische Tendenz
der Wundergeschichten deutlich. Im Anschluß an THEIßEN
wird man auch für die Wundergeschichten der AJ feststellen können: "Die Mission ist ihr 'Sitz im Leben',

'die Gewinnung neuer Gemeindeglieder ihr Zweck."[1]

religionsgeschichtliche Funktion

Da Wundergeschichten an Konflikten orientiert sind,
sind sie darauf angelegt, neue Wege zu weisen, um Da-
seinsbewältigung zu ermöglichen und Wandlungen in einer
Gesellschaft hervorzurufen. Wenn die AJ nun eine Ex-
pansion von Wundergeschichten bieten, so kann dies nur
in dem Bewußtsein geschehen, daß die Adressaten dieser
Erzählungen kein den Wundern skeptisch gegenüberstehender
Kreis sind. Der in den Erzählungen sich manifestierende Gott kann sich gerade in seinem Anspruch an die Lebenssicht und Existenzform dieser Menschen in Wundern
deutlich machen, insofern muß hier eine bestimmte Disposition in der Bewußtseinslage dieser Menschen vorlie-
gen, die die Annahme derartiger Erzählformen ihrer Inhalt und Intentionen möglich macht. Als zeitliche Fixpunkte bieten sich das 3. Jahrhundert mit dem infolge
der sozialen und wirtschaftlichen Krise aufkommenden
Irrationalismus und das 4. Jahrhunder mit seiner okkul-
ten Theosophie an.[2] Der ins Leben der Menschen auf
wunderhafte Weise eingreifende Gott wird zwar zunächst
als außergewöhnlich erfahren, erhält aber zugleich durch
die Fülle der Wunder in der Betrachtung des Lesers das
Signum des stets Verfügbaren und Greifbaren. Die die

---

1) THEIßEN, G.: a.a.O., p.258.
2) Vgl. THEIßEN, G.: Wundergeschichten, p.271 f.

Wundergeschichten leitende Intention im Blick auf die
sich in ihnen konkretisierende Gottheit ist jedoch noch
anders zu erfassen;

1. Singularität: Kleopatra und Lykomedes kann allein
   der Gott Jesus Christus helfen (c.19-25)

2. Steigerung: Kleopatra liegt nicht nur krank danieder,
   sondern Lykomedes stirbt überdies aus Kummer - der
   im Dienst Gottes stehende Apostel hilft beiden. Drusiana ist nicht nur tot, sondern auch begraben, aber
   der Apostel Gottes erweckt sie wieder; ja, dieser
   Gott verhindert selber die Schändung der Leiche.

3. Unbedingter Anspruch: Neben dem sich in Wundern kund-
   tuenden Gott kann keine andere Macht bestehen: Artemis besitzt keine Gewalt über Kultstätte und Anhänger; das sich in Kallimachus manifestierende Bö-
   se unterliegt.

4. Manifestation der Macht Gottes: die Wunder erscheinen in den AJ als faßbarer Ausdruck der unsichtba-
   ren Macht Gottes (C.43,6 f.)

All diese Einzelintentionen fließen zusammen in dem
Gesamtziel der Ausrichtung auf ein asketisches Leben,
in dem sich die Erkenntnis Gottes in dieser bestimmten
Form der Lebensgestaltung verwirklicht, die in ihrer
Absage an weltliche Bindungen und Wertschätzungen allein
die Bekehrung und Rettung des Menschen möglich macht.

Wenn man die Wundergeschichten von der Struktur des
Heiligen geprägt sieht, so erfährt dieses Heilige,
Gott, in den AJ eine Konkretion hinsichtlich seiner
Wirksamkeit als Überwinder aller irdischen, den Menschen
bedrängenden Gegebenheit. Seine Wundermacht, die der
Apostel "verwaltet", steht in Konkurrenz zu der Macht
anderer Gewalten (Götter, Satan), denen gegenüber sie
sich als überlegen erweist. Jesus Christus dominiert
über Krankheit und Tod, die durch einen Befehl in

seinem Namen oder durch seinen Namen vernichtet werden.[1] In den Wundern wird die göttliche Macht sichtbar und greifbar, niemand oder nur der dem Satan zu-
gehörende Fortunatus kann ihr widerstehen, er unterliegt damit dem Tod, aber sogar er zieht die Macht dieses Gottes nicht in Zweifel.

Diese rein phänomenologische Betrachtungsweise deckt
sich in den Grundzügen mit den von THEIßEN für die
syn. Evangelien aufgewiesenen Strukturelementen.[2] Dahinter steht jedoch eine gänzlich andere Ausrichtung.
THEIßEN stellt für die urchristlichen Wundergeschichten
fest: "Sie sprechen eher aller bisherigen Erfahrung
ihre Gültigkeit ab als menschlicher Not das Recht, beseitigt zu werden. ... Sie vollziehen in symbolischen
Handlungen ein radikales Nicht-Einwilligen in die konkrete Negativität menschlichen Daseins, einen Protest,
der sich aus der vorhandenen und erfahrbaren Welt
allein nicht legitimieren läßt. Dieser Protest ist unbedingt, weil von einem unbedingten Anruf evoziert: von
einer Offenbarung des Heiligen in einer konkreten Gestalt."[3] Der Ansatzpunkt zur Kennzeichnung der Unterschiede ist die Bindung des Heiligen an eine konkrete
Gestalt; der Zuordnung urchristlicher Wundergeschichten
auf Jesus von Nazareth steht in den AJ die Ausrichtung
der Wunder auf die konkret eben nicht faßbare Gestalt
des sich immer wieder verwandelnden Herrn gegenüber.
Dieser Gott, der jenseits von Welt, Mensch und Geschichte angesiedelt ist, greift in die den Menschen begren-
zenden Zusammenhänge ein, indem er in der Beseitigung

---

1) JUNOD/KAESTLI: Acta, p.445 verweisen im Zusammenhang
   mit Kap. 18-25 auf den Satan als Ursprung der Krankheit der Kleopatra: "Car il ne fait pas de doute
   que le diable est à l'origine de la maladie de la
   servante Cléopâtre."
2) Vgl. THEIßEN, G.: Wundergeschichten, p.296 f.
3) THEIßEN, G.: a.a.O., p.297.

irdischer Unabwendbarkeiten ihn diesen Zusammenhängen
entnimmt und diese zugleich als dem der Erlösung zu-
strebenden Menschen nicht angemessenen Lebensrahmen
negiert. Durch dieses Gottesbild, in dem die urchristliche Botschaft der Wundergeschichten bei der Ähnlichkeit der pänomenologischen Züge ins Gegenteil ungebogen
ist, erfolgt eine Verwischung und Aufhebung der ntl.
Konkretion des Heiligen, insofern eine Verabsolutierung
ins geschichtlich Unfaßbare vollzogen wird.

2.2.4. Kreuzigung

Die Evangeliumsverkündigung schließt den Weg des irdisch
erfahrbarenen Herrn mit der Kreuzigung ab,[1] wobei das
Kreuz in der Negation des sichtbaren Geschehens seine
Transzendierung erfährt und dem hölzernen Kreuz gegen-
übergesetzt wird. Allein in dem Lichtkreuz und durch
das Lichtkreuz geschieht Offenbarung, in der das Heil
zugänglich wird; dem hölzernen Kreuz von Golgatha kommt
damit in keiner Weise Heil zu, es ist vielmehr die Vollendung des Truges und des Nicht-Verstehens (c.97,8-12).

Für JUNOD/KAESTLI ist " la connaissance" ein Terminus
bzw. ein Thema, das die Sonderstellung der Kap. 94-1o2
zeigt und ihre Bindung an die Gnosis erkennen läßt. Über
eine allgemeine Zuordnung zu gnostischem Gedankengut
hinausgehend, versuchen sie diesen Teil der AJ an ein

---

1) Vgl. zur Zusammengehörigkeit der Kap.87-1o5 die Ausführungen in 2.2.1.-2.2.1.3.; auf eine gemeinsame
thematisch-intentionale Ausrichtung dieser Kapitel
weisen selbst JUNOD/KAESTLI hin: "Comme le discours
sur la polymorphie, la révélation d'AJ 94-1o2 fait
allusion à des faits et à des paroles rapportés dans
les évangiles canoniques" (Acta, p.595). Allerdings
stellt sich für sie aufgrund dieses Kriteriums die
Frage der Einheitlichkeit nicht.

bestimmtes gnostisches System zu binden. Sie nehmen dabei
Bezug auf den Valentinianiusmus, und zwar einmal unter
folgendem Hinweis: "Malgré d'importantes divergences
internes, il présente des caractéristiques doctrinales
bien attestées et suffisamment marquées pour pouvoir
servir de critères dans la discussion sur l'origine de
la partie gnostique des AJ."[1] Hinzu kommt für JUNOD/
KAESTLI, daß die Ergebnisse der Arbeiten von STURHAHN
und WEIGANDT[2] über einen möglichen valentinianischen
Hintergrund aufgrund einer ungenügenden Differenzierung
zwischen den beiden valentinianischen Schulen nicht zu
halten sind bzw. auf der Grundlage der Texte von Nag
Hammadi neu überprüft werden müssen.[3]

2.2.4.1. Zur Frage der Textsorte der Kap. 94-1o2 bzw.

der Kap. 87-1o5

JUNOD/KAESTLI strukturieren zu Beginn ihrer Analyse
die Kap. 94-1o2 in "deux longs morceaux discursifs ...
encadrés par trois éléments narratifs assez brefs".[4]
Für die Kapitel insgesamt schlagen sie als Bezeichnung "apocalypse gnostique" vor, und zwar in Analogie zu zwei Schriften von Nag Hammadi - "Apokalypse
des Petrus" und "Erste Apokalypse des Jakobus"[5].

---

1) Acta, p.591.
2) Vgl. a.a.O.,p.591 f. zur Kritik der Arbeiten von
   STURHAHN, C.L.: Die Christologie der ältesten apokryphen Apostelakten, Heidelberg 1952 und WEIGANDT, P.:
   Der Doketismus im Urchristentum und in der theologischen Entwicklung des 2.·Jahrhunderts, Heidelberg
   1961.
3) JUNOD/KAESTLI: Acta, p.592 f.
4) Acta, p.593.
5) "La 1ère Apocalypse de Jacques (NHC V,3) présente
   une analogie structurelle frappante avec AJ 94-1o2.
   ... Dans l'Apocalypse de Pierre (NHC VII,3) le cadre
   narratif est moins développé ... mais elle (= la
   révélation) s'articule aussi en deux séries d'ex-
   périences visionnaires ..." (Acta, p.594 f. Anm.1).

JUNOD/KAESTLI verwenden den Begriff "apocalypse gnostique"
nicht im Sinn einer Gattungsbestimmung, sondern als Aussage über den Inhalt des Textes. Als eine solche "gnostische Offenbarungsrede" ist auch die "Apokalypse" des Jakobus anzusprechen, worauf VIELHAUER hinweist: "... Jakobus ist nicht Apokalyptiker (Seher), sondern Offenbarungsträger."[1] Die Ähnlichkeit nicht nur mit Kap.94-1o2, sondern auch mit dem Gesamttext Kap.87-1o5 ist offenkundig:
auch Joh. ist Offenbarungsträger, kein Apokalyptiker.
JUNOD/KAESTLI kommen für die Kap.94-1o2 zu folgendem Ergebnis: "L'auteur fait davantage que compléter le récit
canonique: il lui substitue un autre évangile."[2] Da ferner auch in den vorangegangenen Kapiteln ein Ersatz für
die kanonischen Evangelien geschaffen worden ist, ist zu
fragen, inwiefern die Aussage "un autre évangile" auf die
Kap.94-1o2 beschränkt bleiben soll. Die Intention des Er-
satzes ist dem gesamten Text gemeinsam, daran ändert auch
der Hinweis auf den polemischeren Stil und das notwendigerweise unterschiedliche Thema nichts.

2.2.4.2. Der Kyrios

War die vom Apostel in ihrem irdischen Dasein erfahrene
Gestalt des Kyrios nur dem Anschein nach menschlich,
wie z. B. die Polymorphie zeigt, so ist damit schon ein

---

1) Geschichte, p.527.
2) JUNOD/KAESTLI: Acta, p.595

deutlicher Verweis auf die absolute Transzendenz[1] des
Erlösers gegeben, die in der "Kreuzigung" ihre Entsprechung findet.[2] In Kap.93,4 f. wird der Kyrios schließ-
lich als $\dot{\alpha}c\omega\mu\alpha\tau o\varsigma$ gekennzeichnet, eine Bezeichnung
die unter Betonung der Transzendenz in c.98,4 in der
Wendung $c\chi\bar{\eta}\mu\alpha\;\mu\dot{\eta}\;\ddot{\epsilon}\chi o\nu\tau\alpha$ ihre Parallele hat.[3]

Was nun den Gekereuzigten anbelangt, so tragen JUNOD/
KAESTLI, da der Text, wie sie feststellen, darüber
schweigt,[4] Aussagen aus gnostischen Schriften (Apokalypse des Petrus und Großer Seth) als Deutung in den
Text ein. Demnach wäre der Gekreuzigte ein Geschöpf
der Äonen oder des Fürsten dieser Welt.[5] Zum Verständnis des oberhalb des Lichtkreuzes befindlichen
Kyrios, der im Gegensatz zu dem Gekreuzigten steht,
ziehen sie, veranlaßt allein durch diesen Gegensatz,
die christologische Konzeption des orientalischen Valentinianismus heran.[6] Demnach besäße dieser Christus
"un corps sprituel", der zu unterscheiden wäre von dem
"corps visiblé du Sauveur", der emporgehoben wird
(Kap.1o2) und der identisch ist mit "l'Homme parfait
que Jean aperçoit dans la Croix de lumière". Zu trennen
davon wäre "l'être charnel, avec lequel il avait

---

1) Vgl. BLUMENTHAL, M.: Formen, p.24.
2) In diesen Zusammenhang sind mit BLUMENTHAL (ebenda)
   auch die Aussagen über ihn als $\dot{\alpha}\kappa\rho\dot{\alpha}\tau\eta\tau o\varsigma$ (c.1o4,3),
   $\dot{\alpha}\mu\epsilon\tau\dot{\alpha}\tau\rho\epsilon\pi o\varsigma$(1o4,2), $\dot{\upsilon}\pi\epsilon\rho\mu\epsilon\gamma\dot{\epsilon}\vartheta\eta\varsigma$, $\ddot{\alpha}\gamma\rho\epsilon\kappa\tau o\varsigma$, $\ddot{\alpha}\lambda\eta\kappa\tau o\varsigma$
   (79,9) einzuordnen. Vgl. zur Beziehung zwischen den
   Aussagen über die Polymorphie und den transzendenten
   Erlöser der Kap.94-1o2 auch die Tabelle in 2.2.1.2.(b).
3) Vgl. JUNOD/KAESTLI: Acta, p.493 und in Kritik dazu
   2.2.1.2.(b).
4) "Notre texte ne dit pas qui est l'être mortel qui
   demeure sur la croix, ni quelle est sa destinée
   finale." (Acta, p.6o2.).
5) "... l'homme charnel suspendu à la croix n'est
   pas une pure apparence, mais une créature des puissan-
   ces inférieurs ou du Démiurge, vouée en tant à la
   mort et à la dissolution définitive." (JUNOD/KAESTLI:
   a.a.O., p.6o3.).
6) A.a.O., p.6o1.

coexisté, à l'heure ou celui-ci a été cloué au bois
de la croix."[1]

Kritisch anzumerken ist,

1. daß die fehlende Ausdeutung einer Aussage über den
   Gekreuzigten im Text der AJ selbst kaum durch ein
   von außen eingebrachtes Interpretament erklärt werden
   kann, auch wenn beide Texte von der Nicht-Identität
   des Gekreuzigten mit dem Redenden ausgehen (c.99,4 f.),

2. daß auch die auf den Christus oberhalb des Kreuzes
   bezogene Deutung die Übertragung einer christologischen
   Konzeption ist, die nur auf dem Gegensatz des Gekreuzigten und der gestaltlosen Stimme beruht,

3. daß für die beiden eingetragenen Interpretationen
   jeweils verschiedene gnostische Systeme herangezogen werden, so als ob sich das Schweigen des einen mit
   dem Reden des anderen aufheben ließe[2] zu einem har-
   monischen Gedankensystem, innerhalb dessen ein dritter
   Text verstanden werden müsse.

Folgt man dem Text der AJ, so ist zunächst der Kontext
zu berücksichtigen, der die Aussage $\lambda\varsigma\acute{\omega}\mu\upsilon\tau o\varsigma$ (c.93,3f.)[3]
mitträgt. Er bringt die Umformung und Aufspaltung der ntl.
Verklärungsgeschichte in zwei Teilerzählungen. Bei den Synoptikern steht sie in unmittelbarer Nachbarschaft zur
ersten Leidensankündigung.[4] Dieser Zusammenhang muß in

---

1) A.a.O., p.6o2.
2) "Les documents du valentinisme oriental ne sont pas
   plus explicites au sujet de l'identité du crucifié.
   Mais d'autres textes gnostiques, en particulier Apoc
   Pe et Gr Seth (NHC VII, 3 et VII, 2) disent claire-
   ment que celui qui a été cloué au bois est 'un autre'"
   (a.a.O., p.6o2).
3) Diese Kennzeichnung des Erlösers spielt in der Offenbarung des Kreuzesgeheimnisses eine wesentliche Rolle,
   so daß auch deshalb die Abtrennung von 94-1o2 nicht einfach als gegeben hinzunehmen ist.
4) Mk 9,2-13 parr.

den AJ notwendigerweise fehlen. Während nun aber die
Synoptiker die Verklärung Jesu zwar verschieden ak-
zentuieren, der Intention nach aber insgesamt auf die
Identität des geschichtlichen Jesus mit dem endzeitlichen Herrn ausrichten und die Jünger als Repräsentanten
der eschatologischen Gemeinde begreifen, gerät in den
AJ zunächst einmal die Beziehung Jesu zu seinen Jüngern
zur Farce: Jesus zupft den ungehorsamen Joh. am Bart,
worauf dieser dreißig Tage lang Schmerzen empfindet,
verbunden damit ist eine Ermahnung zum Glauben. Zuvor
hat Joh. seinen Herrn in einer Größe erblickt, die alles
menschliche Maß übersteigt: sein Haupt stößt an den
Himmel, zugleich erhellen seine Füße die Erde. Diese
Erzählung steht in unmittelbarem Anschluß an die Jüngerberufung der AJ und soll die Legitimation des Berufenden
erweisen.Während es hier aber noch der irdisch Erfahrbare ist, auf den außergewöhnliche Merkmale bezogen sind,
spaltet c.92 diese Gestalt auf. Zum irdischen Jesus
tritt eine Gestalt, die ihm ähnlich ist, beide sind durch
Rede und Gegenrede unterschieden. Das entspricht dem
Eindruck, den die Jünger Petrus und Jakobus bei der
vorausgegangenen Erzählung hatten (c.91). - Die sich an
dieser Stelle abzeichnende Aufspaltung der Person des
Kyrios in zwei Gestalten, allerdings nicht in der aus-
führlichen Darlegung eines theologischen Systems, sondern
in einer dieses nur in Teilaspekten erfassenden er-
zählerischen Gestaltung, ist in dem Kreuzesgeschehen wieder aufgenommen.[1] Die beiden Gestalten stehen bei der
"Verklärung" in Kommunikation miteinander, sind einander aber nicht gleichwertig, wie die belehrende Aussage
des Transzendenten zeigt.

Was an dieser Stelle sichtbar ist, ist der Versuch, die

----

1) Gegen JUNOD/KAESTLI: Acta, p.581 u.ö.

Gestalt des irdischen Jesus und einer himmlischen Person miteinander in Verbindung zu bringen, wobei dem
Irdischen die Rolle einer glaubensbezogenen Person zukommt: Ἰησοῦ, οὓς ἐξελέξω ἔτι ϲοι ἀπιϲτοῦϲιν (c.92:6 f.).

Auf dem Hintergrund der Uminterpretation des überlieferten Kreuzestodes Jesu ist die Frage nach der Identität
des als Kyrios Verehrten zu stellen. Die ntl. Aussage,
daß der Mensch Jesus der Kyrios ist, hat in den AJ keinen
Platz. Analog dazu ist auch der Christus-Titel aus dem
ntl. Bezug gelöst. Hinzu kommt, daß Bezeichnungen für
den Herrn als irrelevant, d.h. als nur behelfsmäßig
und ersetzbar angesehen werden (c.98,9.12 f.).[1]

Erst das Lichtkreuz enthüllt dem Apostel das Geheimnis
der Identität seines Herrn. In seiner Funktion innerhalb
der Christologie zeigt es die Transzendenz des Kyrios,[2]
der sich ἐπάνω τοῦ ϲταυροῦ (c.98,4) befindet und keine
Gestalt besitzt, sondern ganz Stimme ist. Zugleich erfolgt eine Identifizierung des Lichtkreuzes mit verschiedenen Prädikationen, die jedoch untereinander austauschbar sind, den Herrn in seinem Wesen also nicht erfassen (c.98,12 f.: μὲν ὡς πρὸς ἀνθρώπους). STURHAHN
spricht zwar nicht von einer Mittelbarkeit der Prädikationen, wohl aber von einer Mittelbarkeit des Erlösers

---

1) Vgl. zur ntl. Namensgebung "Jesus Christus" GEYER, H.-G.:
   Rohgedanken, p.387: "Denn der Name 'Jesus Christus'
   bezeichnet die umfassende Grenze der christlichen Botschaft und das elementare Bekenntnis des christlichen
   Glaubens. Er ist das, sofern Jesus Christus das zum
   Namen verdichtete kerygmatische Urteil ist: JESUS -
   und kein anderer Mensch! - IST CHRISTUS - kein anderer
   als Gott selbst!" Ferner: "Denn der Name 'Jesus Christus' bedeutet einen Satz; er ist nicht eine 'Leerformel',
   in der das Wort 'Jesus' lediglich als Platzhalter fungiert ..." (p.389). - Vgl. dazu auch die Ausführungen über die Relativierung der Prädikationen in 2.2.2.4.
2) Vgl. STURHAHN, C.L.: Christologie, p.26.

zu seinen Offenbarungsinhalten und sieht darin das entscheidende Kennzeichen der Christologie der AJ.[1]
Er verweist in diesem Zusammenhang auf c. 1o9,14-17
und zieht daraus den Schluß: "Gegenstand und Inhalt der
Offenbarung ist nicht die transzendente Erlösergottheit
selbst in ihrer οὐσία , sondern nur ihr εἰκών, nämlich
der ihr zugehörige ἄνϑρωπος ."[2]

Zunächst einmal verbindet STURHAHN zwei Teilaussagen
der AJ, die einen jeweils anderen Kontext haben. Die
Rede in Kap.97-1o1 ist zwar ebenso wie das Gebet des
Apostels in Kap.1o9 von der Situation des Abschieds gekennzeichnet, dennoch sind sie aufgrund des Sprechers
zu unterscheiden. Ferner bringt die Rede des Kyrios
ihrer Intention nach Offenbarung, wobei der Inhalt noch
näher zu bestimmen ist, während der Apostel - zwar im Besitz der Offenbarung - das Noch-Nicht des reinen Erkennens betont. Anders ausgedrückt: Die Offenbarungsrede
bewegt sich im Horizont der vorausgesetzten Erfüllung,
sie vermittelt Wahrheit in der unmittelbaren Schau und
im un-mittelbaren Wort, die Rede des Apostels kennzeichnet im Wissen um das Endgültige das Vorläufige und bezieht sich daher auf den irdisch erfahrenen Herrn. Beide Reden sind unter dem Aspekt von Gegenstand und Inhalt der Offenbarung voneinander zu unterscheiden. Diese kritischen Anmerkungen gelten auch für JUNOD/KAESTLI,

---

1) STURHAHN, C.L.: a.a.O., p.27:
   "... daß der transzendente Offenbarer zwar auf den
   Inhalt und Gegenstand seiner Offenbarung weist, daß
   er selbst jedoch außerhalb und jenseits dieses Offen-
   barungsinhaltes verbleibt, daß er also zu diesem
   nur mittelbar in einem sachlichen Verhältnis steht."
   Vgl. dazu auch die Kritik von JUNOD/KAESTLI:
   Acta, p.628 f.
2) STURHAHN, C.L.: a.a.O., p.28.

die eine enge Verbindung von c.1o9 zu dem Abschnitt
94-1o2 sehen, aber STURHAHNs Schlußfolgerung, die er
aus dem letzten Satz von c.1o9 zieht, nicht unterstützen.[1] Sie kommen vielmehr zu folgender Aussage: "le
verbe $\epsilon i \kappa o \nu i \zeta \epsilon \epsilon \vartheta \alpha \iota$ équivaut ici à $\mu o \rho \varphi o \tilde{\upsilon} \epsilon \vartheta \alpha \iota$
ou à $\mu o \rho \varphi \grave{\eta} \nu \, \dot{\alpha} \pi o \lambda \alpha \beta \epsilon \tilde{\iota} \nu$, il doit être rapproché du
terme technique $\dot{\epsilon} \xi \epsilon \iota \kappa o \nu i \zeta \epsilon \epsilon \vartheta \alpha \iota$ fréquent dans l'Apophasis
Megalè et attesté aussi dans la notice de l'Elenchos
sur les Pérates, qui désigne l'actualisation ou la
pleine réalisation de l'image divine en l'homme. En AJ
1o9, cette restauration de l'image passe par l'associa-
tion à la figure de l'Homme unique."[2] Sowohl gegenüber
STURHAHN wie auch gegenüber JUNOD/KAESTLI gilt der Ein-
wand des unterschiedlichen Kontextes und der unterschied-
lichen Funktion des $\dot{\alpha} \nu \vartheta \rho \omega \pi o \varsigma$.[3]

Versucht man den Inhalt der Offenbarungsrede zu systema-
tisieren, so ergibt sich folgendes:
1. Die Offenbarungsrede identifiziert in c.98 den irdisch erfahrenen Herrn des Joh. mit demjenigen der
   sich $\dot{\epsilon} \pi \acute{\alpha} \nu \omega \, \tau o \tilde{\upsilon} \, \epsilon \tau \alpha \upsilon \rho o \tilde{\upsilon}$ befindet, wobei dieser dem
   Lichtkreuz übergeordnet wird.
2. In demselben Kapitel erfolgt dann die Identifizierung
   des Lichtkreuzes mit dem Herrn aufgrund der auf beide
   bezogenen Prädikationen.
3. Der Schluß dieses Kapitels und der Anfang von c.99
   zeigen die kosmologische Funktion des Lichtkreuzes.
   - Ferner wird der am Kreuz Befindliche mit dem Offenbarer nicht identifiziert.

---

1) Vgl. JUNOD/KAESTLI: Acta, p. 6o9, Anm.2. Sie korri-
   gieren ebenso wie STURHAHN $\epsilon i \kappa o \nu i \zeta \acute{o} \mu \epsilon \nu o \nu$ in
   $\epsilon i \kappa o \nu i \zeta o \mu \epsilon \nu o \iota \varsigma$ (armenische Version) mit der Begründung: "un sens plus satisfaisant" (p.6o9).
2) Ebenda.
3) Vgl. dazu 2.2.1. ($\epsilon i \kappa \acute{\omega} \nu$).

4. In c. 1oo wird die Funktion des Lichtkreuzes soteriologisch gesehen, zugleich erfolgt eine Ineinssetzung des Herrn und des Herabgekommenen, dessen Glieder gesammelt werden müssen (Ich-Rede). Die Sammlung findet innerhalb des Lichtkreuzes statt.

5. Damit verknüpft ist die Aussage von der Erlösung des Herabgekommenen durch die Sammlung seiner Glieder.

6. Kap. 1o1 setzt das $\pi\acute{\alpha}\vartheta o\varsigma$ des Herrn, das die Welt sieht, von dem $\pi\acute{\alpha}\vartheta o\varsigma$ ab, das er tatsächlich erlitten hat.

7. Die Aufnahme des Herrn beendet die Offenbarungsrede.

Die Offenbarungsrede geht damit von einer mehrfachen Identität des Herrn aus:
der irdisch erfahrene Herr =
der transzendente Offenbarer =
das Lichtkreuz
    - kosmologische Funktion
    - soteriologische Funktion =
der Herabgekommene (der erlöste Erlöser) =
der in den Himmel Aufgenommene.

In diese Identitätsaussagen ist der Hinweis auf die Nicht-Identität des in Jerusalem Gekreuzigten mit dem zu Joh. redenden Herrn eingefügt (c.99,4).

Der transzendente Offenbarer und der Herabgekommene haben jedoch trotz ihrer Identität ein unterschiedliches Geschick. Während die Aussage der Aufnahme (c.1o2) dem Transzendenten gilt, wird der Herabgekommene als der gekennzeichnet, dessen Glieder noch nicht zusammengefaßt sind, so daß er auch noch nicht das ist, was er ist, sondern es erst sein wird.
Ferner: der transzendente Offenbarer befindet sich einmal oberhalb des Lichtkreuzes, ist also nicht mit diesem identisch, wird aber im Folgenden mit diesem Licht-

·kreuz wieder identifiziert.

STURHAHN hat die Divergenzen der Offenbarungsrede dahingehend zu klären versucht, daß er zwischen dem transzendenten Erlöser und seinem ἄνϑρωπος als dessen
εἰκών differenzierte. So interpretiert er das Lichtkreuz folgendermaßen: "Was Johannes an dem Lichtkreuz
erblickt (Kap.98), ist der ἄνϑρωπος ."[1] Kap.98 spricht
aber an keiner Stelle davon, daß sich an dem Lichtkreuz
der ἄνϑρωπος befindet, dieses steht für sich und ist
zunächst in c.98 nur aufgrund der Prädikationen iden-
tifizierbar, nämlich als transzendente Größe, die um
der Menschen willen Prädikationen erhält. Der ἄνϑρωπος
ist von STURHAHN als Interpretament aus c.1o9 eingetragen worden,[2] zugleich kommt STURHAHN hinsichtlich der
Prädikationen des Lichtkreuzes zu folgendem, von ihm
nicht belegten Schluß: "Wenn aber in Act. Joh. Kap.98
(2oo, 5 ff.) dem σταυρός eine Reihe christologischer
Prädikationen zugesprochen wird, so kann es sich dabei
nur um eine in der Gnosis mögliche Gleichsetzung des
σταυρός mit dem an ihm befindlichen, aber noch uner-
lösten ἄνϑρωπος handeln. Dieser ist jedoch mit der
transzendenten Erlösergottheit, die sich ἐπάνω τοῦ
σταυροῦ(2oo,1) im τόπος τῆς ἀναπαύσεως aufhält, nicht
schlechterdings zu identifizieren."[3] Die gegenteilige
Auffassung vertritt SCHLIER: "Das Kreuz (bzw. Lichtkreuz)
ist dem Erlöser gleich oder ist der Erlöser selbst, so
daß er auch dessen Epitheta trägt."[4]

STURHAHN geht in seiner Deutung von der Transzendenz

---

1) STURHAHN, C.L.: Christologie, p.28; vgl. Anm.26,4,
   p.18 im Anmerkungsband (AJ sind zitiert nach BONNET,
   Acta Bd.II).
2) Der ἄνϑρωπος in c.1o1 hat eine andere Funktion.
3) STURHAHN, C.L.: Christologie, Anm.26,4, p.17 f.
   (Anmerkungsbd.).
4) SCHLIER, H.: Untersuchungen, p.1o2.

des Erlösers aus, die unbestritten ist, und folgert daraus, daß eben diese Transzendenz eine Identifikation
mit dem Lichtkreuz unmöglich mache, so daß hier zwi-
schen "dem erhöhten $\overset{\prime}{\alpha\upsilon\rho\iota o\varsigma}$ und dem am Lichtkreuz befindlichen $\overset{\prime\prime}{\alpha\nu\vartheta\rho\omega\pi o\varsigma}$ [1] unterschieden werden müsse. Die
Schwierigkeit der Deutung ergibt sich wenig später
im Zusammenhang mit dem $\pi\alpha\vartheta o\varsigma$ des $\overset{\prime\prime}{\alpha\nu\vartheta\rho\omega\pi o\varsigma}$; STURHAHN
versucht sie dahingehend zu lösen, daß er einen doppel-
ten $\overset{\prime\prime}{\alpha\nu\vartheta\rho\omega\pi o\varsigma}$ -Begriff annimmt. [2] Für eine derartige
Annahme findet sich jedoch kein Beleg im Text.

Gegenüber STURHAHN ist mit SCHLIER aufgrund der Text-
aussagen an der vielfachen Identität des transzendenten Erlösers festzuhalten. Diese ist allerdings nicht
als Ausgangspunkt der Deutung anzusetzen. Steht im Mittelpunkt der Offenbarungsrede das Lichtkreuz, so ist es
dem Text angemessen in seiner Analyse von diesem Lichtkreuz auszugehen.
Wichtig erscheint in diesem Zusammenhang der Hinweis
VIELHAUERS, der hier die Vorstellung vom kosmischen Leib
Christi wirksam werden sieht. [3] Als Anhaltspunkt im
Text dürfte dafür die kosmologische Funktion des Lichtkreuzes anzusehen sein, auf der anderen Seite ist diese
Vorstellung jedoch verwandelt, indem eine anthropologisch-
soteriologische Ausrichtung vorgenommen wird. Offensichtlich hat der Vf. die primär mit dem Lichtkreuz verbundene Vorstellung dergestalt umgezeichnet, daß an die
Stelle des Kosmos die Gemeinschaft der Glaubenden getreten ist. [4] Die Blickrichtung ist "eschatologisch", [5]
für die Zeit der Offenbarung gilt das Noch-Nicht. Obwohl

1) STURHAHN, C.L.: Christologie, Anm.26,4, Anmerkungsbd.
   p.18.
2) STURHAHN, C.L.: a.a.O., p. Anm.35,1, Anmerkungsbd-
   p.25.
3) VIELHAUER, P.: Geschichte, p.7o9.
4) Vgl. dazu auch SCHLIER, H.: Untersuchungen, p.98
   gegen STURHAHN, C.L.: Christologie, p.24,der hier von
   einem kosmischen Geschehen spricht.
5) Vgl. SCHWEIZER, E.: Art. $\sigma\tilde{\omega}\mu\alpha$ $\kappa\tau\lambda$. p.1o89,29 f.

der Begriff $\varsigma\tilde{\omega}\mu\alpha$ nicht verwendet wird, kommt die Aus-
sage in c.1oo dem mit $\varsigma\tilde{\omega}\mu\alpha$ $\chi\rho\iota\varsigma\tau o\tilde{v}$ bezeichneten Sachverhalt nahe (s. auch den Begriff $\mu\acute{\epsilon}\lambda o\varsigma$). Allerdings
ist auch der Unterschied zum NT offenkundig. Während
für Pls "der Leib Christi ... die vorgegebene Tatsache
(ist), nicht erst das Produkt der Gemeinschaft",[1] voll-
ziehen die AJ den umgekehrten Schluß: $\mu\acute{\epsilon}\chi\rho\iota$ $\gamma\grave{\alpha}\rho$ $\mu\acute{\eta}\pi\omega$
$\acute{\iota}\delta\iota\acute{o}v$ μov $\lambda\acute{\epsilon}\gamma\epsilon\iota\varsigma$ $\grave{\epsilon}\kappa v\tau\grave{o}v$ $\tau o\tilde{v}\tau o$ $o\grave{v}\kappa$ $\epsilon\grave{\iota}\mu\grave{\iota}$ $\grave{o}$ $\mathring{\eta}\mu\eta v$
(c.1oo,7 f.).

Die Differenz liegt damit im Bezugspunkt: einerseits
die geschichtliche Tat Jesu, andererseits deren Negierung mit der Folge einer metaphysischen Ausrichtung auf
eine Konsubstantialität von Erlöser und Erlöstem.[2]
Begreift man nun dieses Lichtkreuz in Analogie zum
$\varsigma\tilde{\omega}\mu\alpha$ $\chi\rho\iota\varsigma\tau o\tilde{v}$ als die räumliche Größe, die die Erlösten umfaßt,[3] so läßt sich damit ohne Zwang eine andere
Vorstellung in Verbindung bringen, die in den AJ zwar
nicht expressis verbis genannt ist, der Sache nach aber
vorliegt. Der transzendente Offenbarer befindet sich
oberhalb des im Sinn von $\varsigma\tilde{\omega}\mu\alpha$ zu verstehenden Lichtkreuzes; bleibt man in diesem Vorstellungsrahmen, so
ist das "Bild"[4] von der $\kappa\epsilon\varphi\alpha\lambda\acute{\eta}$ und ihrem $\varsigma\tilde{\omega}\mu\alpha$ gegeben. Andererseits wird aber der transzendente Offenbarer
mit dem Lichtkreuz identifiziert, er ist damit Teil
des $\varsigma\tilde{\omega}\mu\alpha$ geworden. Dieser Transzendente ist aber zugleich der irdisch erfahrene Herr; in der Offenbarung
des Lichtkreuzes werden beide miteinander identifiziert
und nicht identifiziert.

---

1) SCHWEIZER, E.: a.a.O., p.1o69, 2 f.
2) Vgl. die zuvor zitierte Stelle c.1oo, 7 f.
3) Offensichtlich liegen hier zwei Vorstellungen vor;
   neben der zuvor genannten steht die des Lichtkreuzes
   als räumliche Größe, die die Erlösten umfaßt.
4) Die Aussage meint mehr als ein bloßes sprachliches Ge-
   staltungsmittel, sie bezeichnet eine Realität.

Diese Widersprüchlichkeit erfährt eine Lösung, wenn man
dem Hinweis SCHLIERS auf die Umwandlung des ursprünglich kosmologisch orientierten Aionmythos bei seiner
Aufnahme in den soteriologisch bestimmten Urmensch-
Erlösermythos folgt.[1] Damit soll hier nicht ein weiteres von außen herangetragenes Interpretament an die
Stelle der in Zweifel gezogenen Auslegung von JUNOD/
KAESTLI treten, um auf eine andere, aber letztlich ähnliche Art fehlende Einzelzüge und Ausführungen des Textes zu ergänzen. Vielmehr soll aufgrund der Gesamtaussage dieses Teilabschnittes der AJ ein möglicher Deu-
tungshorizont bereitgestellt werden, der für den Verfasser zwar nicht in Einzelheiten verbindlich war, wohl
aber in seiner funktional-intentionalen Ausrichtung
seinem Verständnis von Welt, Erlöser und Erlösten ent-
gegenkam, sich teilweise damit deckte oder auch Einfluß ausübte.

Der von SCHLIER angesprochene Mythos ist zunächst, abgesehen von dem Begriff des ϲῶμα, das im Lichtkreuz
wirksam gesehen wurde, im Hinblick auf die Identität von
transzendentem Offenbarer und Herabgekommenen zu be-
fragen. Der Weltgott Aion wird hier einmal zum Urmenschen,
"der in sich die Substanz des Kosmos, die Seelenkräfte,
enthält."[2] Gleichzeitig wird aus ihm der Erlöser,
"in dem sich die erhaltene Substanz des gefallenen
Kosmos, die gereinigten Seelenkräfte, sammeln."[3]
Neben der Identität der Substanz von Urmensch und Erlöser steht die Differenz hinsichtlich ihres Geschicks.
"Der Urmensch (=Aion), der den Kosmos (der Menschen)
in sich trägt, kommt aus dem Fall und der Zerstreuung
zu sich im Erlöser (= Aion), der den Kosmos (der Menschen)

---

1) Vgl. SCHLIER;H.: Art. κεφαλή , p.676 f.
2) SCHLIER, H.: a.a.O., p.676, 1o f.
3) SCHLIER, H.: a.a.O., p.676, 12 f.

in sich sammelt und aufrichtet."[1] Der transzendente
Offenbarer der AJ sagt in seinen sich zunächst von dem
Herabgekommenen unterscheidenden Aussagen zu der
Offenbarung des Geschicks des Herabgekommenen: "Wenn
aber die obere Natur[2] und ein mir nahekommendes und
meiner Stimme folgendes Geschlecht aufgenommen ist, wird
der, der mich jetzt hört, mit diesem vereint werden und
nicht mehr sein, was er jetzt ist, sondern über ihnen
(sein) wie ich jetzt."[3] Eine Aufschlüsselung der verschiedenen Pronomina innerhalb dieses Satzes zeigt eine
Zweizahl der Personen: Ich = der transzendente Offenbarer, dieser = der Herabgekommene. Die Differenzierung
zwischen dem transzendenten Offenbarer und dem Herabgekommenen wird in den an das Zitat anschließenden Sät-
zen jedoch wieder aufgehoben: Der Offenbarer identifiziert sich durch die Ich-Aussagen, die wiederum dem
Geschick des Herabgekommenen gelten, mit diesem. Er ist
aufgrund dieser Identifikation nach der Sammlung der
Glieder in dem Seinszustand, in dem er einst war ($\dot{\epsilon}\gamma\grave{\omega}$ $\delta\grave{\epsilon}$
$\dot{o}$ $\ddot{\eta}\mu\eta\nu$ $\ddot{\epsilon}\sigma o\mu\alpha\iota$ - c.1oo,9). Damit ergeben sich zwei
Aussagereihen:

1. Der Herabgekommene wird von dem transzendenten Offenbarer differenziert; er wird nach der Sammlung seiner
   Glieder in den gleichen Zustand versetzt wie dieser.[4]
2. Der Herabgekommene wird mit dem transzendenten Offenbarer identifiziert, der einen ursprünglichen Seinszustand nach der Sammlung der Glieder wieder erreicht.

---

1) SCHLIER, H.: a.a.O., p.676, 15 ff.
2) Gegenüber SCHÄFERDIEK, K.: Johannesakten,p.158
   (c.1oo) in Analogie zu dem im Anfang des Kap.stehen-
   den Begriff "untere Natur" verbessert; JUNOD/KAESTLI
   lesen: $\dot{\alpha}\nu\vartheta\rho\dot{\omega}\pi o\upsilon$ $\phi\dot{\upsilon}\sigma\iota\varsigma$ (1oo,4).
3) Zitiert in der Übersetzung von SCHÄFERDIEK,K.,ebenda.
4) Die Aussage der Gleichheit mit dem transzendenten Erlöser gilt sowohl dem einzelnen Glaubenden wie dem
   Herabgekommenen, der, personhaft vorgestellt, zugleich den Zusammenschluß der Glaubenden bedeutet.

Die Ausführungen SCHLIERS zum Aionmythos in seiner
Umwandlung zum Urmensch-Erlösermythos haben deutlich
gemacht, daß sowohl der Urmensch wie auch der Erlöser
auf eine Gottheit (Aion) zurückzuführen sind. Diese
Vorstellung der gleichen Substanz bedingt ihre Identität. Sieht man diesen Mythos auch in den AJ wirksam,
so erklärt sich die Identität des Transzendenten mit
dem Herabgekommenen. Die Differenzierung von Urmensch
und Erlöser scheint nun jedoch in den AJ hinsichtlich
des transzendenten Offenbarers und des Herabgekommenen
nicht rein durchgehalten, da die Identitätsaussage
auch auf ihr Geschick bezogen sein kann. Eine Erklärung
mag darin liegen, daß in dem zugrundeliegenden Mythos
das Zu-Sich-Selbst-Finden des Urmenschen im Erlöser
erfolgt, das Geschick des Urmenschen sich also im Erlöser vollendet, dessen Aufgabe die Sammlung ist. Unterstützt wird diese Annahme dadurch, daß die Sammlung der
Glieder des Herabgekommenen im Hören auf die Stimme des
transzendenten Offenbarers geschieht: καὶ γένος ...
φωνῇ τῇ ἐμῇ πειθόμενον (c. 1oo, 4 f.), so daß sich
- ähnlich dem Urmenschen - das Geschick des Herabgekommenen in der Bindung an den transzendenten Offenbarer erfüllt.

Damit ist der Ausgangspunkt der Analyse des Lichtkreuzes wieder erreicht. Der von SCHLIER angeführte Aion-
bzw. Urmensch - Erlösermythos ist nun weiter zu verfol-
gen. In seinem Rahmen findet sich über den Zusammenhang
von σῶμα und κεφαλή folgendes:[1]
1. Die κεφαλή wird außerhalb des σῶμα gesehen, das
   als Rumpf des Leibes des gefallenen und verstreuten
   Kosmos verstanden wird. Damit ist sie der Erlöser

---

1) Vgl. zu den folgenden Ausführungen SCHLIER, H.:
   Art. κεφαλή, p.676,19 ff.

des Urmenschen, der als ihr gefallener Leib anzusehen ist.

2. Die κεφαλή wird innerhalb des σῶμα gesehen, das als
der gesammelte und damit erlöste Kosmos verstanden
wird. Sie wird damit Teil des erlösten Urmenschen.

Dieser doppelten Stellung der κεφαλή des Aion entspricht
in den AJ die Differenzierung von Lichtkreuz und transzendentem Offenbarer einerseits und die Ineinssetzung
beider andererseits. STURHAHNs entschiedene Unterscheidung
von Offenbarer und Lichtkreuz ist ebenso unvollständig
wie SCHLIERs eindeutige Identifizierung. Sie erfassen
jeweils nur eine Seite der Aussagereihen.[1] Unter dem
Aspekt des Verhältnisses von σῶμα und κεφαλή ist
die Frage nach der Identität bzw. Differenzierung von
transzendentem Offenbarer und Lichtkreuz bzw. Herabgekommenen noch einmal zu erörtern.

Begreift man den transzendenten Offenbarer, der sich
ἐπάνω τοῦ σταυροῦ befindet, als κεφαλή, so ist das
Lichtkreuz sein σῶμα ; seine Stellung zeigt nicht
nur seine Befindlichkeit außerhalb des σῶμα an, sondern
drückt zugleich seine Überordnung aus. Dieses Lichtkreuz
wird nun im folgenden in einer räumlichen Vorstellung
als σῶμα gesehen und mit dem Herabgekommenen identifiziert, der seiner Glieder zur Einheit der μορφή bedarf. Der transzendente Offenbarer bzw. die κεφαλή
spricht ihm erst nach der Sammlung aller Glieder die
Seinsqualität zu, die er bzw. sie jetzt schon hat. Diese Sammlung erfolgt im Hören auf die Stimme des Trans-

---

1) Vgl. JUNOD/KAESTLI: Acta, p. 61o, Anm.4:
"Les positions opposées de H.Schlier ... et de
C.L. Sturhahn ... illustrent le danger d'une inter-
prétation qui ne tient compte que de l'un de ces
deux aspects."

zendenten bzw. der κεφαλή, die damit die Erlösung ihres
eigenen σῶμα bewirkt, das als der Herabgekommene von
ihr unterschieden wird. Ausgangspunkt dieser Aussagen
ist die noch nicht erfolgte Erlösung bzw. Sammlung.

In der Identifizierung des Offenbarers bzw. der
κεφαλή mit dem Herabgekommenen bzw. dem als σῶμα
verstandenen Lichtkreuz befindet sich dieser innerhalb
des σῶμα.
Mit der vollständigen Sammlung der Glieder des Herabgekommenen, als deren Τypus der angeredete Apostel anzusehen ist, erlangt er die Seinsqualität, die ihm zukommt. Ausgangspunkt ist hier die erfolgte Sammlung der
Glieder, d.h. die Erlösung. Der transzendente Offenbarer
geht ein in den erlösten Herabgekommenen, der seine
Glieder vollzählig gesammelt hat.
Die doppelte Existenzweise des Herrn wird auch von
JUNOD/KAESTLI betont,[1] die sie jedoch zugleich der
Einheit mit dem Vater zuordnen: "Sans cesser d'être
tout entier dans le Père, il est aussi le Logos envoyé
par le Pére, 'celui qui est descendu'".[2]
Diese herausgestellte Einheit ist aber ein nicht zu
differenzierendes Einssein von Vater, Sohn und Geist,
wobei diese Bezeichnungen wiederum nur relative Aus-
sagefähigkeit besitzen.[3]

Die Offenbarungsrede schließt mit der Aufnahme des
Herrn. Ἀπολαμβάνειν bezeichnet in NT die Entrückung
des Auferstandenen,[4] in den AJ wird dieser Begriff ge-

---

1) Acta, p.61o f.: "Il est à la fois le κύριος invisible et ineffable du Lieu du repos, et le κύριος
   qui a dansé ici-bas au milieu de ses disciples."
2) A.a.O., p 611.
3) Vgl. c.98 und 2.2.2.
4) Vgl. DELLING; G.: Art. λαμβάνω κτλ., p.8.

wählt, um die Aufnahme des Herrn unmittelbar vom Lichtkreuz zu bezeichnen. Nach STURHAHN ist hier die Rede
von dem "am Lichtkreuz befindlichen $\check{\alpha}\nu\vartheta\varrho\omega\pi\sigma\varsigma$ ",[1]
dessen Erhöhung dem $\check{\sigma}\chi\lambda\sigma\varsigma$ verborgen bleibt. In diesem
Zusammenhang stellt STURHAHN eine Anlehnung an die ka-
nonischen Evgl. fest und zieht daraus den Schluß,"daß
z u n ä c h s t an die Himmelfahrt Jesu gedacht werden soll."[2] Wenig später führt er jedoch aus: "Jeden-
falls findet in diesem Zusammendhang sich nichts, was
der evangelischen Tradition entspräche."[3] Dieser zweiten Annahme STURHAHNs ist zuzustimmen, eine auch nur
entfernt sinnentsprechende Aufnahme kanonischer Überlieferung findet sich hier mit Sicherheit nicht.

Derjenige, der nun aufgenommen wird, ist nach STURHAHN
der $\check{\alpha}\nu\vartheta\varrho\omega\pi\sigma\varsigma$, den er von dem transzendenten Offenbarer
unterscheidet. Er identifiziert ihn mit Jesus, der als
Repräsentant des mythischen $\check{\alpha}\nu\vartheta\varrho\omega\pi\sigma\varsigma$ begriffen wird.
Gedeutet wird diese Erhöhung als das Wirklichkeit-Wer-
den der $\mu\acute{\iota}\alpha$ $\mu\sigma\varrho\varphi\acute{\eta}$.[4] Die zeitliche Divergenz zu der
zuvor ausgesagten, aber noch ausstehenden Sammlung der
Glieder des Herabgekommenen erklärt STURHAHN mit dem Hinweis: "Vorbehalte im Sinne eines von der Eschatologie
her zu verstehenden "Noch-Nicht" wären mit der gnostischen
Auffassung unvereinbar."[5] STURHAHNs Lösung ist zu differenzieren, sie hängt an dem Problem der Zeitauffassung
in der Offenbarungsrede, und zwar im Blick auf den eigentlichen Seinsstand.
Dieser eigentliche Seinsstand des sich mit dem Herabgekommenen identifizierenden transzendenten Offenbarers
ist ausgerichtet auf Vergangenheit und Zukunft: $\acute{\epsilon}\gamma\grave{\omega}$ $\delta\grave{\epsilon}$

---

1) STURHAHN, C.L.: Christologie, p.35.
2) A.a.O., p.36.
3) A.a.O., p.37.
4) A.a.O., p.36.
5) Ebenda.

ὁ ἤμην ἔσομαι (c.1oo,9); gleichzeitig gilt
in der Differenzierung von Offenbarer und Herabgekommenem: εἰ κὰι μιὰν μορφὴν οὐκ ἔχουσιν, οὐδέπω τὸ πᾶν τοῦ
κατελθόντος συνελήρθη μέλος (c.1oo,2-4). Die Offenbarungsrede kennt damit sehr wohl ein Noch-Nicht, zwar
fallen Offenbarung und Vollendung zusammen, so daß in
diesem Sinn die Eschatologie entfällt,[1] aber die Offenbarung hat noch nicht jeden, der ihr teilhaftig werden
kann, erreicht, in diesem Sinn gilt das Noch-Nicht.
Die μιὰ μορφή ist noch nicht Wirklichkeit geworden.
JUNOD/KAESTLI ist hier zuzustimmen, die die widersprüch-
lichen Aussagen in c.98,3 und 1oo,2-4 durch die Annahme
zweier verschiedener Perspektiven erklären: "la con-
tradiction relevée exprime une tension entre deux aspects
du salut, entre la perfection de l'humanité déjà realisée
dans le Christ et son actualisation encore à venir dans
les membres de l'Église."[2]
Allerdings ist gegenüber der detaillierteren Bestimmung
der "deux aspects du salut" geltend zu machen, daß die
"actualisation" nicht auf die"membres" beschränkt ist,
sondern denjenigen mitbetrifft, der ihrer zu seiner Vollkommenheit bedarf: den Herabgekommenen.[3] In ihren weiteren Ausführungen identifizieren JUNOD/KAESTLI, ausgehend von Kap.98, Christus mit "l'Homme parfait", den
Joh am Lichtkreuz wahrnimmt.[4] Dieser wiederum ist identisch mit dem "corps visible du Christ", und er ist es
auch, "qui est élevé au ch.1o2".[5]

---

1) Vgl. KRAFT, H.: Art. Eschatologie, Sp. 676 und KRETSCHMAR
   G.: Art. Gnostizismus, Sp.1657, Vgl. ferner zu der Zusammenstellung von Offenbarung und Vollendung:2.4.Ethik.
2) Acta, p.6o8; die Verwendung des Begriffes "l'Église"
   erscheint nicht ganz passend, da zum einen in den
   AJ ἐκκλησία fehlt und zum anderen dieser Terminus
   zur Zeit der Entstehung der AJ theologisch-organisa-
   torisch gänzlich anders definiert ist.
3) Auf diesen Zusammenhang haben JUNOD/KAESTLI zuvor
   selbst hingewiesen: "Le Christ souffre d'un manque;
   le rétablissement de son intégrité originelle dépend
   du salut de l'auditeur gnostique..." a.a.O., p.6o5.
4) A.a.O.,p.6o2.
5) A.a.O., p.6o2.

– "L'Homme parfait":JUNOD/KAESTLI verstehen unter
"LḦomme parfait" Jesus als "nouvel Adam", wobei sie zu
dieser Deutung durch zwei Wendungen veranlaßt sind, die
sie von Gen 1,26 inspiriert sehen: μορφὴ μία = "forme
ou image de Dieu parvenue à l'unité ou à l'intégrité;
ἰδέα ὁμοία c'est à dire figure (plainement) semblable,
ressemblance parfaite". (1) Da die Aussagen über die
μορφὴ μία bzw. die ἰδέα ὁμοία soteriologisch-christologisch zu verstehen sind, ist auch der von JUNOD/
KAESTLI angenommene Zusammenhang mit Gen 1,26 (3) hier
einzuordnen. Jesus ist erstens als "L'Homme parfait"
nur insofern "nouvel Adam", als in ihm die Erlösten
zu ihrer und er durch sie zu seiner μορφή gelangt. Im
Gegensatz zu Gen 1,26 ist diese μορφή dann etwas, was
erst im Vollzug der Erlösung gewonnen wird, während die
alttestamentliche Aussage dem Menschen als Geshöpf Gottes
Gottesebenbildlichkeit zuspricht. Noch ein weiteres
kommt hinzu: die soteriologisch-christologisch bestimmte μορφή der AJ ist statisch, die Gottesebenbildlichkeit
des Menschen" hat ... ihr eigentliches Schwergewicht in
der Bestimmung, wozu sie dem Menschen gegeben ist. ...
Gott hat ihn als sein eigenes Hoheitszeichen in die Welt
gesetzt, um seinen – Gottes – Herrschaftsanspruch zu
wahren und durchzusetzen". (4) Die Diskrepanz zu den
AJ ist auch in diesem Punkt zu übersehen, sie wird
noch dadurch verstärkt, daß die Ebenbildlichkeit von
Gen 1,26 den Menschen nicht vergeistigt, sondern: "Der
ganze Mensch ist gottesbildlich geschaffen." (5) Von
der Welt- und Leibfeindlichkeit der AJ ist hier nichts
zu spüren.
Die Bezeichnung Jesu als "nouvel Adam" läßt sich mit
Hinweis auf die an Gen 1,26 anklingenden Wendungen
nicht halten. Ihre mögliche inhaltliche Nähe zeigt erste
allgemeine Gegensätzlichkeiten auf, ohne daß deutlich
wird, welcher theologische Grundgedanke den Vf. zu
einer solchen Gegenüberstellung veranlaßt haben könnte,
wenn er denn eine Adam – Christus – Typologie überhaupt
beabsichtigt hat.
Ordnet man μορφὴ μία und ἰδέα ὁμοία als Aussagen ein,
die die Vollkommenheit sowohl des Herabgekommenen wie
der Erlösten beschreiben, so mag der ἄνθρωπος -Begriff
unter dem Gesichtspunkt des Idealmenschen einen gedank-

---

1) A.a.O., p.608.
2) Vgl. 2.1.1. μορφή
3) "La double formule qui définit la grandeur située
   ἐν τῷ σταυρῷ reflète selon nous une speculation
   anthropologique dépendant de Gen 1,26 (LXX)..."
   a.a.O., Note 2 sur AJ 98, p.658.
4) Von RAD, G.: Theologie, Bd.I, p.158 und 16o.
5) Von RAD, G.: Genesis, p.38.

'lichen Hintergrund abgegeben haben. Der Ort jedoch, an dem es zur μορφὴ μιά kommt, ist das Lichtkreuz, so daß auch eine möglicherweise vorliegende ἄνθρωπος -Vorstellung soteriologisch-kosmologisch zu verstehen ist. Dann aber ist auch dem kosmischen ἄνθρωπος -Verständnis Rechnung zu tragen, wie COLPE es für Kol 1,15-2o beschreibt: "der universale Mensch (erfüllt) das All ... und (ist) ihm zugleich als κεφαλή oder λόγος übergeordnet...". (1)

Mit JUNOD/KAESTLI sind zwei "élévations"zu unterscheiden. "Celle de la 'nature de l'Homme'présuppose l'achèvement du rassemblement des membres du Saveur. Elle fera passer les gnostiques de la Croix-Limite, dans laquelle ils ont pris place provisoirement, au « Lieu du repos» qui,lui, se situe «au-dessus de la Croix»."[2] Diese Erhöhung, die die Sammlung aller Glieder des Herabgekommenen voraussetzt, steht noch aus (c.1oo,3 f.), dagegen spricht Kap.1o2 von einer die Offenbarungsrede abschließenden Erhöhung. Sowohl STURJAHN wie auch JUNOD/KAESTLI beziehen die Aussage ἀνελήφθη auf den im Lichtkreuz Befindlichen, der von STURHAHN als „ἄνθρωπος ",[3] von JUNOD/KAESTLI als "le corps « visible» du Seigneur"[4] bezeichnet wird. Folgt man dem Kontext, so sind sowohl ἀνελήφθη wie auch εἱργηκότος demselben Subjekt zuzuordnen: derjenige, der spricht, ist auch derjenige, der aufgenommen wird.[5] Als Aufenthaltsort des Sprechenden während der Offenbarungsrede wird in Kap.98,3 f. ἐπάνω τοῦ σταυροῦ angegeben , eine Bezeichnung, die in Kap.1oo,6 f. wiederkehrt, dort aber nicht nur Ausdruck einer örtlichen

---

1) COLPE, C.: Art.: ὁ υἱὸς τοῦ ἀνθρώπου ,p.477.
2) Acta, Note 4 sur AJ 1oo,p.669.
3) STURHAHN, C.L.: Christologie, p.35.
4) Acta, p.6o2.
5) JUNOD/KESTLI ordnen "la voix du Revelateur" sowohl dem "Seigneur invisible et ineffable" zu wie auch dem Herabgekommenen (Note 6 sur AJ 1oo). Die Identität beider ist unbestritten (vgl. 97,7), unter dem Aspekt der Offenbarung über die noch ausstehende Vollendung ist es jedoch der Transzendente, der allein Revelateur ist.

Befindlichkeit, sondern primär einer Seinsbeschaffenheit ist. - Die Aufnahme gilt nicht dem Herabgekommenen, er ist an die Sammlung seiner Glieder gebunden,
erhöht wird der Transzendente, derjenige, der in ca.92 als
Gesprächspartner des κύριος des Joh erscheint, wobei
für die μία μορφή von Kap.98 die Feststellung gilt,
die der Transzendente gegenüber dem κύριος macht: Ἰησοῦ,
οὓς ἐξελέξω ἔτι σοι ἀπιστοῦσιν (c.92,6f.).

Der Erhöhte ist als κεφαλή der Erlöser seines σῶμα,
er ist derjenige, der die Offenbarung bringt und dessen
Aufgabe mit ihrer Kundgabe erfüllt ist. Der transzendente
Offenbarer, der sich eingangs der Offenbarungsrede
ἐπάνω τοῦ σταυροῦ befand, wird aufgenommen; ebensowenig wie die Menge seiner Offenbarung teilhaftig wird,
erlangt sie Kenntnis von seiner Aufnahme.[1] - Die Erhöhung ist also mit STURHAHN nicht zu verstehen als
Wirklichkeit der μία μορφή, sie ist vielmehr Ausdruck des
Aufstiegs des Offenbarers, der den Seinen den Weg gewiesen hat.[2] Sie hat damit theologisch ihren festen
Ort und ist keineswegs "un simple motif narratif", wie
es JUNOD/KAESTLI alternativ in Erwägung ziehen.[3]

2.2.4.3. Passion und Doketismus

Ausgehend von c.1o1 stellen JUNOD/KAESTLI fest, daß
der Text keine "definition explicite"[4] über die Passion

---

1) Vgl. zu der Verhüllung des Offenbarungsgeschehens auch
   die inhaltlichen Komponenten des Offenbarungsbegriffes
   im JohEv. SCHOTTROFF schreibt dazu: "Dieses 'offenbaren'
   meint nicht die epiphane Evidenz des Himmlischen (7,4),
   die κατ' ὄψιν den physischen Augen zugänglich ist,
   sondern eine Offenbarung, die nur der 'sieht', der
   sie als unweltlich,als nicht epiphan versteht." (Glaubende, p.256).
2) Beleg zu dieser Deutung ist die in c.1o3 an die Offenbarungsrede anschließende Paränese, in der dieser Bezug deutlich wird.
3) Acta, NOte 4 sur AJ 1oo, p.669.
4) Acta, p.6o3.

˙des Logos gibt. In ihrer Deutung gehen sie von dem Gesichtspunkt der Soteriologie aus, die den Christus veranlaßt hat, das Pleroma zu verlassen und in die Welt hin-
abzusteigen, um die zu retten, die dieselbe Natur haben
wir er. Ausdruck dieser Passion ist das Symbol des
Lichtkreuzes.[1] Ihre Interpetation des $\pi\acute{\epsilon}\upsilon o \varsigma$ stützen
JUNOD/KAESTLI ferner auf die Wendung "membres de Celui
qui est descendu", sehen sie doch hier "des affinités
remarquables avec la doctrine valentienne des Anges du
Sauveur".[2] Für das detaillierte Verständnis von $\mu\acute{\epsilon}\lambda o\varsigma$
ziehen sie Theodot heran, bei dem dieser Begriff sowohl
die Gnostiker bezeichnen kann wie auch die Engel, die
den Herrn bei seinem Abstieg begleiten. Diese Engel,
die individuelle Erscheinungsformen des Herrn sind,
bedürfen der Vereinigung mit ihrer irdisch-pneumatischen
Entsprechung, um wieder ins Pleroma eingehen zu können.
Von diesem Leiden, nämlich außerhalb des Pleromas zu sein,
wird der "Logos-Sauveur" selber durch seine "membres
angéliques" betroffen. In dieser Konzeption sehen JUNOD/
KAESTLI "l'arrière-plan des affimations d'AJ 1oo-1o1
sur la défience et la passion du Christ-Logos".[3]

JUNOD/KAESTLI vollziehen also die Deutung im Rahmen
des von ihnen als "arrière-plan" angesehenen orientalischen Valentinianismus. Das Verständnis des Begriffes
"$\mu\acute{\epsilon}\lambda o\varsigma$" wird so erst mit Hilfe außertextlichen Gedankengutes gewonnen.[4] Eine innertextliche Notwendig-
keit ergibt sich nicht, zudem reicht der sprachliche
Befund der Affinität nicht für den Nachweis einer ge-

---

1) Vgl. a.a.O., p.6o5 unter Hinweis auf c.1oo,7-9.
2) A.a.O., p.6o5 f.
3) A.a.O., p.6o6.
4) Vgl. dazu auch JUNOD/KAESTLI: a.a.O., Note 2 sur AJ
   1oo, p.668 u. Anm.4, p.6o5.

'danklich-theologischen Gemeinsamkeit.

Mit JUNOD/KAESTLI ist festzuhalten, daß das wirkliche
πάϑος des Kyrios sowohl christologisch wie anthropo-
logisch-soteriologisch zu verstehen ist; denn das Leiden ist der gegenwärtige Zustand der noch ausstehenden
Sammlung der Glieder; d.h. die Befindlichkeit in der
Materie,[1] das Noch-Nicht-Erlangen der Erlösung bzw.,
der angemessenen Seinsqualität.

Die Aussagen über das Leiden macht der Offenbarer in
der Ich-Form, er identifiziert sich damit mit dem Herabgekommenen. Diese Identifizierung läßt sich in den
bisher erstellten Rahmen des Aion - bzw. Urmensch-Erlösermythos nicht einfügen.
Von dem Bisherigen aus ist hier vielmehr eine Differenzierung von Offenbarer und Herabgekommenem zu erwarten.
Die Identitätsaussage wird nur möglich unter dem Aspekt
der Gleichzeitigkeit von Offenbarung und Vollendung. Die
se Annahme findet ihre Stütze im Text in der Aussage,
daß der zur Erkenntnis Gelangte den transzendenten Offenbarer nicht nur in seiner von ihm selbst zuvor ausgesagten Seinsqualität kennt (c.1o1,4-6) - der Bezug ist
offenbar der Hymmus- sondern ihn vielmehr als Verwandten,
d.h. Erlösten in seiner eigentlichen Seinsqualität erkennen kann, nämlich ebenfalls als Erlösten, d.h. als
den transzendenten Offenbarer, der als κεφαλή Teil des
erlösten Herabgekommenen ist.
Der Schluß dieses Kapitels zeigt die Stufen des Erkennt-
nisvorgangs an, die zur rechten Erkenntnis notwendig
sind. Der dabei auftauchende Begriff des Logos ist als
persönliche Größe zu verstehen, und zwar als mit dem
transzendenten Offenbarer und zugleich mit dem Leidenden identisch. Dieser Logos hat in der menschlichen Er-

---

1) Vgl. auch SCHLIER, H.: Untersuchungen, p.1o7.

scheinungsweise gelitten, ohne dem Fleisch nach Mensch
zu sein. Was dieses Leiden aber bedeutet, ist nicht nach
dem Augenschein zu beurteilen, es ist im Blick auf den
Logos zu erkennen. Damit bleibt die Realität des Leidens
unwidersprochen, zugleich aber wird es als sarkisches
Geschehen negiert, als solches hat es keine Realität[1]
(vgl. dazu c.1o2,5-7).

- Besteht das Leiden an sich in der Befindlichkeit in
der Materie, und zwar in menschlicher Erscheinungsweise,
so ist damit die Möglichkeit gegeben, wie ein Mensch
zu leiden,[2] ohne daß jedoch diesem Leiden Realität
für die σωτηρία der Menschen zukommt.

Unter dem Aspekt der Auseinandersetzung mit der Passion
wie auch mit der Geburt stellt sich für JUNOD/KAESTLI
die Frage, inwiefern der Terminus "Doketismus" zur
Charakterisierung der Kyrios-Gestalt herangezogen werden kann. Ihrer Meinung nach ist dieser Begriff für
die AJ nur sehr eingeschränkt zu verwenden,[3] da
diese apokryphe Schrift "ne combat même pas l'incar-
nation avec ses deux événements scandaleux: la passion
et la naissance. Il s'abstient tout bonnement d'en
parler. La difficulté n'est pas affrontée, elle est
ignorée."[4] JUNODs/KAESTLIs strikte Verneinung eines
Eingehens auf die Inkarnation ist zunächst hinsichtlich
der Passion zu relativieren. Die AJ führen zwar keine
detaillierte Auseinandersetzung, aber indem sie dem
hölzernen Kreuz, dem daran Gekreuzigten und der in

---

1) Vgl. dazu SCHLIER, H.: Untersuchungen, p.1o6 Anm.2.
2) Vgl. dazu von HARNACK, A.: Marcion, p.125.
3) JUNOD/KAESTLI: Acta, p.493: "Mais,enfait, l'apokryphe
   se situe au-delà du docétisme."
4) Ebenda, JUNOD/KAESTLI weisen darauf hin, daß man,
   falls der Terminus "Doketismus" beibehalten werden
   soll, ihn z.B. gegenüber den Gegnern des Ignatius,
   gegenüber Basilides und Marcion abgrenzen müsse
   (ebenda).

·Jerusalem versammelten Menge das Lichtkreuz, den Kyrios und den Apostel gegenüberstellen, ist jeder Diskussion um ein irdisch-menschliches Leiden die Grundlage entzogen. Die Offenbarung des Herrn ist unbezweifelbare Wahrheit. Von dieser Konzeption einer exklusiven transzendenten Christologie aus wird für den Vf. die Frage nach Geburt und Tod seines Herrn gegenstandslos.[1]

So bleibt zu fragen, ob der Vf. überhaupt eine Ursache sah, eine Diskussion um die Inkarnation zu führen, bedarf doch seine Christusgestalt keiner argumentativen Absicherung über die Selbstoffenbarung des Herrn hinaus.

Der Doketismus der AJ ist nicht die Summe einzelner doketischer Züge der Christusgestalt,[2] sondern diese Einzelzüge sind notwendige Charakteristika einer Erlösergestalt, die keinerlei essentiellen Bezug zum Irdisch-Menschlichen aufweist, nicht aufweisen darf, da sie sonst Teil dessen würde, von dem der Mensch um seiner Rettung willen befreit werden muß.[3] Die doketische Chri-

---

1) In ihrer abschließenden Zusammenstellung kommen JUNOD/KAESTLI bei den Erwägungen über den Adressatenkreis zu dem Ergebnis, daß der Vf. seinen Glauben an die Inkarnation des Gottessohnes wohl kaum aus taktischen Gründen verschwiege."Si l'auteur élimine des obstacles, c'est parce que lui-même ne les a pas surmontés" (a.a.O.,p.686).
2) Vgl. JUNOD/KAESTLI, a.a.O., p.493: "Le Seigneur ne mange pas, ses yeux se ne ferment pas, son pas ne laisse aucune trace, son corps est immatériel ...", die von ihrem Ansatzpunkt darin aber nur Spuren des Doketismus sehen: "... les AJ et notamment le discours sur la polymorphie présentent des traits docètes..." (ebenda).
3) Entgegen JUNOD/KAESTLI gehen also die AJ den Schwierigkeiten der Inkarnation nicht aus dem Weg "grâce à une relativisation ou même une élimination de la pleine réalité de l'humanité et du corps matériel du Christ", so daß als Folge dieser Relativierung "une réduction de l'oeuvre salutaire du Christ" anzusehen wäre, welches "ne concerne plus ce qui est immatériel dans l'homme" (a.a.O., p.493). Im Sinne des Vf. der AJ liegt hier weder eine christologische noch eine soteriologische Eliminierung bzw. Reduzierung vor: die immaterielle Christusgestalt ist ebenso vollkommen wie das Rettungswerk, das den Menschen von und aus der Materie befreit.

'stologie ist das Spiegelbild einer asketisch bestimmten Anthropologie und umgekehrt, zugleich sind damit
die inhaltlichen Grundaussagen der Ethik und Soteriologie
vorgegeben bzw. wieder aufgenommen.

2.3. Soteriologie

Versucht man die Soteriologie der AJ zu erfassen, so
stellt sich diese ebenso wie die Christologie als Entsprechung zur Anthropologie dar; beide sind Umsetzung
von Wirklichkeitserfahrungen, die in einen Rahmen transzendiert werden, der eben die Aufhebung dieser Wirklichkeit zum Ziel hat.
Das hölzerne Kreuz wird unter diesem Aspekt eindeutig
in den Raum irdischer Befindlichkeiten eingeordnet, der
das Göttliche nicht tangieren kann. Eine Heilswirklich-
keit muß ihm von daher bestritten werden. Dem gleichen
Verdikt verfällt das Menschsein des ntl. Christus, da
Gott sich sicherlich nicht in die Sphäre hinabbegeben
kann, die als Inbegriff des Widergöttlichen schlechthin
angesehen wird. - Den AJ muß es also in der Soteriologie eindeutig um das Aufheben des Irdischen gehen; Welt-
und Leibfeindlichkeit als bestimmende Komponenten anthropologischen Denkens gestatten Christus keine Menschwerdung und dem Menschen kein positives Verhältnis
zu seiner Leiblichkeit und der Welt. Erzählstoff der
AJ und Offenbarungsrede greifen hier deutlich ineinander.
Wenn JUNOD/KAESTLI in ihrem Kommentar zu Kap.1o6, 13-1o7,1o
mit Recht schreiben: "Parce que Dieu est immatériel,
pur, ... ses serviteurs doivent se libérer de ce qui
est matériel, impur ...",[1] so hat diese Aussage aus
der Abschiedsrede des Apostels für den Vf. der AJ ihr
Wahrheitskriterium in der Evangeliumsverkündigung (87-1o5).

---

1) JUNOD/KAESTLI: Acta, p.571.

"... le docétisme gnostique ne se limite pas à la
christologie, mais touche aussi à l'anthropologie. Il
a pour fondement l'idée que ce qui appartient au monde
inférieur ne peut pas posséder ou «saisir» ce qui
est lumineux et divin."[1] - Die Christologie eröffnet
in ihrer Umsetzung in die Soteriologie aufgrund dieser
negativ bestimmten Anthropologie dem einzelnen Menschen die Möglichkeit, sich von der Welt zu befreien
und in dieser Freiheit sein Leben neu zu gestalten. Das
Heilsgeschehen vollzieht sich somit in der Abkehr von
der Welt (untere φύςις -c.1oo,1 f.) im Hören auf die
Stimme des Erlösers (c.1oo,5).

Wenn man nun dieses soteriologische Geschehen mit konkreten inhaltlichen Aussagen zu füllen versucht, so
sind zunächst die Ausführungen des Hymmus in c.95 und
c.96 zu bedenken, da in ihnen die Relation des Glaubenden
zum Kyrios deutlich wird. Mit den Begriffen ϑύρα
und ὁδός (c.95,47.49) werden Selbstprädikationen des
joh.Christus aufgenommen, die in den Begriffen λύχνος
und ἔϲοπτρον[2] eine Ergänzung finden. Ihnen allen kommt
wegweisender Charakter zu, und zwar in einem besonderen
Sinn; c.96 fährt anschließend an diese Aussagen fort:
ὑπακούων δέ μου τῇ χορείᾳ ἴδε ϲεαυτὸν ἐν ἐμοὶ λαλοῦντι
(c.96,1). Der Herr bietet sich dem Glaubenden als mit

---

1) JUNOD/KAESTLI: a.a.O., p.6o2 Anm. 4 beziehen sich
   hier im Zusammenhang mit c.94-1o2 und der Frage des
   Doketismus auf U. BIANCHI (Le problème des origines
   du gnosticisme, p. 8 et 13-14). Entgegen der Analyse von JUNOD/KAESTLI zeigt sich hier einmal mehr,
   daß das Christentum der AJ zu seinem Verständnis
   beider Elemente, Erzählungen und Evangelium, bedarf.
2) Vgl. PULVER, M.: Jesu Reigen, p.171 ff., der die
   Selbstprädiaktionen wie folgt deutet: "Wenn der Kult-
   gott also Leuchte genannt wird, so, weil er seine
   Mysten durchschaut und durchdringt, und nicht etwa
   deshalb, weil er ihnen sittlich voranleuchtet. ... Der
   Mysterienherr ist jene Leuchte, in deren Licht starrend
   dem Gläubigen Gott erscheint. ... Im Leiden des gnostischen Kultgottes spiegelt sich das Menschenbild."
   (p.172 f.).

´sich selbst zu identifizierendes Gegenüber an, eine
Identifikation, die sich in der erkennenden Identität
vollzieht. - Die Offenbarung, in deren Gefolge die
Soteriologie steht, ist eine Wortoffenbarung, die den
Menschen nicht in der Geschichtlichkeit seiner Existenz
trifft; denn er wird nicht als der angenommen, der in
der Zeitlichkeit seines Daseins von Gott angetroffen und
betroffen ist. Im Gegenteil: sieht er diese Zeitlichkeit
als auch ihn bestimmend an, bleibt ihm die Möglichkeit
der Bindung an den Kyrios verschlossen. Diese Entzeit-
lichung geschieht nicht unter eschatologisch-zukünfti-
gem Aspekt, sondern ist Negation des Zukünftigen auf
der Basis des Vergänglichen.
In diesem Zusammenhang gehört das fehlende Geschichts-
denken, das weder Heilstatsachen noch eine gottbezogene
Wertung der Geschichtlichkeit menschlicher Existenz
kennt. Die Daseinsstrukturen, von denen die Soteriologie der AJ ausgeht, unterliegen so nicht dem Kriterium
göttlichen Handelns in der Welt und am Menschen. Die
σωτηρία erreicht nur den Menschen, der von seinem ir-
disch-gebundenen Dasein abstrahiert und sich in die Erlösergestalt hinein transzendiert. Inhaltlich entspricht
diesem Vorgang Daseinsaufschlüsselung, und zwar dergestalt, daß menschliches Dasein entlarvt wird als Leiden
verursachendes, da es der Bestimmung des Menschen zu
Gott hin zuwiderläuft. Die Erlösergestalt gewinnt hier
im Raum der Erkenntnis stellvertretenden Charakter: sie
leidet und sie bewirkt Aufschluß über das Leiden in
der Gestalt des Logos; indem dieser aber nicht in die
Welt eingeht, kann er aus der Welt herausrufen. Unter
diesem Aspekt weist der Erlöser den Weg zum Heil, nicht
mehr und nicht weniger.

Welt und Mensch sind Gott in ihrer Faktizität nicht
mehr als Schöpfung zugeordnet, sie sind ὕλη, der notwendig
die ἀπιστία entspricht (c.84,6 f), als der ihr verfalle-
ne Mensch kann Fortunatus nicht gerettet werden- die

Verbindung der Soteriologie zur Anthropologie wird
greifbar.[1] In c.112 findet sich in diesem Zusammenhang
ein weiterer Hinweis:

ὁ μὴ ἠρεμήσκς πώποτε ἀλλὰ ἀεὶ σώσκς τοὺς δυναμένους
σωθῆναι (c.112,3 f.). JUNOD/KAESTLI vertreten im
Zusammenhang mit dieser Stelle die gegenteilige Deutung: "L'expression n'est pas à comprendre dans la
perspective d'une doctrine de la prédistination."[2]
Im Widerspruch dazu steht allerdings der von ihnen her-
angezogene Text AA 15, p.44,4-8, den sie "avec quelques
nuances" als Beschreibung auch der joh.Mission sehen;
den dort heißt es: "Ich wurde ... vom Herrn als Apostel ...
ausgesandt, zwar niemanden zu belehren, wohl aber jeden
Menschen, der den Worten wesensverwandt ist, daran zu
erinnern, daß sie (die Menschen) in vergänglichen
Übeln dahinleben ..."[3]

---

1) Gegen JUNOD/KAESTLI: Acta, p.553 - Daß Joh sich der
   Auferweckung des Fortunatus nicht widersetzt, be-
   sagt nichts weiter, als daß er es Gott überläßt,
   sein Urteil über die Menschen zu sprechen. Die Frage
   eines ontologischen Determinismus wird auf dieser
   Ebene der Diskussion nicht berührt. Sie läßt sich
   allerdings auch nicht in der Weise lösen, daß
   Kallimachus und Fortunatus nur eingebunden gesehen
   werden in eine "convention romanesque", ohne daß
   der Vf. dieses vorgegebene literarische Gestaltungselement seiner eigenen Aussage dienstbar gemacht
   hätte. In Fortunatus stellt er seinen Lesern den
   Typus des Menschen vor Augen, der der Erlösung
   aufgrund seiner Seinsbeschaffenheit nicht teilhaftig
   werden kann. Vgl. dazu auch 2.1.1. (ἐπιθυμία -
   Ἐκτανῶς).
2) JUNOD/KAESTLI: a.a.O., p.575.
3) Zitiert nach HORNSCHUH, M.: Andreasakten, p.289; JUNOD/
   KAESTLI (Acta, p.434) führen dieses Zitat in Zusammenhang mit der Auffassung vom Christentum als einer
   "vérité perdue" an. Vgl. dazu 2.5

1. Der zuvor zitierte Satz aus dem 112. Kapitel der AJ steht
   zu der Aussage der Wesensverwandtschaft in den AA in inhaltlicher Parallelität. Die Erlösung umgreift nicht
   alle, sie schließt diejenigen aus, die, wie es in
   c.1oo,11 formuliert ist, $\xi\xi\omega$ $\tau o \tilde{u}$ $\mu u \epsilon \tau \eta \rho \iota o \upsilon$ sind.

2. Da das angesprochene Fähigsein ($\delta \upsilon \nu \alpha \epsilon \vartheta \alpha \iota$) zur Erlösung einer aller Lebensgeschichte vorausliegendes
   Vermögen ist, wird die Geschichtslosigkeit des soteriologischen Denkens erneut betont. Weder ist in diesem Zusammenhang die Erlösergestalt in ihrer unverwechsel-
   baren zeitlichen und zeitgeschichtlichen Verhaftung
   unaufgebbarer Bestandteil des Heilsgeschehens[1] noch
   wird der Mensch in seiner unaustauschbaren Situation
   auf sein Heil angesprochen.

3. Die jenseits aller Vorfindlichkeit vorausgesetzte
   Grundbefindlichkeit schließt eine anthropologische
   Differenzierung ein,[2] bei der Heil oder Unheil
   schon immer gegeben sind.

In der Erzählung von Drusiana und Kallimachus findet
sich das Motto der soteriologischen Anschauung der AJ:
$K \alpha \lambda \lambda \iota \mu \alpha \chi \eta, \alpha \pi o \vartheta \alpha \nu \epsilon$ $\iota \nu \alpha$ $\zeta \eta \epsilon \eta s$ (c.76,19 f.). Die theologische Konkretion der Worte ist deutlich: Indem Kalli-
machus stirbt, stirbt er zugleich seiner Weltverfallenheit ab, die sich hier in extrem gesteigerter Sexualität

---

1) Auf die Loslösung des Kyrios von der Geschichte
   machen auch JUNOD/KAESTLI: Acta, p.491 aufmerksam:
   "Mais ... cette qualité d'apôtre (=Jean) n'est pas
   rattachée à une économie de salut accompli par le
   Seigneur incarné à un moment de l'histoire."
2) Vgl. die Zusammenfassung zur Anthropologie.

´äußert. Seine Rückkehr zum Leben ist eine Hinwendung
zum Kyrios, die erst eigentliches Leben darstellt.[1]
In ähnlicher Weise formuliert der Vf. in c.24,18:
ὅτι νεκροὺς νεκροὺς χαρίζεται . Leben und Tod erfahren hier die Umkehrung ihrer Werte: physisch konsta-
tierbares Leben ohne Christus ist Tod, der irdisch erfahrene Tod wird aufgehoben zum Leben in der Rettungs-
tat des Kyrios durch den Apostel, der der Glaube
korrespondiert.[2] Auf diesen Zusammenhang, "un leitmotiv"
der AJ, weisen auch JUNOD/KAESTLI vielfach hin; als
Beispiel sei hier ihre Deutung von Kap.47,1o-13 ange-
führt: "... le passage de la mort à la vie s´accomplit,
non dans le retour du corps à la vie, mais dans la
conversion à Jésus de l´homme ressuscité; cependant,
la restitution de la vie au corps ... est le premier
pas en direction de la vie véritable."[3]

Fragt man nach dem Inhalt des Heils, so wird besonders
an den Wundergeschichten deutlich, daß er "Leben"
in sich schließt (c.76,19 f.). Damit gewinnt ζωή in
gewissem Rahmen durchaus den Charakter des Gegenwärtigen,
das allerdings ständig bedroht ist: Möglichkeit des Neu-
beginns, nicht mehr. Die Verheißung gilt dem, der einen
guten Lebenswandel vorweisen kann, nur dann laufen γνῶσις
und πίστις auf die σωτηρία zu. Ähnlich dem Barnabasbrief
könnte die γνῶσις als ὁδὸς δικαιοσύνης (Barn 5,4) bezeichnet werden: Vorläufige Zusage - nicht endgültige Annahme. Sie ist Anstoß zur Entweltlichung, die immer wieder
erneut bewiesen werden muß (c.67-69). Die Gegenwart ist

---

1) Vgl. dazu die Zusammenstellung im Abschnitt Anthropologie.
2) Vgl. VIELHAUER, Ph.: Ἀνάπαυσις , p.232 zum Thomas-
   evangelium"... denen, die ´erkennen´, enthüllt sich
   das natürliche Leben als Tod und ist der leibliche
   Tod wesenlos geworden, denn sie sind jetzt schon,
   im irdischen Leben, zu ihrem göttlichen Ursprung zu-
   rückgekehrt (Sp.18)."
3) Acta, p.513.

damit durch ihren auf den Glaubenden gerichteten For-
derungscharakter gekennzeichnet; aufgrund der πίστις
werden Vorschriften entwickelt, die einen reinen Lebenswandel sichern sollen. Unter diesem Aspekt des Heils-
weges läßt sich das kompositorische Gestaltungselement
der Abfolge Verkündigung (c.88-1o2) und anschließende
Paränese (c.1o3-1o5) verstehen, das allerdings anders
begründet ist als bei Pls.

Die Kapitel 1o3-1o5 bringen die allgemeinen Grundzüge
der Ethik, wobei versucht wird, sie in der Verkündigung
zu verankern: Die Gnade, Liebe, das Erbarmen des Herrn,
seine Gegenwart bei den Bedrängten verpflichten zu einer
Zuwendung, die vom Inneren des Menschen getragen wird,
zur Wachsamkeit bei Verfolgungen und Nöten. Die Aussage,
daß hier Gott verehrt wird, kann soteriologisch nur bedingt als Zusage des Heils verstanden werden (ἀκατακρίετον
ὑμῶν τὴν ψυχὴν ἕξετε (c.1o4,6 f.),insofern sie
Sicherung des Gläubigen, nicht aber Sicherheit als nicht
mehr zu verändernde Geborgenheit bedeutet: die Zusage
der Rettung ist konditional auf das Verhalten des Menschen bezogen.

Als inhaltliche Beschreibungen der σωτηρία lassen sich
neben ζωή noch nennen:
ἐλπίς (c.22,19; c.44,8; c.55,7; c.65,3; c.84,1o).
ἀνάπαυσις (c.99,7; c.78,5 f.; c.82,12 f.; c.1o6,7;
c.1o9,1o; c.113,23).
κοινωνία (c.58,11)
ἀνάπαυσις (c.1o9,13)
ἀφθαρσία (c.1o9,13)
ἐπὶ δὲ σὲ κατάστησόν με μόνον (c.113,14).
Wenn aus den Heilsbegriffen ἀνάπαυσις zur weiteren Analyse
ausgewählt wird, so geschieht dies deshalb, weil hier
einerseits die Grundlinien der Soteriologie der AJ sichtbar werden und andererseits der Zusammenhang von Christologie und Soteriologie unvermittelt greifbar ist.

$\overset{?}{A}\nu\overset{\prime}{\alpha}\pi\alpha\upsilon\varepsilon\iota\varsigma$ [1] als Heilsgut steht in c.99 in dem weiteren
Kontext der E als geheime Offenbarung, im engeren Kon-
text geht es um die Erkenntnis Jesu. Der Ort der Ruhe
und Jesus als ihr Herr werden hier parallelisiert unter
dem Gesichtspunkt der Transzendenz beider, deren Erkenntnis denjenigen, die außerhalb des Mysteriums stehen, verschlossen ist. Die Erretteten werden zur Ruhe
und Erneuerung des Lebens gerufen (c.78,5 f.), die ihnen
von dem Herrn, den sie erkannt haben, gegeben werden
(c.82,12 f.). 'Α. ist damit gegenwärtiges Heilsgut (c.1o6,7;
c.1o9,1o). In c.113,23 hingegen erscheint sie unter
dem zukünftigen Aspekt, der, chronologisch eingeordnet,
dem Abschluß des irdischen Daseins folgt. [2]
- 'Α. als Heilsgut besitzt einerseits objektiven Charakter als lokale Größe, andererseits umschreibt sie einen
subjektiven Zustand im Sinne eines Ruhe-Findens bei dem
Herrn, daneben steht ihre unterschiedliche präsentische
bzw. futurische Ausrichtung. Gemeinsam ist diesen unterschiedlichen Aussagen die Blickrichtung auf die Gemeinschaft mit dem Kyrios, in der der Mensch sein eigentliches Ziel gewinnt. Die mystische Färbung ist erkennbar: 'Α. kennzeichnet den Zustand, in den, oder
den Ort, zu dem der die Nichtigkeit des Irdischen er-
kennende Mensch hingelangt. Aufgrund eines Teilansatzes
der AJ ist dies die vollkommene Einheit mit dem Erlöser,
durch die dieser zugleich seine Identität gewinnt (christologischer Aspekt). Damit gewinnen aber auch die Erlösten ihre Identität, da sie als Glieder ihm zugeordnet sind als dem, zu dem sie eigentlich gehören (anthro-
pologischer Aspekt). Die der $\overset{?}{\alpha}\nu\overset{\prime}{\alpha}\pi\alpha\upsilon\varepsilon\iota\varsigma$ zugrundeliegende
Vorstellung erweist sich im Zusammenhang des Kontextes
als gnostisch, insofern hier mit der Zuordnung der Erlösten zum Erlöser im Verständnis von Gliedern die Anschau-

---

1) Zu $\overset{?}{\alpha}\nu\overset{\prime}{\alpha}\pi\alpha\upsilon\varepsilon\iota\varsigma$ vgl. VIELHAUER, P.: 'Ανάπαυσις
2) Vgl. auch die von VIELHAUER, Ph.: a.a.O., p.225,
   Anm. 51 zitierten Belege aus Act Th.

ung der Entfernung von und der Rückkehr zum eigentlichen
Ursprung gegeben ist. Die Aussage $\dot{\epsilon}\gamma\grave{\omega}$ $\delta\grave{\epsilon}$ $\ddot{o}$ $\mathring{\eta}\mu\eta\nu$
$\overset{\nearrow}{\epsilon}$60μκι (c.1oo,9) gilt für den Herabgekommenen, der
seine Glieder gesammelt und diese ihrem Ursprung zuge-
führt hat. Der Herr des Ortes der Ruhe ist jedoch der
Transzendente. Damit ist soteriologisch die Aussage
der Christologie wieder aufgenommen, die den Transzendenten und den Herabgekommenen unterscheidet. Der Erlöste wird Teil des Herabgekommenen, indem er aber
mit diesem vereinigt wird, erlangt er zusammen mit dem
Herabgekommenen die Seinsqualität, die der Transzendente
jetzt schon besitzt.

Sammlung der Glieder ist von den Erlösten aus Heimkehr
zum Erlöser und Abkehr von der Welt. In diesem Zusammenhang läßt sich auch die Ruhe als lokale Größe transzendenten Charakters einordnen, da sie die weltfeindliche
Ausrichtung der AJ deutlich macht. Heil findet letztlich
nicht auf Erden statt,[1] und die dort erlangte $\dot{\alpha}\nu\dot{\alpha}\pi\alpha\nu\sigma\iota\varsigma$
ist individuelle Zueignung des Heils für den, der das
für die Erkennenden universale Geschehen in seiner Weltverneinung vorwegnimmt. Er wird zur Ruhe berufen vom Erlöser (c.78,5 f.), der ihm die Möglichkeit schenkt, zu
ihm Zuflucht zu nehmen (c.1o9,1o). $\dot{\alpha}\nu\dot{\alpha}\pi\alpha\nu\sigma\iota\varsigma$ und $\varkappa\alpha\tau\alpha\varphi\upsilon\gamma\acute{\eta}$
die hier im Zusammenhang mit anderen Begriffen parallel

---

1) Diese transzendente Ausrichtung von $\dot{\alpha}\nu\dot{\alpha}\pi\alpha\nu\sigma\iota\varsigma$ betonen ebenfalls JUNOD/KAESTLI: Acta, p.668, Note 9
sur AJ 99: "Ici, «le lieu du repos» désigne le
séjour divin, localisé «au-dessus de la Croix» ,
d'où retentit la voix du Seigneur." Die Verwendung
dieses Begriffs in derselben inhaltlichen Aussage
auch außerhalb der von JUNOD/KAESTLI abgegrenzten
Kap.94-1o2.1o9 macht jedoch deutlich, daß es Ver-
bindungslinien zwischen Erzählstoff und Evangelium
gibt. - Daß $\dot{\alpha}\nu\dot{\alpha}\pi\alpha\nu\sigma\iota\varsigma$ von den Valentinianern verwendet wird,zeigt den gnostischen Hintergrund allgemein
an, für eine Zuordnung zu einer speziellen gnostischen Richtung ist die Textbasis jedoch zu schmal
(gegen JUNOD/KAESTLI, ebenda).

stehen, bezeichnen beide das vom Erlöser vermittelte
Heil, das sich sowohl statisch wie dynamisch auf die
Rückkehr zum Ursprung bezieht.[1]

Zusammenfassung: Die Soteriologie der AJ hat den Rahmen
ntl. Heilsvorstellungen verlassen:
1. Das Kreuz kann keinerlei Heil mehr vermitteln, da
   die ihm zugrundeliegende Voraussetzung der Menschwerdung Jesu nicht gegeben ist. Es wird in seiner
   Negation in ein Lichtkreuz transzendiert, das anthropologische Grundtendenzen auf der christologischen
   Basis soteriologisch entfaltet.
2. Die Auferstehung und die Teilhabe des Menschen an
   ihr entfallen zwangsläufig. Letzteres wird umgese-
   setzt in den Erkenntnisprozeß, der die Einheit mit
   dem Göttlichen anstrebt, wobei der irdische Seinsstand gänzlich aufgehoben wird in der Abwendung von
   ihm. Welt und Heil stehen sich unversöhnlich gegenüber, der Schöpfungsgedanke findet hier keinen theologischen Ort mehr.
3. Der Erlöste kann sich jedoch nicht seines Heils im
   Vertrauen auf die Zuwendung seines Herrn unbedingt
   gewiß sein, da er sich zu ihm im Hören auf seine
   Stimme nicht unmittelbar verhält, sondern nur den
   Weg gewiesen bekommt, in dessen Fortführung er die
   ermöglichte σωτηρία bewahrt.
4. Im Gegensatz zum Joh.Evgl. fehlt die Identifikation
   Jesu mit dem Wort ebenso wie das den Glaubenden
   bewahrende Begleiten Christi.
5. Die Identifikation von Erlöser und Erlöstem vollzieht sich auf der Ebene der zwar nicht rationalen,
   aber kognitiven Einsicht in die Nichtigkeit der Welt,
   der das Wissen um den Ursprung und die eigentliche

---

1) Vgl. VIELHAUER, Ph.: Ἀνάπαυσις, p.231.

Seinsbestimmung korrespondiert.

6. Erlöser und Erlöste werden geschichtslos in dem
   Sinn, daß einerseits Gegenwart und Zukunft für die
   Erlösten aus dem Bereich der Verantwortung entnommen
   werden und daß andererseits der Erlöser dem Raum
   menschlicher Geschichte fernbleibt. Die Paradoxie
   christlicher Existenz,[1] die den Entweltlichten
   in die Verantwortung für die Welt stellt, wird in
   den AJ aufgehoben.

7. Damit ist ein Teil der joh. Aussagen konsequent ausgezogen: Die Verkündigung entlarvt den widergöttlichen Charakter der Welt, die nur insofern ihr Gegenstand ist, als es um die "zerstreuten Gottes-
   kinder" geht.[2]

8. Gemeinschaft bleibt auf die Miterlösten beschränkt,
   die anderen verfallen der Verachtung.

9. Die Erlösten aber finden ihren Ursprung im Erlöser,
   der ihnen die Erkenntnis ermöglicht hat, ihnen wird
   ἀνάπαυσις zuteil.

Die Soteriologie fügt die Erlösergestalt in einen Zusammenhang ein, der auf eine Beziehung zwischen Jenseits
und Diesseits ausgerichtet ist, die sich in der Zuwendung - der Offenbarung - zum Menschen im Diesseits konkretisiert. Damit ist die Erlöserfunktion auf die Begegnung von Transzendenz und Immanenz ausgerichtet, sie
besteht in der Auswahl derer, die in ihren irdischen
Bezügen für Transzendentes aufgeschlossen werden können
und im Erkenntnisprozeß die Negation des Irdischen vollziehen, um sich allein der Transzendenz zugehörig zu
sehen.

---

1) Vgl. BULTMANN, R.: Theologie, p.181.
2) Vgl. KÄSEMANN, E.: Jesu, p.135 f.

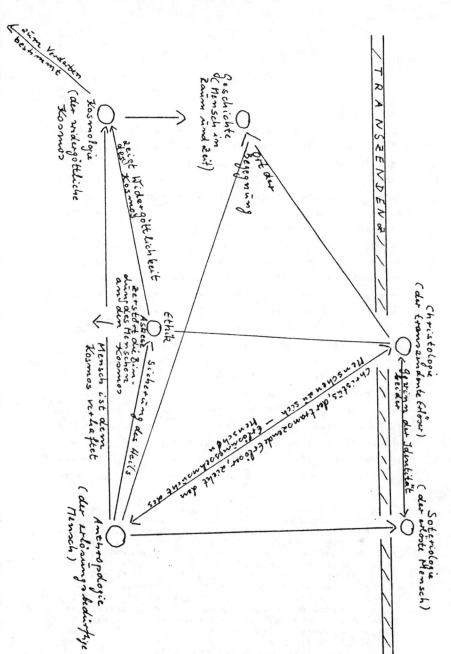

2.4. Ethik

Die Ethik der AJ stellt den Versuch dar, die durch die
Offenbarung ermöglichte Erlösung in eine Lebensordnung
umzuformen, die nicht nur sichtbares Zeichen dieser Er-
lösung ist, sondern die vielmehr der Annahme der $\gamma\nu\tilde{\omega}\sigma\iota\varsigma$
unabdingbar komplementär zugeordnet ist. Anders aus-
gedrückt: Die Bekehrung bedarf der ethischen Unterweisung,[1] insofern sie den im Prinzip Erlösten ständig
auf den Weg verweist auf dem die Erlösung in der Verwirklichung von Werken im irdischen Dasein erst siche-
rer Besitz wird (vgl. die Ausführungen in c.67-69).
Bei der Begründung des ethischen Appells wird zwar auf
die Dankespflicht der Erlösten ihrem Erlöser gegenüber
verwiesen (c.1o6-1o7),[2] der eigentliche Grund liegt
jedoch in der heilsbewahrenden Kraft der ethischen Ge-
bote. - Ntl.wird die Paränese mit der Taufe verknüpft,[3]
in den AJ tritt an ihre Stelle die empfangene Gnosis.
Waren die Getauften als die Heiligen verpflichtet, gemäß ihrer Heiligkeit zu leben (1 Thess 4,1 ff.), so
sind die im Prinzip durch die Gnosis Erlösten aufgefor-
dert, den Weg zur Vollkommenheit zu gehen. "Der Mystagoge
ist der $\delta\delta\eta\gamma\delta\varsigma$, der Wegbereiter und Wegweiser in die
Überwelt. Einweihung als Akt ist Entscheidung vor der
Tür des Eintritts, und dann wird sie ein Weg - ein lan-
ger Weg - beides wie die Gnosis auch."[4] Der Weg mündet

---

1) Vgl. für diesen Zusammenhang z.B. auch den Kommentar von JUNOD/KAESTLI zu der Erzählung vom Ehebre-
   cher (Kap.48-54), wobei zugleich auch die Rolle des
   Teufels berücksichtigt wird: "... une même impulsion
   diabolique détermine la conduite du jeune homme ...
   il ne sera véritablement converti qu'à la suite de
   l'instruction qu'il reçoit au ch.54."(Acta,p.515).
2) "Les croyants courent le risque de revenir à leur
   conduite passée (... 1o7,16-17) et de perdre ainsi
   le bénéfice du pardon divin. Pour se garantir contre
   ce risque, ils doivent garder présents à l'esprit
   tous les dons qu'ils ont reçus de Dieu..." (JUNOD/
   KAESTLI: a.a.O., p. 436).
3) Vgl. CONZELMANN, H.: Grundriß, p.11o.
4) PULVER, M.: Jesu Reigen, p.175.

'in einer Qualität der Einzelperson des Erlösten, die
seine vollendete Zugehörigkeit zum Kyrios beinhaltet.[1]
Demzufolge ist der Adressat der Paränese immer der einzelne, auch wenn der Hörerkreis mehrere Personen umfaßt;
er wird nicht als Glied einer Gemeinschaft im Verhalten
zu ihr angesprochen, sondern individualisierend als
derjenige, der bestimmte Fähigkeiten entwickeln, besondere Eigenschaften zeigen muß,um den ihm gewiesenen
Weg zum Heil gehen zu können. Das Idealbild des Menschen,
das die ethische Unterweisung aufzeigt, wird handlungs-
weisend; denn mit dem Erreichen dieses Ideals steht und
fällt das Heil. Damit ist jedoch als Grundlage der Ethik
nicht primär der Verdienstgedanke anzunehmen, auch wenn
er zwangsläufige Folge ist und bejaht wird; gedanklicher
Ausgangspunkt der Paränese ist vielmehr die mit der
γνῶσις gewonnene prinzipielle Identität von Erlöser
und Erlöstem, die hier jedoch zur Aufgabe wird und derart ins Zentrum rückt, daß eine moralistische Frömmig-
keit unübersehbar ist. Die einzelnen paränetischen Inhalte konkretisieren diese Verpflichtung.

Bezugspunkte dieses Abschnitts sollen drei größere
paränetische Texte sein.
1. c. 28-29
2. c. 33-36
3. c. 67-69.
Hinzuzuziehen ist ferner die Abschiedsrede des Apostels
in c.112-114.
Vorausgesetzt ist bei diesen Texten die entweder sowohl
vom Adressaten wie vom Sprecher oder vom Sprecher allein
intendierte Abgrenzung von und Ausgrenzung aus der Welt;
negative und positive Einzelermahnungen beziehen sich

---

1) Als Beispiel für die angestrebte Vollkommenheit, bei
   der auch der Apostel als Vorbild eine wesentliche Rolle
   spielt, ist die Erzählung vom Porträt des Apostels
   zu nennen (26-29): "Si Lycomède veut vraiment jouir
   en permanence de la présence de l'apôtre, il lui
   faudra peindre lui-même un portrait immatériel,
   celui de son âme, grâce à la pratique des vertus."
   (JUNOD/KAESTLI: Acta, p.435).

auf diesen Ausgangspunkt. So ist es das übergeordnete
Interesse der Paränese, den Blick zu schärfen für die
Nichtigkeit des Daseins und die Verführungskraft welt-
licher Gegebenheiten. Die der $\gamma\nu\tilde{\omega}\sigma\iota\varsigma$ Teilhaftigen stehen
demnach nicht so fern der Welt, daß diese ihnen gänz-
lich gleichgültig ist, sie sind ihren Versuchungen offensichtlich noch unterworfen, andernfalls wäre jegliche
Paränese dieser Art hinfällig.

Die AJ nehmen, wie eine Übersicht über die einzelnen
paränetischen Inhalte zeigt, durchaus allgemein verbind-
liche ethische Forderungen auf. Sie verfahren damit
ähnlich wie die ntl. Paränese.[1] Vergleichbar dem NT
finden sich Tugend- und Lasterkataloge. So bringt c.29
eine Aufzählung von Tugenden, während c.33-36 Laster
aufzählen,[2] c.67-69 zeigen an einigen Stellen den Ansatz zu einer antithetischen Gegenüberstellung. Allge-
meingängige moralische Werte werden jedoch unter den
Gedanken der Heilsbewahrung gestellt: $\dot{\epsilon}\kappa\epsilon\tilde{\iota}\nu o$ $\delta\dot{\epsilon}$ $\dot{\epsilon}\beta o\upsilon\lambda\acute{o}\mu\eta\nu$
$\pi\rho\tilde{\omega}\tau o\nu$ $\dot{\epsilon}\gamma\kappa\alpha\tau\alpha\sigma\pi\epsilon\tilde{\iota}\rho\alpha\iota$ $\dot{\upsilon}\mu\tilde{\omega}\nu$ $\tau\alpha\tilde{\iota}\varsigma$ $\dot{\alpha}\kappa o\alpha\tilde{\iota}\varsigma$ $\tau\dot{o}$ $\tau\tilde{\omega}\nu$
$\psi\upsilon\chi\tilde{\omega}\nu$ $\dot{\epsilon}\pi\iota\mu\epsilon\lambda\epsilon\tilde{\iota}\sigma\vartheta\alpha\iota$(c.34, 1 f.). Nach JUNOD/KAESTLI ist
der Begriff $\dot{\epsilon}\pi\iota\mu\acute{\epsilon}\lambda\epsilon\iota\alpha$ durch den in c. 3o vorliegenden
absoluten Gebrauch nicht eindeutig bestimmt.[3] In der
zuvor zitierten Textstelle aus c.34 gehört $\dot{\epsilon}\pi\iota\mu\acute{\epsilon}\lambda\epsilon\iota\alpha$
jedoch ebenso wie in c.46,11 "... au «vocabulaire de
la vie ascétique pour exprimer une application vertueuse» ...".[4]

In c.29 werden von Lykomedes, bezogen auf seinen Status
als Bekehrter, bestimmte Tugenden gefordert, von denen
$\dot{\alpha}\tau\alpha\rho\alpha\xi\acute{\iota}\alpha,\dot{\alpha}\phi o\beta\acute{\iota}\alpha$ und $\dot{\alpha}\lambda\upsilon\pi\acute{\iota}\alpha$ in dieser Form der Zusammenstellung an die stoische Affektenlehre erinnern. Das

---

1) So kommt die $\mu o\iota\chi\epsilon\acute{\iota}\alpha$ in den Lasterkatalog hinein (c.35,3),
   obwohl die Ehe selbst in den AJ schon negativ gewertet
   wird.
2) Vgl. dazu 2.2.2.2. - $\vartheta\epsilon\acute{o}\varsigma$ -Entfaltung ethischer Forderungen.
3) "... l'$\dot{\epsilon}\pi\iota\mu\acute{\epsilon}\lambda\epsilon\iota\alpha$ pourrait être d'ordre matériel aussi
   bien que spirituel." (Acta, p.458).
4) Ebenda, Zitat von JUNOD/KAESTLI aus: Aubineu, M.: Gré-
   goire de Nysse, Traité de la virginité SC 119,p.415,n.4.

·Streben nach Harmonie, ἀταραξία in Analogie zur Welt-
lenkung durch die Vernunft ist eine Grundforderung der
Stoa,[1] φόβος und λύπη werden in diesem Zusammenhang
als vernunftwidriges Verhalten verstanden.[2] Die Abwehr
der πάθη (ἀταραξία steht in der Stoa parallel zu
ἀπάθεια) ermöglicht dem Menschen Freiheit[3] (vgl. dazu
die Trias ἀταραξία, ἀφοβία, ἐλευθερία bei Epiktet,(II
1,22). In dieser Freiheit kommt es zu einer affektlosen
Verehrung Gottes, die begrifflich mit αἰδώς, ἀπάθεια, ἀλυ-
πία und ἀφοβία gefaßt wird.[4] Vorausgesetzt ist dabei
bei Epiktet die Verwandtschaft des wahren Frommen mit
Gott, die ihn letztlich von der affekthaften Gottesfurcht
befreit.[5]

Wenn die AJ also nicht nur einzelne Begriffe, sondern
sogar von der Stoa vorgegebene Zusammenstellungen aufnehmen können, so mag dies einerseits an einem allgemein
gegebenen Tugendverständnis liegen, andererseits könnte
auch der stoische Gedanke der engen Verbindung mit dem
Göttlichen die Übernahme ermöglicht haben. Dies wird
sehr wahrscheinlich, wenn man den ἐλευθερία-Gedanken der
Stoa als weiteren Punkt genauer betrachtet. Sein wesentliches Kennzeichen ist die Abkehr von der Welt bzw.
von den πάθη,[6] hier sieht die Stoa die Möglichkeit
des Über-Sich-Selbst-Verfügens, indem σῶμα als ἀλλότριον
erfahren wird, das im Gegensatz zur Seele steht, die dem

---

1) Vgl. FOERSTER, W.: Art.: κτίζω κτλ.,p.1oo2, 14 ff.
2) Vgl. BALZ,H.: Art.: φοβέω κτλ.,p.192,1o ff.
3) Vgl. MICHAELIS, W.: Art.: πάσχω κτλ.,p.9o5, 25 ff.
4) Vgl. BALZ, H.: Art.: φοβέω ,p.192,21 ff.
5) Ebenda.
6) Vgl. SCHLIER, H.: Art.: ἐλεύθερος κτλ,p.49o, 61 ff.

Menschen voll verfügbar ist.[1] Der Gegensatz des äußeren Daseins und der eigentlichen Wirklichkeit ist gut
geeignet, sich in den Vorstellungsrahmen der AJ einzu-
fügen. Die Distanzierung von der Umwelt   in die das
menschliche Leben hineingefügt ist, geht damit Hand
in Hand. Ziel dieser Mühe ist für den Stoiker die Freiheit in der Innerlichkeit,[2] mit der der Mensch sich als
ein "Teil Gottes", als "Sohn Gottes", als "Gott" erweist.[3] - Für den Glaubenden der AJ ist die Freiheit
der Innerlichkeit transzendiert in die Gemeinschaft mit
dem Erlöser, dessen Teil er wird.

Bei den einzelnen in c.29 asyndetisch aneinandergereihten
Begriffen läßt sich der Versuch der Zusammenordnung in
inhaltlicher Bezogenheit erkennen, ohne daß jedoch innerhalb eines Zusammenhangs die Reihenfolge der Glieder
bindend ist. Ähnlich den ntl. Tugendkatalogen[4] läßt
sich so auch für c.29 kein Schema aufweisen, das aufgrund
eines inhaltlich-formalen Gesichtspunktes den Aufbau
insgesamt festlegt.[5] Adressat dieser Unterweisung ist
der für das Christentum grundsätzlich Gewonnene, der
jedoch in der seinem Glauben entsprechenden Lebensweise
noch unterwiesen werden muß, die sich als Kampf der Seele gegen den Körper darstellt und an dessen Ende die
Dominanz der Seele steht: "Pour décrire cet effet, le
texte forge subtilement (29,9-14) une série de proposi-
tions dont les substantifs ne peuvent s'appliquer qu'
au corps... mais dont les verbes s'appliquent à l'âme,..."[6]

---

1) Vgl. SCHLIER, H.: a.a.O., p.489.
2) Vgl. WIBBING, S.: Tugend- und Lasterkataloge,p.2o:
   "...denn der stoische Weise muß, wenn er seine Freiheit gewinnen will, sich gerade von der Welt abkehren:
   darin besteht für ihn der 'Gewinn der erstrebten Seins-
   Sicherheit'...".
3) Vgl. SCHLIER, H.: ἐλεύθερος κτλ. , p.492,3 ff.
4) Vgl. WIBBING, S.: Tugend- und Lasterkataloge,p.81.
5) "... si son contenu et son ordre répondent à une
   logique, nous n'avons pas su la découvrir."
   (JUNOD/KAESTLI: Acta, p.454).
6) Ebenda.

Eingeleitet wird der Tugendkatalog in c.29 mit der
πίστις ἡ εἰς ϑεόν , die mit der γνῶσις eng verbunden
ist. Πίστις und γνῶσις werden in der Voranstellung damit
zur Voraussetzung für die Bejahung der folgenden Tugenden. εὐλάβεια als daran anschließender Begriff findet
sich im urchristlichen Sprachgebrauch sehr selten, dagegen gewinnt er in den östlichen Kirchen und im Mönchtum
seine Bedeutung in der Charakterisierung   des Wesens
des homo religiosus.[1] φιλία ist mit πίστις ἡ εἰς
ϑεόν, γνῶσις und εὐλάβεια zusammenzuordnen und bezieht
sich ebenfalls auf das Gottesverhältnis des Glaubenden.
Als Ausdruck der gegenseitigen Beziehung zwischen dem
Kyrios und dem Glaubenden wird in c.58,1o-12 φιλέω
verwandt und steht dort in Verbindung mit κοινωνία,dem
in c.29 an φιλία anschließenden Begriff, so daß
κοινωνία wohl auch hier auf das Gottesverhältnis ausgerichtet ist und nicht die Gemeinschaft der Glaubenden
im Blick ist.[2] Das auf die Mitglaubenden ausgerichtete
Verhalten wird mit φιλαδελφία beschrieben und meint die
geistliche Bruderschaft. Mit diesem Begriff könnte ein
sozialethischer Gesichtspunkt gegeben sein, ebenso wie
mit den Begriffen πραότης und χρηστότης, allerdings dürfte
der individualethische Aspekt vorherrschend sein, da
es im Zusammenhang des Kontextes eindeutig um positive
Eigenschaften geht, die das Individuum um seiner Seele
willen entwickeln soll und kann durch die Hilfe Jesu
(c.29,1 ff). - Ἁγνεία und εἰλικρίνεια stellen bestimmte
sittliche Verhaltensweisen als für den Glaubenden notwendig hin, ähnlich verhält es sich mit der σεμνότης.Deut-
lich zeigt sich hier das Interesse an einem moralisch un-
angreifbaren Lebenswandel der Erwählten. Die Aufzählung
der Tugenden mündet in dem Hinweis auf die geschlechtliche

1) Vgl. BULTMANN, R.: Art. εὐλαβής,p.751.
2) K.82,5 und c.47,11 steht κοινωνός in Zusammenhang
   mit der Teilhabe am Heil (des Namens Christi bzw.
   des ewigen Lebens teilhaftig werden), in c.86,2 wird
   κοινωνέω in Zusammenhang mit der Eucharistie verwandt, an der der Apostel alle Brüder Anteil gewinnen läßt.

'Askese, so daß die zuvor aufgezählten Einzelideale geradezu als Vorbedingung gelten müßten, um den gewünsch-
ten Endzustand zu erreichen. Er ist das Ziel, auf das
der Mensch hinlenken muß, um seine ψυχή bis zum Tode
unangetastet-der γνῶσις gemäß-zu bewahren. Inhaltlich
gesehen laufen die einzelnen Tugenden nicht zwangsweise
auf das asketische Ideal hin, die Zusammenfügung dieser
beiden Komplexe läßt sich vielleicht damit erklären, daß
der Vf. im ersten Teil allgemein gängige Tugendbegriffe
aufnahm, die er durch die Gesamtkonzeption seines Werk-
kes und durch die Intention dieses Kapitels seinen eigenen Absichten dienstbar machen wollte. Der Leser der
AJ konnte sich damit, Bekanntes vorfindend, eher unbe-
wußt der Tendenz des Werkes näher. - Keinerlei Ausrichtung auf die Askese sehen JUNOD/KAESTLI. Sie bestimmen
den Inhalt der Unterweisung mehr allgemein.[1] Für die
AJ ist aber gerade die geschlechtliche Askese Ausdruck
des Sieges über ein Bestimmtsein durch den Körper.Unter
diesem Aspekt muß auch c.29 verstanden werden. Durch
ihren Hinweis auf c.113[2] konkretisieren jedoch auch
JUNOD/KAESTLI indirekt ihre vorausgegangenen Ausführungen.
Insofern ist das Ziel, das der gerettete Lykomedes erreichen soll, nämlich die Verbindung mit dem Kyrios, ausgerichtet auf die Askese, wie sie denn auch ein wesentliches Element im Dankgebet des Apostels ist (c.113).

Der Negativkatalog in c.68,5-8 bringt eine Vielfalt
von hinderlichen Umständen. Es sind, wie es der Vf. pau-
schal nennt: τὰ τοῦ βίου πάντα (c.69,1o f.), sie gehören
der Zeit an und sind vergänglich wie die Zeit selber
(c.34,3). Auch hier werden allgemein erfaßbare Erfahrungen ausgesprochen, die - wie zuvor die Tugenden -
der Zielvorstellung der AJ verpflichtet werden.

1) Acta, p.452-456.
2) A.a.O., p.456.

Hinsichtlich der verschiedenen Adressaten unterscheiden
sich c.33-36 und c.67-69 voneinander. Während sich
der erste Abschnitt an noch zu Bekehrende richtet, die
damit allerdings wohl als grundsätzlich geeignet gekennzeichnet werden, spricht der zweite Abschnitt Glaubende an, die schon einige Zeit mit Joh. zusammen sind.
So ist bei der Gleichheit des Grundtenors die Auswahl
der einzelnen Inhalte verschieden. Kap.33-36 nennen
weltliche Verhaltensweisen mit dem Ziel ihrer Negierung,
c.67-69 gehen von dem Aspekt des zu bewahrenden Glaubens
aus und fügen in bildliche Vergleiche, die der Veran-
schaulichung des Ziels dienen, eine Aufzählung von La-
stern ein. - In ihrer Analyse der c.67-69 weisen JUNOD/
KAESTLI zunächst darauf hin, daß "ce discours ... obéit
à certaines exigences litteraires antiques, en même
temps qu´il exprime le point de vue de notre auteur sur
la vie ici-bas et la mort."[1] "La vie ici-bas et la
mort" sehen sie auch als den thematischen Mittelpunkt
des von ihnen als dreiteilig strukturierten Abschnittes:
1. 67-68:"une méditation à caractère protreptique"
2. 69,1-5: "le centre de gravité "
3. 69,5-23: "un ἐγκώμιον de l´âme vertueuse..."[2]
Der Zweck der Rede ist demnach weder das Lob der Toten
noch die Tröstung der Trauernden, sondern die Ermahnung
an den Hörer bzw. Leser: "il convient de songer à sa
propre mort, de la préparer jusqu´au bout en s´affran-
chissant de tout attrait pour le sensible et en persévérant
dans sa foi." [3] Der Tod hat in den AJ jeden Schrecken
verloren; er ist nicht das Ende der Selbstverfügbarkeit
des Menschen, denn: "La mort est une libération qui met
fin à l´emprisonnement de l´âme dans le corps et lui
permet de trouver place auprès de son Seigneur (cf. 64,
1o-11, 65,3-4)." [4]

---

1) Acta, p.556.
2) Ebenda.
3) A.a.O.,p.557.
4) A.a.O.,p 554 f.

Die ideale Verkörperung der ethischen Forderungen tritt
dem Leser in der Gestalt des Apostels vor Augen; er verwirklicht das Ideal der geschlechtlichen Askese, er
weiß sich von jeglicher zeitlichen Verhaftung befreit,
er bewahrt einen von Zweifeln ungetrübten Glauben und
ist ganz auf den Herrn ausgerichtet, so daß in ihm auch
keinerlei Besitzstreben Raum findet. Unter der Voraussetzung des Lohngedankens im Sinn des Verdienstes ist
er sich so seines Heiles sicher (c.113,22-25).

Die Aussage, daß die Gradlinigkeit des Weges zur Erlösung
im Wollen und Handeln des Herrn begründet liegt (c.113),
tangiert den Lohngedanken nur scheinbar, da diese,wenn
auch nicht immer klar voneinander abgesetzten Aussagen,
auf die Unterschiedenheit der Menschen voneinander hin-
zielen.[1]

Die ethischen Anweisungen können weder die betreffen,
die aufgrund ihrer Seinsbeschaffenheit (χαιωτιχή φύεις)
von der Erlösung ausgeschlossen sind, noch die, die sich
schon als Erlöste im Kreuz befinden (c.1oo,2). Adressat
der ethischen Unterweisungen ist damit die Menschengruppe,
die nach der ihr zuteil gewordenen Gnosis den Weg zur Erlösung beschreitet. Sie, die Erwählten, die sich in der
Verwirklichung des ethischen Appells von den Ungläubigen unterscheiden sollen, haben mit ihm die Richtschnur
ihres Handelns erhalten und können nun aufgrund ihrer
Werke Lohn und Strafe zugeteilt bekommen. Für ihr Fehl-

---

1) Vgl. die Ergebnisse der Anthropologie.

·verhalten gibt es jetzt keine Entschuldigung mehr,[1]
Buße ist nicht mehr möglich, Vergebung wird nur aus-
gesprochen für die Sünden, die noch im Zustand der
Unwissenheit begangen wurden (c.1o7,14-18).

Die Grundtendenzen und -intentionen der Ethik lassen
sich unter verschiedenen Gesichtspunkten betrachten:

1. Ethische Unterweisung hat ihre Zielgruppe in den
   Erwählten.

2. Sie basiert also auf der Zuwendung des Kyrios, der
   den Seinen γνῶσις zuteil werden läßt.

3. Der ethische Appell trägt den Charakter der unabding-
   baren Forderung.

4. Dieser ist begründet in dem Verhältnis des Herrn zu
   den Glaubenden, das das eine Verpflichtung ist, die
   aus der γνῶσις erwächst und die Errettung ermöglicht.

5. In der Verwirklichung des ethischen Appells gelangt
   der Erwählte an sein Ziel, die Erlösung.

6. Grundlage dieser Aussage ist der mit den ethischen
   Forderungen verbundene Gedanke des Lohnes, der eine
   Relation der Vergeltung negativ wie positiv aufrich-
   tet.

7. Das zeitverhaftete irdische Tun des Menschen wird in
   der Ethik auf die Transzendenz bezogen und erfährt
   so eine radikale Absage, deren notwendige Folge die
   Weltverneinung ist.

---

1) "Ce discours (=c.34-36) confirme le rôle prépondé-
rant que la morale de la rétribution et la menace des
punitions ont joué dans le christianisme du II e siècle
..." (JUNOD/KAESTLI: Acta, p.464). Sie machen zugleich
darauf aufmerksam, daß die Drohung mit ewigen Stra-
fen kein Thema ist, das ausschließlich jüdisch-christ-
licher Tradition zugeordnet werden kann: "... on ne
doit pas pour autant exclure qu'il (= le rédacteur
des AJ) soit conscient de recourir à un thème qui
appartient aussi à des courants religieux «paiens» "
(a.a.O., p.465).

8. Ursache dieser ethischen Grundrichtung ist die
   Transzendenz des Erlösers und die Zugehörigkeit der
   Erwählten zu ihr als ihrem eigentlichen Seinsgrund.
   - Indem die Ethik den Menschen sowohl auf seine Ge-
   sinnung wie auf sein Tun anspricht, will sie ihm seine
   Existenzweise und -auffassung in der Totalität der
   Weltverhaftung bzw. der notwendigen Weltverneinung
   zeigen.

9. Inhaltlich werden in der Ethik allgemeingültige Tugenden gefordert, können Anleihen bei stoischem Gedankengut gemacht werden; das eigentliche Anliegen
   der AJ kommt immer dann zur Sprache, wenn es um eine
   radikale Weltfeindlichkeit geht, als deren Kriterium
   die geschlechtliche Enthaltsamkeit gilt.

1o. Die zur Norm erhobene Ethik gründet in der $\gamma\nu\tilde{\omega}\sigma\iota\varsigma$,
   aufgrund der der Mensch angemessen handeln kann. So
   ermöglicht die Hilfe des Kyrios das geforderte Verhalten, das dann belohnt wird.
   Der Lohngedanke des NT[1] wird hier verlassen
   zugunsten der einsichtigen, aufrechenbaren Gleichung
   von Leistung und Lohn.

11. In dieser Ethik gerät das gemeinschaftsbezogene Verhalten in den Hintergrund und eine auf ein Persönlich-
   keitsideal ausgerichtete Individualethik mit dem
   Ziel des Heils des einzelnen tritt hervor. Der Erwählte wird aufgrund seiner Beschaffenheit
   zur Erlösung bestimmt und aufgrund dieses Wertes
   fähig zum sittlichen Leben, das ihm endgültige Erlösung sichert.

12. Als Antithese zur Welt gehört die Ethik zum Leben
   des Menschen in der Welt. Der prinzipiell zur Erlösung Bestimmte konkretisiert in seiner Existenzweise und in seinem Lebensvollzug diese Gegnerschaft
   zur Welt, insofern er in der Befolgung der ethischen
   Normen oder in der Abweichung von ihnen letztlich
   seine Zugehörigkeit zum transzendenten Herrn unter

---

1) Vgl. dazu BORNKAMM, G.: Lohngedanke.

Beweis stellt. Hier ist die Absage an die Vergebbar-
keit der Schuld des Erwählten begründet.

Ethik und $\gamma\nu\tilde{\omega}\sigma\iota\varsigma$ werden in den AJ in einen Zusammenhang
gebracht, der ihre eigentliche Divergenz aufheben soll.
Ist der der Gnosis teilhaft gewordene Mensch schon der
Erlöste, so ist die Ethik überzählig, wird sie dennoch
ins Spiel gebracht, so entsteht ein Widerspruch. Die
AJ versuchen diesen zu überbrücken, indem sie der Ethik
die bewahrende Funktion des möglich gewordenen Heils
zusprechen. Insofern kommt der Ethik Entscheidungscha-
rakter zu, dies allerdings erst aufgrund der $\gamma\nu\tilde{\omega}\sigma\iota\varsigma$.
COLPE weist darauf hin, daß der Aufruf "zu einem gott-
gemäßen Leben" besonders da erfolgt, "wo aus dem menschlichen Sosein die asketische Konsequenz gezogen wird."[1]

2.5. Die theologische Wertung des Apostels

Der ntl. Apostelbegriff:
Im NT erfährt der Apostelbegriff unterschiedliche Ak-
zentuierungen. Lk sieht in den Aposteln, die er auf die
Zwölf einschränkt,
a) "die authentischen Zeugen des Lebens und der Auferstehung Jesu und darüber hinaus
b) die Anfänger und ersten Lehrer und Leiter der ganzen
   Kirche."[2]
Pls weiß sich durch seine Begegnung mit dem Auferstandenen und durch die daraus folgende Berufung als Apostel
Christi; die Bedingungen der Augenzeugenschaft Christi
entfällt für ihn. Im Mittelpunkt seines Apostelbegriffs
steht die mit der entscheidenden Wende seines Lebens
verbundene Aufgabe der Mission. Dagegen ist die Folge
aus dem lk. Apostelbegriff die daraus erwachsende dog-

---

1) COLPE, C.: Schule, p.188, Anm.2.
2) CAMPENHAUSEN; h.v.: Apostelbegriff, p.275.

matische Bedeutung ihrer Träger als derjenigen, die
die Wahrheit der Lehre garantieren.[1] So kann die Kirche
des 2. Jh. sich im Zusammenhang des Traditionsgedankens
auf die Apostel berufen.[2] Hier liegt die Ursache der
pseudoapostolischen Literatur.[3] Hand in Hand damit
geht ein verschieden motiviertes Interesse am Leben der
Apostel.[4] So wollen die AJ sicherlich in einer Hin-
sicht über das Leben des Joh. berichten, mit diesem
Ziel verbinden sie jedoch zugleich das Interesse, die
Person des Apostels für einen bestimmten Verkündigungsin-
halt in Anspruch zu nehmen, deren Verbindlichkeit Joh.
eben als Apostel garantiert.

Dieser Joh. wird nun in den AJ eindeutig als Jünger
Jesu identifiziert, als der Jünger, der ihm besonders
nahesteht. Im Dienst seines Herrn ist er in missionari-
scher Funktion als Apostel tätig. Sein Apostolat ist
mit zwei Merkmalen verknüpft.
1. Er ist Augenzeuge der "historia" Jesu,
2. ihm allein wird zur Zeit der Kreuzigung eine Offenbarung zuteil, die ihn nicht nur über die unwissende
   Masse, sondern auch über die Mitjünger hinaushebt.
   So ist nur ihm der wahre Sinn allen Geschehens enthüllt.

Gewinnt der Apostel des NT - dies sowohl bei Lk wie bei
Pls - die Gewißheit seines Glaubens aus der Auferstehung,
so tritt in den AJ an diese Stelle die Geheimoffenbarung
des *scheinbar* Gekreuzigten, die den Augenschein der
faßbaren "historia" zunichte macht.[5] Das Verständnis

---

1) Vgl. SCHNEEMELCHER; W.: Apokryphen Bd. 2, p.7.
2) Vgl. BAUER; W.: Rechtgläubigkeit, p.3,CAMENPAUSEN,H.v.:
   Amt, p.57 und ders.: Apostelbegriff, p.238.
3) Vgl. SCHNEEMELCHER, W.: Apokryphen Bd. 2, p.8.
4) Vgl. SCHNEEMELCHER, W.: a.a.O., p.9.
5) Die Aufnahme des Offenbarers besitzt keinerlei theologisches Eigengewicht.

der Zeugenschaft wird so überhöht: Begleiter des Herrn
mögen viele gewesen sein, aber nur einem wird der Sinn
des Geschehens offenbar, er kann den Blick von dem irdischen Ereignis auf den himmlischen Heilsplan richten
und so letztlich die Wahrheit erkennen. So kommt dem
Ursprung seines Apostolats nicht nur eine besondere Dig-
nität zu, sondern auch eine besondere Autorität, die der
theologischen Wertung seines Auftrages ein bedeutsames
Gewicht verleihen muß. - Die Autorität seiner Verkündigung ist in ihm als dem Träger verankert, der der vollkommenen Erkenntnis gewürdigt ist: Joh. ist der Verkünder seines Herrn und seiner Botschaft par excellence.
Der Traditionsgedanke - auch wenn er explizit in den AJ
nicht erwähnt wird - erreicht damit eine neue Ausprägung;
er wird für besondere, nicht allgemein zugängliche Lehren in Anspruch genommen. Der erste, der mit dieser Neu-
prägung des Überlieferungsbegriffes arbeitet, ist der
Gnostiker Ptolemäus, wie denn von CAMPENHAUSEN den Ursprung dieser Entwicklung überhaupt in gnostischen Kreisen sieht.[1]

Johannes begreift seinen gesamten Lebensverlauf als
auf seine besondere Stellung hin ausgerichtet, es ist
immer wieder der Herr, der in kritischen Situationen
eingreift und ihn für seine Aufgabe, die mit bestimmten
Merkmalen der Lebensgestaltung verbunden ist, bewahrt
(c.119). Mit der Berufung durch den Herrn vollzieht sich
der Bruch mit seinen bisherigen Lebenswünschen (c.113,1f.),

---

1) Vgl. dazu ebenso wie zu dem erwähnten Ptolemäus-
   Zeugnis und zu weiteren Bezeugungen von CAMPENHAUSEN,
   H.: Amt, p.172 ff.

-186-

die ihn eng mit der Welt verbunden haben.[1] So dokumentiert zwar die Loslösung von der Welt die Erlösung, insofern als die gewonnene γνῶσις nur in der fortdauernd durchgehaltenen Askese gewahrt bleiben kann, aber die Erlösung der AJ ist in ihrem Ursprung γνῶσις , Askese ist ihre Folge. STURHAHN ordnet beides der Heilsgewinnung in gleicher Weise zu[2] und kommt so zu einer falschen Wertung der γνῶσις , als ob das eine das andere ersetzen könne. "Solche Erlösung" - gemeint ist die durch Askese gewonnene - "wird aber auch dem Apostel durch geoffenbarte γνῶσις zuteil."[3] Sie wird ihm nur durch γνῶσις zuteil. Diese γνῶσις aber macht ihn zu dem, was er ist: der vom Herrn selbst in den Stand der Wahrheit Versetzte, der die erlösende Offenbarung weiterträgt und so die Glieder des Herabgekommenen sammelt. Die γνῶσις ist jetzt an ihn gebunden, nur er kann sie vermitteln. Unter dieser Voraussetzung kann Joh. in der Abschiedsrede hinsichtlich seiner Funktion formulieren: νῦν οὖν ὅτε ἦν ἐπιστεύθην ὑπὸ σοῦ, κύριε Ἰησοῦ, οἰκονο -

1) Vgl. STURHAHN, C.L.: Christologie, p.93 und JUNOD/
KAESTLI: Acta, p.577: "Les 18 invocations du ch.113
décrivent toutes comment le Seigneur est intervenu
auprès de Jean pour que ce dernier se détache de ce
qui est corruptible, passager, impur, maladif. Cet
attachement au corruptible est d'abord identifié à
l'attrait pour les femmes ..." Da "la femme ... est
le symbole de ce qui est faible, charnél, matériel",
messen JUNOD/KAESTLI der mehr erwähnten Ehelosigkeit
aber keine primär autobiographische Bedeutung zu : "La
narration a une portée generale: elle décrit comment
l'âme de Jean a été guérie par le Seigneur de son
attachement à la chair." In diesem Zusammenhang kommen
sie auch zu dem Schluß, daß hier keinerlei Hinweis
auf einen absoluten Enkratismus vorliegt: "Toutefois les
raisons données par le Seigneur à ses interdictions
("Si tu n'étais pas à moi, je t'aurais laissé te
marier") ne vont pas dans le sens d'un encratisme
absolu." (p.576).
2) Vgl. STURHAHN, C.L.: Christologie, p.94.
3) Ebenda; Unterstreichung von mir.

μίαν ἐτέλεϲα (c.113,22 f). Mit dieser Aussage sind zu
vergleichen c.1o6,11-13: ἐπιϲτάμενοι τὸ γεγονὸς εἰς ἀνϑρώπους
τῆς οἰκονομίας μυϲτήριον τίνος ἕνεκεν πεπραγμάτευται ὁ
κύριος und c.1o2,5-7: ὅτι ϲυμβολικῶς πάντα ὁ κύριος ἐπρα-
γματεύϲατο καὶ οἰκονομικῶς εἰς ἀνϑρώπους ἐπιϲτροφὴν
καὶ ϲωτηρίαν. Mit οἰκομία (bzw. οἰκονομικῶς) kann
also sowohl das Handeln des κύριος wie das des Apostels
bezeichnet werden, letzteres allerdings in der Rückbin-
dung an Jesus. Hinsichtlich ihrer Funktion sind Apostel
und Herr also identisch als Übermittler der Gnosis,
in der sich die οἰκομία konkretisiert. Während der
Kyrios jedoch als Übermittler der γνῶϲις zugleich ihr
Inhalt ist, bleibt der Apostel in diesem Sinn zwar
außerhalb, aber er gehört als einziger Vermittler der
Offenbarung doch in die οἰκονομία hinein, insofern er
allein in der Kontinuität deren Wirksamkeit garantiert.[1]
Wenn STURHAHN den Apostel unter Bezug auf c.1o9,16 f.
mit Hilfe des ἀνϑρωπος-Begriffs als Abbild des Erlösers
einordnet,[2] so ist dies eine nicht einsichtige Interpretation. Der von ihm als Beleg verwandte Satz steht
in einem Kontext, der als Dankgebet den Apostel als
Sprecher und den κύριος als Transzendenten als Adressaten hat: sämtliche Possessivpronomen in der 2.Pers.Sg.
beziehen sich auf den Herrn, der ἀνϑρωπος ist also ihm
zugeordnet, ist Gegenstand der im Irdischen möglichen
Erkenntnis als Abbild des transzendenten Herrn. Subjekt
in diesem Erkenntnisprozeß sind die Menschen, die als die
Reinen bezeichnet werden. Nichts im Textzusammenhang,
der überdies von der Situation der Eucharistie gekennzeichnet ist, spricht für den Erkenntnisgegenstand "Apo-

---

1) Vgl. dazu auch JUNOD/KAESTLI, Acta, p.5o9, die sich
   hier auf die Totenerweckung beziehen (ch.46-47):
   "On notera que l'apôtre reste le médiateur obligé
   entre son Seigneur et les hommes qu'il rapelle à
   la vie ('Jean, le serviteur de Dieu, te dit:...)."
2) Vgl. STURHAHN, C.L.: Christologie, p.96.

stel als Abbild des Herrn". überdies schließt sich der
Apostel mit den Anwesenden zur Wir-Gruppe zusammen und
sieht sich nicht in Differenz zu ihnen. Infolgedessen
läßt sich c.1o9,16 f. auch nicht in der von STURHAHN
vorgenommenen Deutung verallgemeinern: "Ja, Kap. 1o9
Ende läßt sich geradezu so interpretieren: Der gnostische Gott ist allein an den einzelnen Gnostikern erkennbar. Daß aber jeder von diesen ebenso wie der auf
Erden weilende Jesus zugleich den mythischen ἄνϑρωπος ,
d.h. die Einheit und Ganzheit der Erlösten, gleichsam
"mikrokosmisch" in sich faßt, bedarf keiner Begründung
mehr."[1] Kap.1o9 Ende läßt sich so nicht interpretieren,
hier ist ebensowenig vom Apostel wie vom Gnostiker an
sich die Rede. Der dem Transzendenten zugeordnete Mensch
ist der Herabgekommene in Differenz und Identität zu
ihm.[2]
Unter der Überschrift "Der Apostel als der ´erlöste
Erlöser´"[3] behandelt STURHAHN den missionarischen Auftrag, den er mit c.113,3 keineswegs als gegeben ansieht,
er versteht dies vielmehr "als Offenbarung eines metaphysischen Zusammengehörigkeitsverhältnisses ..."[4] und zieht
die Parallele zur Einleitung der Offenbarungsrede (c.98,7 f.).
Kap.113 läßt aber den Lebensbericht des Joh. in die Kennzeichnung seines Auftrages münden (οἰκονομία),[5] dieser allerdings gründet in der empfangenen γνῶσις und
als Fixpunkt dafür hat der Vf. der AJ sicherlich die
Offenbarungsrede im Blick.[6] Es muß also sehr wohl von

---

1) STURHAHN, C.L.: a.a.O.,p.97.
2) Wenn STURHAHN c.26-29 als Illustration von c.1o9,16 f.
   sieht, so ist dieser Anschluß nicht einsichtig, der
   ἄνϑρωπος -Begriff spielt c.26-29 keine Rolle.
3) STURHAHN, C.L.: a.a.O., p.99 ff.
4) STURHAHN, C.L.: a.a.O.,p.95.
5) STURHAHN C.L.: a.a.O., p.1o1 konstatiert das mit Ver-
   wunderung und deutet es dann auf die Seinsweise des
   Gnostikers, für den "der Empfang der γνῶσις zugleich
   die Übernahme der Funktion ihrer Weitervermittlung
   einschließt." Im Kontext geht es aber nicht um den
   Gnostiker an sich, es geht konkret um Joh.
6) Vgl. dazu 4 Die Einheit der AJ.

'einer ausgesprochenen Berufung zum Apostelamt ausge-
gangen werden,[1] und sie liegt - so auch STURHAHN, wenn-
gleich nicht richtig gedeutet -[2] in der Offenbarungsrede des Transzendenten: Joh. wird aus der Vielzahl mög-
licher Adressaten erwählt, die $\gamma\nu\tilde{\omega}\sigma\iota\varsigma$ zu empfangen. Es
geht eben nicht allgemein um die selbstverständliche
Aufgabe des Gnostikers, sondern es ist allein Joh., der
$\gamma\nu\tilde{\omega}\sigma\iota\varsigma$ besitzt. Inwiefern er allerdings zum "erlösten
Erlöser" wird, begründet STURHAHN hier nicht, er hat
diesen Begriff unter dem Vorzeichen seiner $\overset{\checkmark}{\alpha}\nu\vartheta\rho\omega\pi\sigma\varsigma$
-Deutung eingetragen.

Vergleichbar sind der Herr und sein Apostel, wie schon
gesagt, unter dem Gedanken der Vollmacht, die für den
Apostel jedoch eine abgeleitete ist. In diesem Zusammenhang sehen JUNOD/KAESTLI mit Recht die Rolle des Apostels als mittelbar: "Il est un envoyé, ce qui revient
à dire qu'il est defini, non par ce qu'il est (ses
vertus propres), mais par sa mission et par celui qui la
lui a confiée."[3] Es bleibt allerdings zu fragen, ob ihre
Schlußfolgerung: "De fait, le texte des AJ ne contient
aucune arétalogie de l'apôtre"[4] nicht zu korrigieren
ist; denn im Kontext des Missionsgedankens wird diese
Vollmacht letztlich zur unüberbietbaren Größe, zur nicht
mehr hinterfragbaren Autorität. Sie wird zwar abge-
sichert durch den Traditionsgedanken, der unmittelbar
zum Herrn führt, aber Joh. allein besitzt die Legitimität der Verkündigung als Inhalt und Auftrag. Nur er

---

1) Gegen STURHAHN, C.L.: a.a.O., p.1o1.
2) Ebenda.
3) Acta, p.462
4) Ebenda.

ermöglicht das Entstehen von Gemeinde;[1] er selber in der Konkretheit seiner Person wird zur Bindung des Inhaltlichen; denn nur durch ihn erlangt die Gemeinde Kenntnis von der Geheimoffenbarung des Herrn. Wird Joh. so zum Lehrer, so wird er durch seine Lebensgestaltung zum Vorbild (vgl. c.28). In der von ihm begründeten Gemeinschaft gibt es bezeichnenderweise keine Differenzen.

Setzt man an diesem Punkt zum Vergleich mit dem Apostolat des Pls an, so zeigen sich deutlich wesentliche Unterschiede. So gewiß auch Pls in seiner Bindung an Christus von jedermann unabhängig ist, so wenig betont er Rang und Würde seiner Person: Joh. sieht sich als Person privilegiert, Pls nicht; denn er tritt hinter jenem Auftrag zurück, Joh. steht vor ihm: Nur über ihn führt der Weg, insofern mag man zwar mit JUNOD/KAESTLI den Apostel als "intermediaire" primär verstehen, allerdings ist er dies in einem exklusiven Sinn. Eine Differenzierung zwischen seiner Person (Individualität) und seiner Funktion entfällt: erst in seiner Funktion erlangt er seine Identität, und seine Identität ist allein zu verstehen von seiner Funktion.[2] - Pls weiß von der Schwäche menschlicher Befindlichkeit, Joh. kennt dergleichen nicht. Hier wird das äußere Kennzeichnen zum

---

1) JUNOD/KAESTLI: a.a.O., p.433 f. sehen die Aufgabe des Joh. bezogen auf die Gemeinde und auch die Verkündigung von der des Paulus z.B. sehr verschieden: Pour l´auteur des AJ, la tâche de l´apôtre ne consiste pas à poser le fondement de l´Église en des lieux où la religion nouvelle derait entierèment inconnue. Sa prédication ne marque pas l´ἀρχὴ τοῦ εὐαγγελίου , au sens où Paul entend ce terme en Phil 4,15. ... Mais sa présence et ses miracles ne font que révéler une réalité encore cachée."

2) JUNOD/Kaestli versuchen zwischen Individuum und Funktion zu unterscheiden: "L´apôtre est moins intéressant en tant qu´individu que dans l´exercise de sa fonction. Ses prières, ses discours, sa prescience, ses prodiges découlent de sa fonction. Ils ne sont pas l´expression de sentiments et de qualités personnelles." (a.a.O., p.443).

˙inhaltlichen Charakteristikum. So gilt für Pls: "Das
Leben des Apostels bezeugt die Herrlichkeit der Gnade
Christi gerade darum so klar, weil es dies innerhalb
einer armseligen, in Leiden zerbrechenden Menschlichkeit
tun muß. Und zwar bezeugt sie eines im anderen; sie zeigt
das Leben Gottes im menschlichen Sterben und das menschliche Sterben im Leben des Apostels."[1] Joh. ist der
unangefochten Siegreiche, der ebenso wie sein Herr jenseits aller menschlichen Nöte steht. Pls erregt keineswegs überall Wohlgefallen, selbst in seinen Gemeinden
gibt es schwerwiegende Auseinandersetzungen, Joh. über-
windet anfänglichen Widerstand in grandioser Unbezwing-
barkeit, seine Gemeinde ist geschlsosen auf ihn ausgerichtet. 2. Kor. 1,24 und 1. Kor. 3,5 wären als Aussagen des Apostels der AJ undenkbar. Abgesehen von dem
Aspekt der Einzigartigkeit des joh. Apostolats werden
die Glaubenden der AJ nie aus der Vormundschaft ent-
lassen,[2] von der Unmittelbarkeit der Gottesbeziehung
ist bei den Erwählten nichts zu merken. Stehen die Gemeinden bei Pls in der Freiheit, die ihnen mit dem
Glauben und der Taufe zugewachsen ist,[3] und werden
somit gleichberechtigt, so hat Joh. seinen Gemeinden
gegenüber einen uneinholbaren Vorsprung: er übermittelt
aufgrund der Anweisungen seines Herrn nicht die gesamte
Offenbarung (c.1o2,1 f.), diese bleibt sein alleiniges
Wissen.[4]

---

1) CAMPENHAUSEN, H.v.: Amt,p.43.
2) JUNOD/KAESTLI: Acta, p.434 f. belegen anhand von
   Beispielen aus den verschiedenen Erzählungen (Kap.25;
   45; 58) die Notwendigkeit der Anwesenheit des Apostels für die Glaubenden, "pour que ceux-ci puissent
   vraiment espérer en Dieu et qu'ils ne soient pas
   scandalisés dans leur relation nouvelle avec le
   Seigneur (25)."
3) Vgl. dazu CAMPENHAUSEN, H.v.: p.53
4) Vgl. die von BIELER, L.: ϑεῖος ἀνήρ, p.99 genannten
   Parallelen.

Sind die Glaubenden der AJ an den Herrn gewiesen, so sind
sie zugleich auf seinen Apostel fixiert, von einer betonten Selbstbeschränkung[1] kann bei seinem Apostolat
nicht die Rede sein.

Die uneingeschränkte Verehrung der Autorität des Apostels
ist ein allgemeines Zeichen späterer Zeit. JUNOD/KAESTLI
zeigen beispielhaft im Zusammenhang des Kap. 62 anhand
von drei Gesten die Verehrung des Apostels auf (... les
chrétiens ... embrassent ses pieds ... embrasser les mains
de l´apôtre est un acte révérentiel ... le fait de
toucher ses vêtements avait une portée bénéfique."[2]
Zwangsläufig bahnt sich damit die von Pls abgewehrte Tendenz der Personenverehrung an, die in den AJ einen Höhepunkt erreicht aufgrund der Zuspitzung und Überbietung,
die der Gedanke des Apostolats als Fundament der Kirche
in der Einschränkung auf die alleinige Autorität des Joh.
erfahren hat. Damit ist auch deutlich, daß zwar der Joh.
der AJ ebenso wie Pls primär auf die Verkündigung ausgerichtet ist, gleichzeitig kann aber nicht übersehen werden,
daß der unterschiedliche Aspekt, unter dem der Apostel hier
begriffen wird, notwendigerweise Auswirkungen auf die Auffassung von Gemeinde hat.

Die herausragende Stellung des Apostels wird auch in
seinen Wundertaten deutlich, die eine weitere Komponente
der Personenverehrung sind. Mit ihrer Hilfe erringt der
Apostel Glauben, ja, sie werden zum Kennzeichnen seiner
selbst. Zwar stehen die Wunder ebenso wie die ntl. "Wun-
derzeichen der Apostel" (Lk 24,49)[3] unter dem Gesichtspunkt, daß sie vom Täter (Apostel) auf den Urheber (Jesus) hinweisen, dennoch erhalten sie im Gefüge des Ge-
samtbildes des Apostels einen grundsätzlich anderen Akzent.

---

1) CAMPENHAUSEN, H.v.: Amt. p.57 verwendet diesen Ausdruck zur
   Kennzeichnung des paulinischen Apostolats.
2) Acta, p.436 ff.
3) Vgl. dazu CAMPENHAUSEN, H.v.: Amt,p.26 ff.

'L. BIELER hat in seinem Buch $\theta\varepsilon\widetilde{\iota}o\varsigma$ $\dot{\alpha}\nu\acute{\eta}\varrho$ [1] typische
Züge des Persönlichkeitsbildes des $\vartheta\varepsilon\widetilde{\iota}o\varsigma$ $\dot{\alpha}\nu\acute{\eta}\varrho$ zusammen-
gestellt, auf sie soll bei der Darstellung des Apostels
der AJ Bezug genommen werden.
Über das Äußere des Apostels erfahren wir nur, daß er
zum Zeitpunkt seiner berichteten Wirksamkeit ein alter
Mann ist (c.27,9),[2] das auf Wunsch von Lykomedes entstan-
dene Bild erweckt keinen negativen Eindruck, es wird nur
als unwesentlich zurückgewiesen (c.28,18 f.).[3] Typisch-
ster Zug des Joh. ist die asketische Lebensweise, bei
der im Mittelpunkt nicht die Einschränkung der natür-
lichen Bedürfnisse steht (Essen, Trinken, Schlafen), sondern die sexuelle Enthaltsamkeit (vgl. die biographischen
Andeutungen des Joh. c.113). Sie ist letztlich Vorberei-
tung für den besonderen Auftrag des Joh. (c.113,1-7).[4]
Ihr Ziel liegt in der Erlösung vom Leib als dem Ort des
Verderbens, ist er doch der Angriffspunkt weltlicher
Wünsche. Joh. sieht ferner nicht nur das Augenscheinli-
che, sondern vermag auch, die Gedanken anderer zu erkennen (c.46 f. und c. 56 f.; c.86),[5] daneben wird ein
Vorauswissen künftiger Geschehnisse angenommen;[6] denn
der Apostel zeigt sich verwirrt, als er erst im Nachhin-
ein Aufschluß über Geschehenes erhält (c.73). In diesem
Zusammenhang gehört die vorauslaufende Kenntnis der eige-

---

1) BIELER, L.: $\vartheta\varepsilon\widetilde{\iota}o\varsigma$ $\dot{\alpha}\nu\acute{\eta}\varrho$ .Das Bild des "göttlichen Menschen" in Spätantike und Frühchristentum.
2) Vgl. JUNOD/KAESTLI: Acta, p.45o, Anm.1.
3) "... Jean ... peut enfin introduire la distinction
... entre un «moi» , son être véritable et son
fantôme charnel. ... un vrai portrait n'imite pas
ce qui est visible et il ne se compose pas avec des
objets matériels." (JUNOD/KAESTLI, a.a.O.,p.451).
4) Vgl. BIELER¡L: $\vartheta\varepsilon\widetilde{\iota}o\varsigma$ $\dot{\alpha}\nu\acute{\eta}\varrho$ p. 7o und p. 7o ff. zur geschlechtlichen Askese allgemein.
5) Vgl. 3.1.1. Anthropologie ($\pi\nu\varepsilon\widetilde{\upsilon}\mu\alpha$).
6) Daß der Apostel z.B. um verborgene Gedanken (Verwand-
ter des Artemispriesters), Gemütszustände nicht ge-
genwärtiger Personen (Drusiana) und zukünftiges Geschehen (Tod des Fortunatus) weiß, gehört zu den
"facultés habituelles du $\vartheta\varepsilon\widetilde{\iota}o\varsigma$ $\dot{\alpha}\nu\acute{\eta}\varrho$ antique, qu'il
soit païen, juif ou chrétien."... Gleichzeitig ist
dies "... un reflet de l'importance accordée aux
manifestations de l'esprit prophétique dans le christianisme primitif et l'Église des deux premiers siècles."
(JUNOD/KAESTLI: Acta,p.45o, Anm.1.

'nen Todesstunde, die nicht durch äußere Zeichen ange-
kündigt ist (c.111-115). Als Wundertäter besitzt Joh.
Macht über die Tiere (c.6o f.), er führt Hilfswunder
aus: Krankenheilung und Totenerweckung und kann die
Fähigkeit dazu delegieren (c.24; c.47; c.81). Hier spielt
der Glaube als Voraussetzung teilweise eine Rolle (c.24).[1]
Vergleicht man die Wundergeschichten der AJ mit denen
des NT, so zeigt sich in ihrer Tendenz eine größere Nähe
zum Joh.Evgl. als zu den syn. Evgl.:[2] Der Gedanke der
Verherrlichung des Herrn durch seinen Apostel tritt
deutlich hervor. Zugleich werden die Wunder auch im Sinn
der Beglaubigung gestaltet; Joh. sieht in der Auferweckung der Kleopatra seine Glaubwürdigkeit auf dem
Spiel stehen (c. 21; und c. 22), parallel dazu geht es
um den Verkündigten selbst (c.22).

Der Gegensatz zum NT ist deutlich: Auch im Joh. Evgl.
schaffen Wunder keine Beglaubigung, sie sind Akzidens,
nicht Zentrum; in den AJ wirken sie Glauben und Bekehrung,
der sie Ausführende wird durch sie zum Religionsstif-
ter[3] (z.B. Lykomedes und KLeopatra, der Tempel der
Artemis). Seine unmittelbar bevorstehende Aufgabe wird
ihm im Traum vermittelt (c.18 und c.48).[4]

Jede neue Tat des Apostels ist dadurch gekennzeichnet,
daß er neue Anhänger gewinnt: Lykomedes und Kleopatra;
Kallimachus, den Bauern und seinen Sohn etc. Ein Teil
von ihnen wird zu seinen engeren Begleitern, allen aber
ist gemeinsam, daß sich ihr Leben durch die Bekehrung
ändert; neben der Absage an die alten Götter (Lykomedes,
Kleopatra, Bevölkerung von Ephesus) steht die Hinwendung

---

1) Vgl. dazu BIELER, L.: $\vartheta\epsilon\tilde{\iota}o\varsigma\ \dot{\alpha}\nu\dot{\eta}\rho$, p.113 ff.
2) Zum Vergleich Joh. und Syn. in diesem Punkt: BIELER, L.:
   a.a.O., p.116.
3) Vgl. BIELER, a.a.O., p.119.
4) Vgl. BIELER, a.a.O., p.12o.

zur asketischen Lebensgstaltung. Der Glaube, der sich
hier manifestiert, hängt an der Autorität des Apostels,
der sich auf die geheime Offenbarung Christi beruft.

Die Gestalt des Apostels zeigt größte Übereinstimmung
mit dem Bild, das die Antike vom $\vartheta\varepsilon\tilde{\iota}o\varsigma$ $\grave{\alpha}\nu\acute{\eta}\rho$ hatte.
Joh. kann man, einen Begriff von BIELER aufnehmend,
als "religiösen Helden"[1] bezeichnen. Die dabei vorausgesetzte Bindung an das Göttliche wird mit der Offenbarung des Kyrios gegeben, die das Leben des Joh. in
der als Bezeugung gekennzeichneten Missionstätigkeit
bestimmt. Ihr dienen auch die Wunder, die gleichzeitig
die Funktion des Anlasses zur Bekehrung haben. Unter
dem auf den Wundertäter bezogenen Blickwinkel der AJ
lassen die Wunder den Apostel aber auch als um ihrer
selbst willen geschätzte Persönlichkeit hervortreten.

Wenn dies aber der Fall ist, dann bieten die AJ, die
sicherlich auch erbauliche Zwecke verfogen, dem Leser
bei einer in der Grundlage übereinstimmenden Lebenssicht
und Lebensdeutung die Möglichkeit, den Apostel, indem
er als Vorbild begriffen wird, in der Identifizierung
mit ihm ihn für die eigene Lebensgestaltung fruchtbar
zu machen. - Indem aber der Vf. das Bild des $\vartheta\varepsilon\tilde{\iota}o\varsigma$ $\grave{\alpha}\nu\acute{\eta}\rho$
benutzt, bedient er sich gleichzeitig einer seiner Zeit
bekannten Darstellung, um damit den Horizont seiner
Leser für seine theologische Absicht in Anspruch zu
nehmen. Auf dem Hintergrund des Bildes vom $\vartheta\varepsilon\tilde{\iota}o\varsigma$ $\grave{\alpha}\nu\acute{\eta}\rho$
wird der $\vartheta\varepsilon\acute{o}\varsigma$ verkündet, der allein den Weg aus der ir-
dischen Vorfindlichkeit zeigen kann und dies tut im
Vorbild des von ihm zuerst und von allen Auserwählten:
Johannes.
Er ist
- der Augenzeuge der "historia" seines Herrn,

---

1) Vgl. BIELER, a.a.O., p.141.

- der allein bevollmächtigte Verkünder seines Heilplans,
- der, der die Kontinuität des Erkannten allein verbürgt,
- derjenige, der größere Erkenntnis besitzt, als er
  anderen vermittelt,
- der, der nicht nur als erster Verkünder die Gemeinde
  sammelt, sondern sie als der Bevollmächtige an
  seine Person bindet,
- der, der vom Herrn selber immer wieder auf seinen
  Auftrag hin ausgerichtet wird,
- das Vorbild anderer, die durch ihn zum Glauben kommen,
  indem er die der $\gamma\nu\tilde{\omega}\sigma\iota\varsigma$ entsprechende Lebensgestaltung verkörpert,
- der mit außergewöhnlichen Fähigkeiten zu Wundern
  Begabte.

In dem von den AJ gezeichneten Bild des Apostels vermi-
schen sich Züge biblischer Tradition mit denen eines
populären Idealmenschen. Beide werden unter der Sicht
der Geheimoffenbarung vereinnahmt und repräsentieren
die Erlösungssehnsucht der Menschen, die, in der Bana-
lität ihres Alltags gebunden, die Frage nach einem ihr
Dasein übergreifenden und es transzendierenden Sinn-
zusammenhanges stellen. Aus dem "intermediaire" Johannes wird die unmittelbare Bezugsperson, ohne die der
Glaube an den Kyrios sein Fundament verlöre. "Ils
(les frères) sont fortifiés, non seulement par les
enseignements que Jean dispense et par les actes litur-
giques qu'il dirige, mais aussi par le rayonnement
surnaturel qui se dégage de sa personne."[1]

2.6. "Auseinandersetzung" mit der heidnischen Umwelt

Auseinandersetzungen mit den heidnischen Göttern bleiben

---

1) JUNOD/KAESTLI: Acta, p.438.

'im Ansatz, d.h. in der äußeren Situation stecken, darauf
beschränkt, diese Gottheiten als statuarisches Gegenüber (Artemis) bzw. gedanklich-szenisches Dekorum (Dike)
für die Erzählung zu verwenden. Mit dem Erscheinen des
Apostels ist ihre Macht über die Anhänger gebrochen, er
nimmt ihnen, in seinem Anspruch beglaubigt durch Wunder,
jede Chance, sich zu behaupten. So beherrscht schon vor
dem Sichtbarwerden der Ohnmacht der Artemis die Furcht
vor dem Apostel und seinem Gott die Szene vor dem Tempel, so ist schon vor der Heilung der Kleopatra die
Göttin Dike als ungerecht erkannt und der Glaube an sie
verloren. Zu menschlichen Symbolgestalten des besieg-
ten Heidentums werden der Artemispriester einerseits,
der sich bereitwillig bekehren läßt, und Fortunatus andererseits, der seinen Glauben vergebens gegen den Apostel zu behaupten sucht und dem Urteil der Zugehörigkeit
zum Teufel verfällt.

Die Bekehrung bzw. sichtbare Verurteilung der Heiden
geschieht jeweils unter dem unmittelbaren Eindruck der
Wundermacht des Apostels, von einer das Einzelgeschehen
prägenden Auseinandersetzung sind höchstens in der Va-
termörder- und in der Drusiana-Kallimachus-Erzählung
Andeutungen zu entnehmen. Bei beiden Erzählungen ist
der Streitpunkt das sexuelle Verhalten, d.h., die "Auseinandersetzung" mit dem Heidentum wird auf das Gebiet
verlegt, das dem asketischen Interesse der AJ entgegengesetzt ist. Allerdings bleibt es auch hier beim bloßen
Gegenüber, da der mögliche Konflikt durch die Bekehrung
aufgefangen wird.

In den Rahmen der Auseinandersetzung gehört auch die
Frage nach den Personengruppen, die sich dem Christentum
anschließen. Sieht man von der Massenbewegung anläßlich
des Stiftungsfestes der Artemis ab, so wird in den AJ
der Erfolg christlicher Mission gerade bei gesellschaft-

lich angesehenen Schichten herausgestellt. Eine Ausnahme
bildet die Erzählung vom Vatermörder, die ihren Ort
bei der Landbevölkerung, einer sozial nicht sehr hoch
angesehenen Klasse, hat.

Insgesamt gesehen gilt in den AJ dem Heidentum nur
insoweit das Interesse, als aus ihm die Erwählten aus-
zusondern sind. Mit dem universalen Aspekt paulinischer
Missionstätigkeit hat auch die Massenbekehrung in Ephesus nichts zu tun, denn die Thematik dieser Erzählung
ist allein die Übermächtigkeit des Herrn, die im Wirken
seines Apostels sichtbar wird.

Das Zusammentreffen mit dem Heidentum ist so weder im
Grundansatz noch in Einzelfragen in Form differenzier-
ter Aussagen aufgenommen, sondern die heidnische Umwelt
wird nur da aspekthaft-tendenziös thematisch, wo sie
für die Verkündigung der AJ als grober Kontrast benötigt
wird.

2.7. Gemeinde

Die Gemeinschaft der für das von Joh. für das Christentum Gewonnenen zeigt sich ausschließlich auf ihren Gründer ausgerichtet. Vergleicht man sie unter diesem Aspekt
z.B. mit paulinischen Gemeindegründungen, so gilt beiden zwar gemeinsam, daß die Apostel in ihren Gemeinden
höchste Lehrautorität verkörpern, dies allerdings auf
dem Hintergrund eines gänzlich unterschiedlichen Verständnisses des Apostolats (2.5). Hinzu kommt bei einem
Vergleich,
1. daß anders als bei Paulus dem Apostel an der Spitze
keine Gemeindeglieder zugeordnet sind, die besondere Ämter

wahrnehmen[1] und die Gemeinde nach dem Fortgang des
Apostels leiten können, so daß sie ohne den Apostel
kaum existenzfähig ist,

2. daß anders als bei Paulus die gegründete Gemeinschaft
nicht ortsfest ist, sondern sich zumindest zum Teil
mit dem Apostel auf Wanderschaft begibt, ohne daß
sie von Johannes mit irgendwelchen Aufgaben betraut
ist.

Die Zahl derer, die zur Gemeinschaft gehören, ist offensichtlich begrenzt, auch wenn der Verfasser die gesamte
Bevölkerung von Ephesus bei bestimmten Gelegenheiten
als Zeuge seiner Wunderkraft und als von seiner Botschaft überzeugte aufbietet. Deutlich wird dies vor allem
im Zusammenhang mit der Evangeliumsverkündigung, da
der Apostel offensichtlich nur Auserwählte an der ihm
von Jesus selbst vermittelten Offenbarung teilhaben lassen
will. Auch der Inhalt der Rede des "gekreuzigten" Christus legt diese Sicht nahe; denn hier steht die Masse
außerhalb des Kreuzes denen gegenüber, die schon gerettet sind. Ihre verschärfte Entsprechung hat diese
Aussage in der Anthropologie, die zwischen den überhaupt zur Rettung Geeigneten und den Verlorenen unterscheidet. Es ist sicherlich nicht falsch, in diesem Zusammenhang von einem Elitebewußtsein der in den AJ dargestellten Minorität zu sprechen.

---

1) Vgl. zur Kennzeichnung dieser Gemeinschaft SCHÄFERDIEK,
K.: Herkunft, p.264: "Eine feste Amtsordnung hat sie
anscheinend nicht besessen. Zumindest begegnet in
den Johannesakten kein Versuch der Legitimation einer
institutionellen Gemeindeleitung, die sich als Fortsetzung der von dem Apostel ausgeübten Führungsrolle
geben könnte."
Vgl. ferner JUNOD/KAESTLI: Acta, p.680: "... la
communauté ... semble dépourvue de toute espèce
d'organisation et de ministères ecclésiastiques...".

Trotz der dem Apostel zugeschriebenen weiteren Gemeindegründungen läßt sich eine Einbindung der jeweiligen Einzelgemeinde in einen größeren kirchlichen Rahmen nicht
erkennen. Es scheint vielmehr so gewesen zu sein, daß
die Beziehungen der Gemeinschaften untereinander über
Verbindungen durch reisende Wanderprediger, als deren
Prototyp der Johannes der AJ angesprochen werden mag,
nicht hinausgingen. Der unorganisierten Einzelgemeinde
entspräche dieser an keinerlei Amt gebundene Prediger-
typus, der seine Vollmacht allein auf die ihm durch
Jesus Christus geschenkte Offenbarung gestützt wissen
will.

Versucht man, nähere Information über die Bedingungen
zu gewinnen, die derjenige erfüllen muß, der in die
Gemeinschaft aufgenommen werden will, so fehlen die Spuren einer vorausgehenden Glaubensunterweisung. Aus-
schlaggebend scheint das durch Wunder bewirkte Bekeh-
rungserlebnis zu sein, das offensichtlich eine asketische Lebensausrichtung des Bewerbers zur Folge hatte
und ihn damit endgültig für die Gemeinschaft qualifi-
zierte. Über eine Taufe der Bekehrten erfahren wir
nichts,"... die Taufe (wird) nur einmal in einer Aufzählung eines als Fluchformel verwendeten Exorzismus
als « heiliges Bad » der Christen erwähnt (Act. Joh.84).
... Da sich die exorzistische Formel als vorgeformtes
Traditionsgut verstehen läßt, ist dieser Befund doch
recht auffällig und spricht ... zumindest doch für
die Annahme, daß ... eine Taufe als sakramentaler Akt
der Initiation keine konstitutive Bedeutung gehabt
hat."[1]

---

1) SCHÄFERDIEK, K.: Herkunft, p.264 unter Hinweis auf
   "die von R. MILLER geäußerte Vermutung, die Gemeinde
   der Johannesakten habe überhaupt keine Taufe gekannt...
   (Zur Literaturangabe vgl. die Anm.62 bei SCHÄFERDIEK).

Von dem religiös-kultischen Leben der Gemeinde läßt
sich Genaueres über Gottesdienst und Eucharistie sagen (c.1o6-11o[1)]) Als Tag der Feier, zu der sich die gesamte Gemeinschaft wohl in einem Privathaus einfindet,
wird der Sonntag genannt. Das Fehlen einer Schriftlesung
zu Beginn des Gottesdienstes ist sicher kaum zufällig,
unterstreicht es einerseits die Stellung der Gemeinde
außerhalb jeglicher gemeinsamer Glaubensüberlieferung
und gesamtkirchlichen Verbundenheit, so hebt es andererseits die besondere Wertschätzung des Apostels hervor,
dessen Predigt[2)] eben an die Stelle dieser Lesung tritt
und ihn als bevollmächtigten Sprecher seines Herrn qualifiziert, der sich auf keinerlei Aussagen anderer berufen muß. Der zweite Teil des Gottesdienstes ist die
Eucharistiefeier, bei der als Element nur das Brot
erwähnt wird. Im Mittelpunkt stehen zwei Gebete des
Johannes, ein Bittgebet[3)] und ein Dankgebet. Bei beiden
fehlt eine Bestätigung der Gemeinde mit dem hebräischen
"Amen". Das Gebet in c.1o9 ist als Eucharistiegebet
gekennzeichnet (1o4,2).[4)] Neben Lob und Dank finden
hier besonders Prädikationen ihren Platz, die zwar in
ihrer Relativierung das Unvermögen der Menschen, Gott

---

1) JUNOD/KAESTLI: Acta, p.511 verweisen auf den Zusammenhang dieser Kapitel mit 46,5-8: "Les quatre éléments
   de l'assemblée cultuelle énumérés au ch.46 trouvent
   une illustration frappante dans la liturgie domini-
   cale que Jean célèbre avec les frères le jour de
   sa mort (1o6-11o)".
2) Dem entspricht nach JUNOD/KAESTLI: a.a.O., p.512
   in c.46,5 f.: "Ἡ ὁμιλία ἡ πρὸς τοὺς ἀδελφούς ...
   dont on a un exemple en 1o6-1o7."
3) Dieses Gebet in c.1o8 sehen JUNOD/KAESTLI als Ver-
   anschaulichung zu εὐχή in 46,6 (ebenda).
4) Εὐχαριστία wird in 46,6 als 3. Element erwähnt.
   "L'εὐχαριστία se rapporte au rite de la communion,
   comprenant aussi bien la prière eucharistique
   (1o9; cf. 85) que la fraction et la distribution
   du pain (11o; cf. 86,1-2)"
   (Ebenda).

zu erkennen, deutlich werden lassen, zugleich aber als
Aussagen des esoterischen Offenbarungsträgers Johannes
das Hinauswachsen des Eingeweihten über die Unvoll-
kommenheit menschlichen Sprechens und Begreifens anzeigen.
Der Opfergedanke[1] hat aufgrund der Christologie der
AJ keinen Platz im Eucharistiegebet. Teilnehmer der
Mahlfeier sind alle Gottesdienstbesucher, wobei der
Apostel offensichtlich noch für jeden gesondert bittet,
daß er der Eucharistie würdig ist (c.11o).[2] Der
Gottesdienst schließt mit der Entlaßformel: εἰρήνη ἀγαπη-
τοί (c.11o,4 f.). Von einer Agapefeier wird in den AJ
nichts erwähnt.

Abgesehen vom Sonntagsgottesdienst hat die Eucharistiefeier auch noch bei der Totenbestattung ihren Platz,
wobei der frühe Morgen des dritten Tages nach dem Be-
gräbnis als Zeitpunkt der Feier anzusehen ist. Wahrscheinlich spielt dabei die für die AJ nicht maßge-
bende Auferstehung Christi am dritten Tag indirekt eine
Rolle.

Zusammenfassung: Die hinter den AJ stehende Gemeinschaft
stellt sich als eine Einzelgemeinde mit zufälligen
Kontakten zu Gemeinden gleicher Glaubensprägung dar.
Ihre Mitglieder wissen sich aufgrund der besonderen Beziehung ihres "Gründers" zum Kyrios als die Auserwählten, die aus der Welt Ausgesonderten, was sie auch durch
ihre Lebensgestaltung bezeugen wollen, die unabdingbar
mit ihrem Status als Gerettete verbunden ist.

---

1) "... die Eucharistie (wurde) als Brotbrechen ohne
   Wein begangen, und sie hatte den Charakter einer
   danksagenden Anamnese Christi als des Heilsbringers
   ohne Bezug auf seinen Leib oder seinen Tod und ohne
   im eigentlichen Sinn sakramentale Züge" (SCHÄFERIEK;
   K.: Herkunft, p.264), vgl. JUNOD/KAESTLI: Acta,p.562 f.
2) JUNOD/KAESTLI: a.a.O., p.512: "On rapprochera donc
   la χειροϑεσία du ch.46 de ce passage de la Metastasis...
   (11o,1-3)..."

3. Versuch einer Einordnung

3.1. Die theologische Stellung

Ausgangspunkt einer theologischen Einordnung der AJ
ist der Bericht über die Kreuzigung in der Evangeliumsverkündigung, mit dem die AJ ebenso wie die ntl. Evangelien den Weg des historischen Jesus abschließen.
Die Deutung dieses Geschehens zeigte sich jedoch dem NT
gegenüber völlig entgegengesetzt, besitzt dort aber
erkennbare Ansatzpunkte. Um dies zu verdeutlichen, sind
die ntl. Auffassungen vom Kreuz knapp aufzuzeigen. Nach
ROLOFF lassen sich für den Tod Jesu drei Deutungsschemata
aufzeigen:[1]
1. Das Kontrastschema ist der älteste Deutungsversuch.
   Belegt ist es durch Formeltraditionen, wie sie in
   1Thess 4,14a; Röm 8,34; 14,9 greifbar sind, und durch
   die Petruspredigten in der Apostelgeschichte (z.B.
   4,1o), die darauf zurückgreifen. Im Hintergrund steht
   die Auseinandersetzung des Urchristentums mit dem
   Judentum, in der "das Kreuz ... lediglich den dunk-
   len Kontrast zu Gottes Handeln an Jesus in der Erhöhung"[2] bildet.
2. Das heilsgeschichtlich-kausale Schema spricht dem
   Tod Jesu dagegen eine bedingt eigene Heilsbedeutung
   zu. Die Passion wird als "Vorstufe der endzeitlichen
   Heilsoffenbarung gesehen",[3] ist also auf dem Hintergrund der Apokalyptik zu verstehen. Gleichzeitig fließt
   die atl. Vorstellung vom leidenden Gerechten mit ein.
   Die markinischen Leidenssummarien (8,31; 9,31) lassen
   so den Tod Jesu nicht mehr als von Menschen verur-
   sachtes Geschehen verstehen, sondern "als Handeln
   Gottes in der Geschichte."[4]

---

1) ROLOFF, J.: Neues Testament, p.185 ff.
2) ROLOFF; J.: a.a.O., p.186.
3) Ebenda.
4) ROLOFF, J.: a.a.O., p.187.

3. Das soteriologische Schema ist durch den Verweis, daß
Jesus ὑπὲρ ἡμῶν (ὑπὲρ πολλῶν) gestorben ist, gekennzeichnet. Als sein Sitz im Leben ist die Abend-
mahlsüberlieferung anzusehen; "die das Mahl feiernde
Gemeinde begriff sich als die neue, durch Jesu die-
nendes Eintreten vor Gott konstituierte Heilsgemein-
schaft der Endzeit."[1] Für Paulus wird die soteriologische Deutung, die er mit der heilsgeschichtlich-
kausalen verbindet, wesentlich. Zugleich geschieht
durch den Tod Jesu Versöhnung zwischen Gott und Mensch

Während die theologis crucis des Paulus die Dialektik
der Niedrigkeit und Hoheit Christi in sich schließt und
"das Kreuz als Grund des Heils in dem Sinne exklusiv
(versteht), daß alle anderen Heilsereignisse... dem
Kreuz zugeordnet und von dort her verstanden werden...[2],
ist in den AJ die Exklusivität des Kreuzes zunächst einmal in dem Sinn transzendiert, daß dem irdischen Kreuz
das Lichtkreuz diametral entgegengesetzt ist. Die von
Paulus in besonderer Weise vertretene theologia crucis
ist insofern ad absurdum geführt, als das irdische Kreuz
Exklusivität nur im Sinn der bewußten Täuschung und des
Mißverständnisses besitzt. Heil kommt diesem Kreuz also
in keiner Weise zu. Ebensowenig beansprucht das Golga-
thakreuz folglich, daß es wie bei Paulus "als Ausgangspunkt der Theologie in dem Sinn (verstanden wird),
daß es nicht eine neben der Kreuzestheologie bestehende
und von ihr nicht betroffene Gotteslehre geben kann..."[3]
Im Gegenteil, Golgatha ist zu verlassen, um die Offenbarung des Lichtkreuzes wahrzunehmen; denn der Herr der
AJ ist eben nicht dem Leiden und dem Tod ausgesetzt,
er steht jenseits davon, kann in keiner Weise davon betroffen werden.

---

1) ROLOFF, J.: a.a.O.,p.189.
2) LUZ, U.: Theologia, p.116.
3) Ebenda.

Die theologia crucis des NT erreicht im Kreuzestod
Jesu ihren Höhepunkt in der Frage nach der Identität
Jesu Christi,[1] gleiches gilt auch für die AJ. Beide
beantworten - aber vollkommen entgegengesetzt - die
Möglichkeit, anhand des Kreuzesschicksals Jesu im historischen Bereich zu einer authentischen Klärung der Sinn-
frage des Lebens Jesu zu kommen, negativ, beide geben
eine meta-historische Auflösung.[2] Gilt auf der einen
Seite: "Die nichthistorische Wirklichkeit der Auferweckung von den Toten ist eine notwendige Bedingung der
Möglichkeit ihrer Realität als Auflösung der Aporie des
historischen Jesus in seinem Tod am Kreuz",[3] so entfällt zwangsläufig durch die Nichtfaktizität der Kreuzigung in den AJ die Auferstehung und damit diese Form
der meta-historischen Auflösung, an ihre Stelle ist das
Lichtkreuz als bestimmender Ausdruck der Identität des
Herrn getreten. Gibt es auf der einen Seite eine positive Korrelation zwischen Kreuz und Ostern, so gibt es
auf der Seite der AJ notwendig eine negative Korrelation
zwischen dem Golgatha-Kreuz und dem Lichtkreuz. Im Für-
Wahr-Halten des Golgatha-Kreuzes kulminiert für den
Vf. der AJ das völlige Nicht-Verstehen der Gestalt des
Kyrios. Während sich im NT Gott durch die Auferweckung
mit dem Gekreuzigten identifiziert, ist für die AJ gerade das Kreuz der Ort der Nicht-Identifikation: zwischen dem irdisch-sichtbar Gekreuzigten und dem sich
offenbarenden Gott besteht keinerlei Entsprechung im
Rahmen der heilsgeschichtlichen Identität beider. So
ist das Kreuz kein Heilsgeschehen im ntl. Sinn, im
Gegenteil: das Paradoxon von Kreuz und Heil muß aufgehoben werden, weil jegliche Realität des Kreuzesgeschehens
im Hinblick auf den Kyrios negiert wird, da ein Leiden
in irdischer Unterworfenheit ihm zutiefst nicht angemessen
ist. Die theologia crucis wird für den Schauenden zur

---

1) Vgl. GEYER, H.-G.: Rohgedanken, p.393.
2) Vgl. GEYER, H.-G.: ebenda zur Identität des ntl.
   Jesus Christus.
3) Ebenda.

'theologia gloriae, in die das Kreuz umgewandelt als
Lichtkreuz transzendiert wird.

Damit ist die Frage nach der Identität des im Irdischen
Begegnenden und dem im Lichtkreuz Erscheinenden zunächst
einmal negativ beantwortet. Die Voraussetzung der Betrachtung beider ist die der Diskontinuität unter dem
Aspekt des Erkennens, das dem Herrn gemäß ist. Bezie-
hungen zur theologia crucis sind die des umgekehrten
Vorzeichens. Positive Anknüpfungspunkte im NT sind jedoch
an anderer Stelle sichtbar.
So ist ebenso wie im JohEv die innerweltliche Wahrneh-
mungsfähigkeit alternativ gesehen. Johannes ordnet dem
physischen Sehen den Fleischgewordenen, dem glaubenden
Sehen den himmlischen Offenbarer zu.[1]
In den AJ wird das Hinauswachsen über das Sehen des
"Fleischgewordenen" in der Polymorphie deutlich. Dieses
"Sehen" gehört also nicht, wie JUNOD/KAESTLI meinen,
zu den "phénomènes sensibles, c'est à dire perceptibles
au sens (vue, toucher)".[2] Derjenige, der von Joh. "gesehen" wird, bzw. dasjenige, was "gesehen" wird, ist
fernab aller Möglichkeiten irdisch-menschlicher visueller
Wahrnehmung: Joh gelangt hier zu einer Ahnung der Göttlichkeit seines Kyrios,[3] die in dem "Sehen" des Lichtkreuzes und dem paradoxen "Sehen" des Herrn ἐπάνω
τοῦ σταυροῦ, der keine Gestalt besitzt, sondern allein
Stimme ist, gipfelt. In diesem Lichtkreuz "sieht" er
die unvollendete Formgebung, und diesem "Sehen" entspricht er mit seinem Auftrag. Er ist dazu ausgesandt,
das weiter zu vollenden, was ihm als unvollendet offen-

---

1) Vgl. SCHOTTROFF, L.: Glaubende, p.277 f.
2) JUNOD/KAESTLI: Acta, p.476.
3) JUNOD/KAESTLI deuten z.B. das Fehlen des Fußab-
   druckes des Herrn als "une marque de divinité
   ou de sainteté" (Acta, p.476), ohne allerdings dem
   "Sehen" des Joh die Erkenntnis dieses Zeichens zu-
   zumessen.

bart wurde. Sein "Sehen" - auch des polymorphen Herrn - ist γνῶσις , veranlaßt ihn, ihm nachzufolgen, läßt ihn dann handeln in Wundern, Reden und Gebeten. Der Menge in Jerusalem aber bleiben die Augen verschlossen, sie sehen den Gekreuzigten und nehmen irdisches Sehen als Wahrheit an, so bleibt ihnen auch die Aufnahme des Herrn verborgen. In diese Doppeldeutigkeit des Sehens verweist auch das Prinzip des Mißverständnisses, insofern auch hier die innerweltliche Wirklichkeitserfahrung in Alternative zu Gottes endzeitlichem Wirken gesetzt wird.[1] Das JohEv leugnet zwar damit nicht die Realität der Existenz des irdischen Jesus bis hin zum Tod, aber es relativiert sie insofern, als es die Unangemessenheit dieses Sehens aufdeckt. Es gilt in Jesus nicht den Menschen zu erkennen, sondern den wahrhaftigen Gott; "die innerweltlich Sehenden bekommen tatsächlich nichts anderes zu sehen als einen alltäglichen Menschen."[2] Die AJ steigern diesen alternativen Ansatz, dessen Intention es ist, Jesus als den himmlischen Offenbarer zu begreifen. Um dies zu verdeutlichen, ist zunnächst im folgenden eine Aufnahme einiger Ergebnisse KÄSEMANNs zur Untersuchung von Johannes 17 notwendig,[3] und zwar im Hinblick auf die Identität Jesu, die Bedeutung des Kreuzes und die Relation zwischen Erdenleben und Passion. Thematisch ist KÄSEMANNs Arbeit auf die johanneische Eschatologie unter den Aspekten der Chri-

---

1) VIELHAUER, Ph.: Geschichte, p.435 schreibt zur Funktion des Mißverständnisses: "... die Mißverständnisse sind Ausdruck des johanneischen Offenbarungsverständnisses: der natürliche Mensch muß Jesus mißverstehen; ihn verstehen kann nur der, der den Geist empfangen hat, vom Geist belehrt ist (2,22; 7,39; 14,26)." Vgl. dazu auch ROLOFF, J.: Neues Testament, p.142.
2) SCHOTTROFF, L.: Glaubende, p.279.
3) KÄSEMANN, E.: Jesu letzter Wille.

stologie, Ekklesiologie und Soteriologie ausgerichtet.
Dabei ist die "theologische Sachproblematik ... als
Schlüssel für die historische Frage" verwandt. "Denn
diese Sachproblematik muß sich einem bestimmten Raum
urchristlicher Geschichte einordnen lassen und umgekehrt
von da aus abgeleitet werden können."[1] In der Ausrichtung
beider Fragekomplexe zueinander kommt er für die zuvor
genannten Punkte zu folgenden Feststellungen: Die Umwandlung der johanneischen Eschatologie "in Protologie, die
konsequente Darstellung Jesu als des über die Erde schreitenden Gottes, die Ekklesiologie der durch den göttlichen
Ruf wiedergeborenen, vom Wort her lebenden und die
himmlische Einigung irdisch repräsentierenden Gemeinde,
das Sendungs- und Weltverständnis, die Reduktion der
christlichen Paränese auf die Bruderliebe und schließlich die Hoffnung auf die himmlische Vollendung sind
die kennzeichnenden Züge der johanneischen Eschatologie."[2]

BORNKAMM weist in seiner kritischen Stellungnahme zu
KÄSEMANNs Arbeit darauf hin, daß die $\delta o \xi \alpha$ des Irdischen,
die KÄSEMANN im JohEv so sehr betont sieht, auch bei
Johannes nur vom Kreuz her verstanden werden kann. "Gewiß eignet sie im Johannesevangelium schon dem Irdischen.
Daß aber so geredet werden kann, weiß erst die nachösterliche Gemeinde."[3] BORNKAMM vermißt bei KÄSEMANN
jeglichen Hinweis darauf, daß das JohEv nur im Rückblick von der Doxa des Irdischen reden kann und daß in ihm
auch nur unter dieser Perspektive davon gesprochen wird.
"Die Erkenntnis, daß der Glaube, von dem aus das johanneische Christusbild entworfen ist, sich nicht primär auf den Irdischen, sondern auf den am Kreuz Voll-
endeten gründet, kommt nicht wirklich zur Geltung. Ist
dies aber richtig, dann zerbricht gleichsam die Ebene,

---

1) KÄSEMANN, E.: a.a.O., p.15.
2) Ders.: a.a.O., p.151 f.
3) BORNKAMM, G.: Interpretation, p.18.

auf der nach KÄSEMANN Johannes die Geschichte Jesu als
die mythische Geschichte des über die Erde schreitenden
Gottes ablaufen läßt."[1] Die Kritik ist jedoch nicht
berechtigt; KÄSEMANN schreibt: "Alle Evangelien setzen
Ostern voraus und entfalten darum eine nachösterliche
Christologie von Jesus als dem Gottessohn."[2] Dieser
Satz hat als Kontext die joh. Eschatologie, die KÄSEMANN
unter die Christologie subsumiert, er kann dies tun, weil
Joh. seiner Christusgestalt eine gänzlich andere Ausrichtung im Vergleich zu den Synoptikern gibt. Sichtbar wird dies am Verhältnis von Jesu Erdenleben zu seiner Passion. Ausgangspunkt ist dabei die joh. Zeichnung
des irdischen Jesus Christus, in dem Auferstehung und
Leben erscheinen. Dieser Christus gewinnt dabei nicht
erst im Tod etwas, was er zuvor nicht hatte, sein Tod
schließt zwar "Erhöhung und Verherrlichung in sich,"
aber nur "sofern es die Trennung von der Welt und die
Rückkehr zum Vater meint. Diese ist als solche zugleich
die Rückkehr in die Herrlichkeit des präexistenten Logos."[3] Die Verbindung von Jesu Leben zu seinem Tod
sieht KÄSEMANN im Joh. Evgl. damit verschieden von
Phil 2,9: "Anders als in Phil 2,9 erscheint jedoch die
Erhöhung nicht mehr als Belohnung des irdischen Ge-
horsams..."[4] "Jesu Herrlichkeit resultiert nicht aus
seinem Gehorsam, so daß sie wie anderswo im Neuen Testament als dessen Lohn definiert werden könnte. Der
Gehorsam resultiert umgekehrt aus Jesu Herrlichkeit
und ist deren Bezeugung in der Situation des irdischen
Widerspruchs."[5] Damit kann die Passion ebenso wenig
wie die Inkarnation eine "Veränderung Christi nach seinem

---

1) BORNKAMM, G.: Interpretation, p.18.
2) KÄSEMANN, E.: Jesu, p.39.
3) KÄSEMANN, E.: a.a.O.,p.44.
4) Ebenda.
5) KÄSEMANN, E.: a.a.O.,p.46.

Wesen" bedeuten, "sondern ... den Wechsel des Raumes
und damit die Reichweite seiner Manifestation."[1] Die
Perspektive der joh. Christologie ist nicht die Frage
nach dem Gekreuzigten als Gottes Sohn, sondern, da die
Gottheit des Gekreuzigten feststeht, die Frage nach
dem Warum von Inkarnation und Passion, die im Verständnis von Sendung und Heimkehr ihre Antwort findet.[2]
In der Frage nach der Identität Jesu ist nicht das Kreuz
entscheidend, sondern seine Funktion als Gottes Offenbarer, in der er mit dem Vater eins bleibt.[3] Von dieser
Einheit aber gilt: "Seine Einheit mit dem Vater hat
soteriologische Funktion."[4] - Abschließend zu KÄSEMANNs
Deutung der joh. Christologie ist noch einmal das
Kreuz in den Mittelpunkt zu rücken: "Die Herrlichkeit
des irdischen Jesus manifestiert sich in Zeit und Raum
und in einer Welt der widergöttlichen Rebellion. Insofern
verbinden sich mit ihr Merkmale der Niedrigkeit ... Jedoch wird mit Jesu Tod die irdische Begrenzung aufgehoben, der Raum der Niedrigkeit verlassen und Jesu zeitliche Herrlichkeit vollendet."[5]

Zusammenfassend lassen sich damit nach KÄSEMANN folgende
Ergebnisse zur joh. Christologie nennen:
1. Die Identität Jesu Christi ist als die des präexistenten Logos zu bestimmen.[6]
2. Die Inkarnation als Projektion der Präexistenzherrlichkeit[7] bezeichnet also den Raum seines Offen-
   barwerdens.[8]
3. Sein Erdenleben zeigt ihn als Gott, der in die Menschenwelt hinabsteigt.[9]

---

1) KÄSEMANN, E.: a.a.O., p.49.
2) Vgl. KÄSEMANN, E.: a.a.O., p.5o.
3) Vgl. KÄSEMANN, E.: a.a.O., p.55.
4) KÄSEMANN, E.: ebenda.
5) KÄSEMANN, E.: a.a.O.,p.48.
6) Vgl. KÄSEMANN, E.: a.a.O., p.49.
7) Vgl. KÄSEMANN, E.: a.a.O.,p.48.
8) Vgl. KÄSEMANN, E.: a.a.O.,p.49.
9) Vgl. KÄSEMANN, E.: a.a.O.,p.34 f.

4. Er ist dort als der Offenbarer Gottes zu bezeichnen,
   dessen entscheidendes Merkmal die Einheit mit dem
   Vater ist.[1]

5. Der Tod Christi am Kreuz ist neben der Manifestation
   des Präexistenten "Rückkehr zur zeitlich und räum-
   lich unbegrenzten Herrlichkeit des Präexistenten."[2]
   Von einer joh. theologia crucis im Sinn vom Mk und
   Pls kann man demnach nicht sprechen.

6. Obwohl Joh. die Inkarnation des Logos ausdrücklich
   vertritt, sieht KÄSEMANN mit Recht in seiner Herrlichkeitschristologie die Gefahr des Doketismus.[3]

Vergleicht man nun die joh. Christologie mit der der
AJ, so zeigen sich zalreiche Vergleichspunkte – allerdings
in unterschiedlicher Ausgestaltung. Die im Joh.Evgl.
vorliegenden Ansätze erscheinen hier weiter entwickelt
und ins Extreme hinein gesteigert. Für Joh. ist der irdische Christus eine Realität, seine Menschwerdung ist
nicht als solche ein Skandalon, sondern sie wird es
erst "als Medium seines Rufes, den Schöpfer anzuerkennen,
indem man dem Sohn glaubt."[4] Bei den AJ läßt sich feststellen: Von ihrer Grundtendenz her stehen Göttliches
und Menschliches in einem unaufhebbaren Widerspruch.
Unter diesem Aspekt wird die Menschlichkeit Jesu ähnlich wie im Joh.Evgl. zum Anstoß. Das Joh. Evgl. konnte aber an der Wirklichkeit der Inkarnation festhalten,
weil es den irdischen Jesus in unauflöslicher Einheit
mit dem Vater sah,[5] er gehört deshalb als der einzige
Offenbarer Gottes auch auf der Erde ganz auf seine Seite,[6] seine Gottheit wurde durch sein Menschsein nicht

---

1) Vgl. KÄSEMANN,E.: a.a.O., p.55.
2) KÄSEMANN, E.: a.a.O., p.49, Anm.53.
3) Vgl. KÄSEMANN, E.: a.a.O., p.61 f., anders BORNKAMM,G.:
   Interpretation, p.2o ff.
4) KÄSEMANN, E.: a.a.O., p.34.
5) KÄSEMANN, E.: a.a.O., p.33 f.
6) KÄSEMANN, E.: a.a.O., p.32.

vermindert. So besitzt seine Passion ohne Zweifel Realität, aber er erleidet sein menschliches Schicksal, "um
es auf göttliche Weise zu bestehen und zu überwinden."[1]
In der christologischen Konzeption der AJ ist die Möglichkeit einer Verbindung zwischen Irdischem und Himm-
lischem zerbrochen, das Skandalon der Kreuzigung des
Kyrios wird beseitigt: Wer Gott ist, kann nicht Mensch
sein - wer Mensch ist, kann nicht Gott sein. Die Gottheit des Kyrios ist in einem solchen Maße notwendige
Glaubenskomponente, daß das Menschsein diese Göttlichkeit zerstörte. So begegnet Jesus dem Apostel zwar im
irdischen Raum, aber er begegnet ihm nicht auf irdische
Weise und kann es auch nicht, wenn anders er nach der
Konzeption der AJ nicht Gott wäre. Deshalb stehen auf
der einen Seite die historischen Ereignisse der Begegnung des Joh. mit dem Herrn, auf der anderen Seite aber
die das irdisch Begreifliche negierenden Erfahrungen
der Transzendenz des Erlösers. Der Kyrios der AJ ist
zwar damit vordergründig eine Gestalt der Historie geworden, er entzieht sich diesem Historischen jedoch
folglich ständig als der dem Irdisch-Menschlichen in
keiner Weise Einzuordnende.[2] Die Identität Jesu Christi
bestimmt sich damit als die des im Irdischen erscheinenden Gottes. Seine irdische Erscheinungsweise ist
vielfältig durchbrochen, um Übermenschliches, d.h.
Göttliches transparent werden zu lassen. Vergleichbar
dem Joh. Evgl. zeigt ihn sein Erdenleben damit als Gott,
der in der Menschenwelt erscheint. Während bei Joh.
jedoch die Herrlichkeit Christi die Inkarnation in sich
aufnehmend, diese bewahren konnte, fordert in den AJ eben
diese Herrlichkeit des Kyrios zwangsläufig die Negation
der Inkarnation. - KÄSEMANN sieht die Jesusgestalt des
Evangelisten Joh. als die des Gottessohnes, für den das
für den das Erdenleben nur Folie ist.[3] Sein Hinabsteigen

---

1) KÄSEMANN, E.: a.a.O., p.34.
2) Vgl. zu dieser Ungeschichtlichkeit JUNOD/KAESTLI:
   Acta, p.491.
3) Vgl. KÄSEMANN, E.: Jesu, p.34 f.

·in die menschliche Welt ist für ihn jedoch wie für die
anderen Evangelisten Inkarnation, die Gefahr des Doketismus ist aber deutlich greifbar. In den AJ ist der
Doketismus Wirklichkeit geworden; die Linie, die der
Evangelist Joh. zu zeichnen begonnen hat, ist konsequent ausgezogen.
Deutlich wird dies auch an der Passionserzählung, wo
der Unterschied zum JohEv grundlegend ist. Konnte dieses
die Passion in seine Herrlichkeitschristologie   aufnehmen,
und zwar als Heimkehr in die Präexistenzherrlichkeit,
als deren Projektion die Inkarnation verstanden wurde,[1]
so kann der Vf. der AJ eine reale Passion aufgrund seiner
Christologie nur ablehnen. Inkarnation und Passion verfallen demselben Verdikt, sie sind nur Scheinwirklich-
keiten, die nichts über das Wesen des Kyrios aussagen
und denen jegliche Heilsbedeutung fehlt. Von einer theologia crucis im Sinn des Pls oder Mk kann man auch bei
Joh. nicht sprechen, auch für ihn ist das Kreuz kein
Heilsereignis, aber es dokumentiert für ihn in seiner
Realität auch - aber nicht primär - den Sieg Christi
über die Welt.[2] Die AJ vollziehen an diesem Punkt die
entscheidende Umkehr, auch für sie ist das Golgatha-
Kreuz kein Heilsereignis, aber sie gehen noch einen
Schritt weiter: Das Golgatha-Kreuz könnte, wenn es Realität besäße, nur den Sieg der Welt beinhalten, erst seine
Nicht-Realität zeigt den Sieg über die Welt. Joh. sieht
im gekreuzigten Christus Gott, während es für die AJ
im Gekreuzigten gerade keine Relation zu Gott gibt. Dennoch geht vom JohEv eine Linie zu den AJ. Für Pls geschieht die Erkenntnis Gottes im Kreuz des ohnmächtigen,
leidenden und sterbenden Christus, für Joh. gewinnt das
Kreuz eine andere Qualität: es drückt nicht Ohnmacht aus,

---

1) Vgl. KÄSEMANN, E.: a.a.O.,p.48.
2) Vgl. a.a.O., p.111.

sondern Sieg, es ist nicht weltbezogen wie bei Pls,[1]
sondern Christus-bezogen.[2] Der theologia crucis tritt
die theologia gloriae gegenüber, in der Ausziehung dieser
Linie mußte in den AJ die Realität des Kreuzes fallen,
da für sie aufgrund der damit verbundenen Gottesvor-
stellung kein Raum mehr blieb.

Wie die Christologie lebt auch die Soteriologie von der
Ausrichtung auf die Transzendenz des Erlösers bzw. auf
die Herrlichkeitschristologie, stellt sich also inhaltlich als Entweltlichung dar. Gegenüber dem JohEv entfällt jedoch bei gleicher soteriologischer Grundtendenz[3]
die Differenzierung zwischen Schöpfung und Welt, es bleibt
allein die Aussage über die unumschränkte Macht Gottes
(c.79,8 f.; c.112,1 ff. u.ö.). Welt wird jedoch bei beiden als der Ort begriffen, der für den Menschen nur Krankheit, Tod, Unglaube, Bosheit und widergöttliche Handlungs-
modelle bereithält. Deutlich wird dies in der Ethik, die

---

1) Vgl. LUZ, U.: Theologia crucis, p.122: "Für Paulus
   besteht Kreuzestheologie nicht darin, daß er das
   Kreuz interpretiert, sondern daß er vom Kreuz her
   die Welt, die Gemeinde, den Menschen interpretiert."
2) Vgl. KÄSEMANN, E.: Jesu, p.47: "Die Stunde der Passion
   und des Todes Jesu ist darum in ausgezeichnetem Sinn
   die Stunde seiner Verherrlichung, weil in ihr Jesus endgültig die Welt verläßt und zum Vater zurück-
   kehrt." p.48 f.: "Der durch die Erde als ein Frem-
   der ging, nämlich als der vom Vater Gesandte, und
   durch den Tod unangefochten und jubelnd geht, weil
   er in das Reich der Freiheit zurückgerufen wird, hat
   ganz einfach seine Sendung erfüllt, wie sein letztes
   Wort am Kreuz anzeigt."
3) Diese Absage an die Welt liegt auch im 1.Joh vor, in
   dem sie konditional-programmatisch formuliert ist:
   (2,15): ἐάν τις ἀγαπᾷ τὸν κόσμον, οὐκ ἔστιν ἡ ἀγάπη
   τοῦ πατρὸς ἐν αὐτῷ.

den Menschen nicht als den sehen kann, der in der
Gewißheit seines Aufgehobenseins bei Gott Verantwortung
für die Welt wahrnimmt.

Die AJ sind in ihrer Gesamtkonzeption eine Weiterentwick-
lung johanneischer Gedanken, die als "Radikalisierung
der Herrlichkeitschristologie"[1] zu bezeichnen sind und
deren entscheidendes Merkmal die Nicht-Erwähnung bzw.
die lehrhafte Leugnung des Todes Jesu ist. So findet
sich in den AJ zwar ein nicht theoretisch entwickelter,
aber doch real vorhandener Doketismus, der den als
Mensch Erscheinenden zunächst mit den Aussagen über die
Vielgestaltigkeit und die wechselnde Beschaffenheit
seines Körpers dem Menschsein entnimmt. Diese Ausgestaltung des Erlöserbildes ist von einem so starken Interesse am vere deus bestimmt, daß die Aussage des vere
homo unmöglich wird. Vergleicht man unter diesem Aspekt
die Aussagen des JohEv mit den AJ, so stellt der Evangelist mit der Aussage der Inkarnation den Raum für das
Offenbarwerden des Präexistenten sicher, er wahrt die
Realität des Inkarnierten unter dem Gedanken der Projektion der Präexistenzherrlichkeit. In den AJ geht
dieser theologische Ansatz, der das Menschliche und
das Göttliche zusammenschließt, verloren, was bleibt,
ist die Notwendigkeit, den Erlöser in die Welt einzubrin-
gen, um ihn in seiner Transzendenz den Seinen begegnen
zu lassen und sie aus der Unangemessenheit ihrer Existenz
zu führen, damit sie ihre eigentliche Identität erlangen. Im Hintergrund dieser unterschiedlichen Aussagen steht die jeweils andere Anthropologie und Soteriologie - wer sich mit dem Göttlichen eins weiß, bedarf
keines Erlösers mehr, der am Kreuz stirbt, im Gegenteil,

---

1) Zu dieser christologischen Linie vgl. MÜLLER, U.B.:
Geschichte, p.51; er sieht in der Radikalisierung
eine Entfaltungsmöglichkeit des christologischen Denkens des JohEv, die zweite mögliche Ausformung vermerkt er dazu entgegengesetzt in der Betonung des
Heilstodes Christi. Den Hintergrund dieser Alternativen findet er in den "divergierenden Tendenzen innerhalb der johanneischen Gemeindetradition." (p.52).

Garant des Heils ist die jedem Irdischen entzogene
Göttlichkeit des Erlösers.

Trotz dieser Differenz der Anthropologie und Soteriologie ist es das Skopus sowohl des JohEV wie der AJ,
die Göttlichkeit Jesu Christi sichtbar zu machen. Beide
Schriften bedienen sich dabei der Wunder und Reden.
Im JohEv ist Jesus der Handelnde, in den AJ ist es der
Apostel, der an seiner Statt und mit seiner Macht ver-
sehen Wunder tut; im JohEv offenbart sich der Herr unmittelbar, in den AJ geschieht dies mittelbar, indem
der Apostel die Größe seines Gottes erweist, die Legitimation solchen Redens und Tuns erfährt der Leser in
der Evangeliumsverkündigung. Dadurch daß der Verfasser
sie dem Apostel in den Mund legt, will er sein Werk zur
zuverlässigen Tradition gestalten. Diesem Ziel dienen
neben ihrer weiteren Intention auch die Wundertaten
im Namen Jesu, wesentlich ist ferner der Aspekt der Augenzeugenschaft als eigentlicher Berechtigung zur gültigen Aussage über das Geschehen. Hinzu tritt die Esoterik, die den Jünger als den von allen anderen Auserwählten seines Herrn zeigt. - Dieses betonte Hinweisen
auf den Augenzeugen findet sich im NT wiederum in besonderer Weise im JohEv und im 1.Joh.

Vergleicht man die Aussageabsicht der Wunder in den AJ
und im JohEv, so ist beiden zunächst gemeinsam, daß in
ihnen die Göttlichkeit Jesu sichtbaren Ausdruck gewinnt.
Während aber für Johannes die Wunder als Hinweis auf die
Bedeutung Jesu dienende Funktion haben, tragen sie in
den AJ den Beweis der Göttlichkeit Jesu in sich (Ar-
temiswunder als Konkurrenzkampf zweier Gottheiten;
Heilung von Lykomedes und KLeopatra als Erweis des
falschen Glaubens[1]). Verbindet sich bei Johannes die
$\vartheta\epsilon\tilde{\iota}o\varsigma$-$\dot{\alpha}\nu\dot{\eta}\rho$ -Christologie mit der Präexistenzchristo-

_____

1) Vgl. 2.2.3.

`logie,[1] so kombinieren die AJ erstere mit einer Christo-
logie der Transzendenz des Erlösers. Hintergrund ist die
gnostische Vorstellung vom Herabgekommenen, der seine in
der Welt verstreuten Glieder zu seiner und ihrer Erlösung
sammelt. In diesen Zusammenhang wird dann die Tradition
von der Kreuzigung Jesu aufgenommen, die der Verfasser
in sein Bild des Erlösers nur einfügen kann, indem er
das Kreuz von Golgatha in das Lichtkreuz transzendiert
und in ihm die Glaubenden zur Einheit mit dem Erlöser
finden läßt. Auch das JohEv verwendet gnostische Vorstellungsinhalte, die jedoch ebensowenig wie in den AJ
einem bestimmten gnostischen Mythos zugeordnet werden
können, und drückt damit gleiche Vorstellungsinhalte wie
die Gnosis aus: "Unweltlichkeit des menschlichen Selbst,
Weltverfallenheit, Weltverflochtenheit, Unweltlichkeit Gottes".[2] Die AJ leben aus derselben Weltsicht,
und auch für sie trifft es wie für das JohEv und die
Gnosis zu, daß der Mensch erst mit der Offenbarung Freiheit von der Welt erhält. Für die AJ konkretisiert sich
diese Freiheit in einer asketischen Lebensform, im
JohEv findet sich eine derartige Folgerung nicht, da
hier die Welt in ihrem Grunddasein als Gottes Schöpfung
begriffen wird (1,3.16 f.). Für die AJ ist die Welt immer
schon von Gott getrennt und bedingt so die Transzendenz
des Kyrios wie letztlich die der Glaubenden. Aus der
Distanz des johanneischen Christus und der Seinigen zur
Welt ist in den AJ eine radikale Trennung geworden, aus
dem johanneischen Ansatz der ins Gegenteil verkehrten
Schöpfung wird das gottfeindliche Gegenüber schlechthin.
Für beide ist sie kein Objekt der Liebe mehr, dem sich der

---

1) VIELHAUER, Ph.: Geschichte, p.437 verweist darauf,
daß erstmals im JohEv eine "Kombination der Leben-
Jesu-Tradition, speziell der ϑεῖος-ἀνήρ -Christolo-
gie mit der Präexistenzchristologie vollzogen worden
(ist).".
2) Vgl. zu dieser Charakterisierung BULTMANN, R.: Art. Johannesevangelium, p.847 f.

Glaubende verpflichtet weiß.[1] Damit sind die Auswirkungen auf die Ethik deutlich und auch schon bei Johannes vorgegeben. Trotz Beibehaltung des Schöpfungsgedankens intendiert das Heilsgeschehen bei ihm keine Wieder-
herstellung der Schöpfung. In einer Schärfung dieses
Ansatzes ermahnen die paränetischen Texte der AJ immer
wieder zur Lösung aus irdischen Bezügen. Der Glaubende
verlöre in einem Anteilnehmen an der Welt seine transzendente Identität, zu der die Einheit des johanneischen
Christus mit den Seinen radikalisiert ist.[2] Analog zum
JohEv ist die Einheit bzw. Identität nicht als Zusage
für alle verstanden, sondern gilt nur dem Kreis der Auserwählten. Die inhaltliche Füllung des johanneischen
Liebesbegriffes zeigt dies - das betont KÄSEMANN mit
Recht - überaus deutlich: "Liebe ist von Johannes untrennbar an das Ereignis des Wortes gebunden, nämlich
das Sagen des Wortes einerseits und das Empfangen des
Wortes andererseits."[3] Hier wie in den AJ wird die
Nächstenliebe zur Bruderliebe eingeschränkt. Die AJ
formulieren in diesem Rahmen die Verachtung für die
außerhalb der Gemeinschaft Stehenden als Anweisung des
Herrn (c.1oo,11), diese sind unfähig, den Erkenntnisweg
zu beschreiten, und das Erbarmen des Herrn gilt ihnen
nicht (c.1oo,1o). Erwählung ist also im JohEv als göttliche Möglichkeit verstanden, die auf dem Hintergrund

---

1) "Quant au croyant, il n'attend plus rien de ce
   monde temporel. Il est déjà comme soustrait au
   temps." (JUNOD/KAESTLI: Acta, p.681).
2) Ziel des gläubigen Daseins ist der Tod. "Le croyant
   pratique les vertus supérieures et il prépare dans
   le calme ce moment heureux entre tous, celui de
   la mort; c'est alors que, délivrée du corps, l'
   âme peut goûter le repos parfait auprès du Seigneur
   ..." (JUNOD/KAESTLI: Ebenda).
3) Vgl. KÄSEMANN, E.: Jesu, p.127.

des johanneischen Dualismus von Welt und Gott-Zugehörig-
keit nicht als allumfassend gesehen werden kann. Dieser
Erwählungsgedanke findet sich auch insofern in den AJ,
als die Offenbarung des Transzendenten nur von denen
angenommen werden kann, deren Sein letztlich in der Transzendenz gegründet ist, sie gehören zu dem Herrn als
seine Glieder (c.1oo,3 f.).

JUNOD/KAESTLI sehen in den "frères" der Erzählteile
keine "élus", sondern betonen, daß Gott "se manifeste
à tous". (1) Dagegen ist einzuwenden,
1. daß die bei Wundern, den damit verknüpften Reden
   und Gebeten aufgebotene Volksmenge ein typiscshes
   Stilmittel dieser Art der Erzählungen ist ebenso
   wie der durch das Wunder erweckte Gemeinschafts-
   glaube,
2. daß im Gegensatz zu der Statistenrolle der Menge die
   Begleiter des Apostels als konstante Bezugsper-
   sonen der Wunder, Reden, Gebete und der Evangeliumsverkündigung allein diejenigen sind, die über ein
   augenblickliches glaubendes Staunen hinaus Teil
   der Gemeinde um Joh werden,
3. daß sie allein in ihrer Rolle als Vertraute des Apostels und damit zum Herrn Gehörende zur Identifi-
   kationsfigur des Hörers/Lesers werden wie andererseits Fortunatus zum Antitypus bestimmt ist.(2)

Wenn das JohEv die Erwählten in der Gemeinschaft mit
Jesus zeigt, so geht es nicht darum, diese Gemeinschaft
als irdische Größe, "Gemeinde" oder "Kirche" darzustel-
len, ihre Gemeinschaft als organisiert in Ämtern aufzu-
weisen, sie ist vielmehr christologisch ausgerichtet
und ist nur insofern irdische Gemeinschaft, als die zu
ihr Gehörenden noch in der Welt leben, besitzt sie
doch "mit der Geburt von oben den unveräußerlichen Charakter des Himmlischen."[3] Die AJ gehen hier einen entscheidenden Schritt weiter: Der Erwählte bzw. der Erlöste lebt nicht nur von dieser Einheit, sondern erst
mit ihm kommt es zu der Einheit. Er gewinnt in der Er-

---

1) Acta, p.681.
2) Vgl. zu der Frage der "Auserwählten" auch 2.2.1.2.
   (Adressatenkreis).
3) KÄSEMANN, E.: Jesu, p.145.

kenntnis seine mit dem Erlöser identische Eigentlichkeit.
Beide sind von oben,[1] bedürfen aber einander zur Erlan-
gung ihrer Vollkommenheit. An dieser Stelle wird die
Radikalisierung des johanneischen Gedankens von der
Einheit zum Gnostischen hin deutlich. Der Christus des
JohEv sagt den Seinigen Anteil an der himmlischen Herrlichkeit zu (12,32), in den AJ ist aus dem Anteilhaben
ein Teilsein geworden. Gemeinsam ist beiden Werken die
Gegenwärtigkeit eschatologischen Geschehens im Aufbau
der Gemeinschaft bzw. Gewinn der Einheit. Ausgehend
von dem Dualismus der Machtsphären Satans und Christi,
charakterisiert SCHÄFERDIEK diese Glaubensgewißheit
der AJ: "Die Gläubigen leben ... im Machtbereich Christi.
In ihm haben sie das Heil nicht als Hoffnung und Angeld
einer anbrechenden Zukunft, sondern als bereits gegenwärtiges Leben im Sinne einer ausgeprägt präsentischen
Eschatologie."[2]

Verschärft ist auch das im JohEv so sehr betonte Einssein zwischen Gott und Jesus zu einer Ineinssetzung
beider. Jesus ist so uneingeschränkt $\theta\epsilon\acute{o}\varsigma$, daß die Verschmelzung beider völlig unproblematisch ist. Die Auf-
nahme von Joh 14,1o in c. 1oo,11 f. scheint dem zu wi-
dersprechen, da das johanneische $\dot{\epsilon}\nu$ durch $\pi\alpha\rho\acute{\alpha}$ ersetzt
ist. Allerdings mutet dieser Satz wie ein Anhängsel an,
wenn man im Kontext (c.98) den Begriff $\pi\alpha\tau\acute{\eta}\rho$ als eine
der mit anderen Namen austauschbaren Bezeichnungen für
den Herrn findet, die überdies alle als für menschliches
Begreifen geschaffene Benennungen gekennzeichnet sind.
Die Verwendung des Terminus Monarchianismus erscheint
in diesem Zusammenhang ein wenig anspruchsvoll, da keinerlei theologische Reflexion stattfindet, stattdessen
mag es angemessener sein, von einem naiven Monotheismus

---

1) Vgl. 2.1.1. ($\phi\acute{u}\sigma\iota\varsigma$).
2) SCHÄFERDIEK, K.: Herkunft, p.265.

zu sprechen, der seinen Ursprung in dem Bestreben hat,
die Transzendenz des Erlösers zu wahren, in Entsprechung
zum soteriologischen und anthropologischen Ansatz.
SCHÄFERDIEK verwendet die differenzierendere Bezeichnung "Christomonismus" mit der Begründung: "... dieser
Gott ... begegnet und ist ansprechbar allein in Christus.
Der Christomonismus ist Ausdruck einer nicht hinterfragbaren Einheit von Offenbarer und Offenbarung."[1]

3.2. Der kirchengeschichtliche Ort

Die AJ sind sicherlich eine Darstellung fiktiver Ereignisse;[2] dennoch spiegeln sie Wirklichkeit wider, da
jeder erfundene Geschehenszusammenhang in einem Bedingungszusammenhang zu real Erlebtem oder wünschenswert Inten-
diertem steht. Unter diesem Aspekt und auf der Grundlage
der Ergebnisse der vorangegangenen Kapitel sind für die
kirchengeschichtliche Einordnung der AJ folgende Anhalts-
punkte gegeben:
1. Die Berufung auf den Apostel Johannes,
2. die als radikalisiertes johanneisches Gedankengut
   identifizierten Aussagen,
3. der esoterische Charakter der Lehre (Evangeliumsverkündigung)
4. und der offensichtlich davon geprägte Charakter der
   Gemeinschaft als Gruppe der Auserwählten, der sie als
   Randgruppe außerhalb der Entwicklung zur Großkirche
   bzw. als Gemeinschaft außerhalb des Katholisierungs-
   prozesses ausweist.

---

1) SCHÄFERDIEK, K.: a.a.O., p.266 f.
2) Zur Fiktivität von Ereignissen und Personen schreiben JUNOD/KAESTLI eingangs ihres Kommentarbandes
   (Acta, p.426): "Enfin, il (= l'auteur) rapporte des
   faits et il met en scène des personnages dont la
   réalité est plus littéraire qu'historique."

Wenn in einer Gemeinschaft eine Schrift entstehen kann,
die als Garanten für die darin vertretene Lehre den Je-
susjünger Johannes beansprucht, so muß sie sich in besonderer Nähe zu ihm und der mit seinem Namen verbundenen
Verkündigung gesehen haben. Diese Gruppe beansprucht ihn
in der Rolle des überragenden Wundertäters, des $\vartheta\epsilon\tilde{\iota}o\varsigma\ \dot{\alpha}\nu\acute{\eta}\rho$,
und macht in den einzelnen Erzählungen göttliche Macht-
erweise zugänglich. In ihnen wird der nicht mehr irdisch
sichtbare und erlebbare Christus der Evangeliumsverkündigung zum Christus praesens.[1] Evangeliumsverkündigung
und "Rahmen" (Wundertaten des Apostels) sind folglich
nicht zwei zufällige Teile eines Werkes, sondern aufeinander bezogen als Vergegenwärigung der Offenbarung Christi durch seinen Apostel. Mit seinen Wundern durchbricht
Jesus bzw. der Apostel ein Leben, das als Einengung und
Begrenzung erfahren wird. Die Propagierung der Lehre
und Lebensgestaltung wird legitimiert, d.h. apostolisch
verbürgt durch den Lieblingsjünger Johannes.

Mit dem Namen "Johannes" sind nun im NT fünf Schriften
verbunden, von denen das Johannesevangelium und die
Johannesbriefe einer geschlossenen Gemeinschaft, dem
sogenannten "johanneischen Kreis", zugerechnet werden.
Eine Identifizierung des Jesusjüngers Johannes als
Augenzeuge mit dem Verfasser des 4. Evangeliums findet
sich erstmals bei Irenaeus (adv. haer. III 1,2), also um
180; als Ort der Abfassung sieht er Ephesus an, und
zwar in Anlehnung an die Tradition von einem ephesinischen Johannes. Vorgefunden hat Irenaeus offensichtlich schon eine Überlieferung, die einen Johannes als
Verfasser des Evangeliums beanspruchte, ohne jedoch
schon dessen Apostolizität zu fordern.[2] Ebenfalls
dem Apostel Johannes schreibt Irenaeus den 1. und 2. Joh

---

1) Vgl. zu diesem Zusammenhang KÖSTER, H.: Jesus,p.174.
2) Vgl. VIELHAUER, Ph.: Geschichte, p.456 ff.

zu, während der 3.Joh ebenso wie im Kanon Muratori, der
über den Verfasser des Evangeliums und der beiden ersten Briefe dieselben Aussagen macht wie Irenaeus,
nicht erwähnt wird.[1]

Vergleicht man nun die Merkmale des Verfassers Johannes
bei Irenaeus und in den AJ, so zeigt sich eine Übereinstimmung insofern, als
a) Johannes als Jünger Jesu identifiziert und als Garant
   der Botschaft seines Herrn beansprucht wird,
b) Johannes mit Ephesus in Verbindung gebracht wird.[2]

Offensichtlich soll der Johannes der AJ an die Stelle des
Evangelisten Johannes treten, sollen die AJ das JohEv ersetzen. Gegen die Annahme, daß der Verfasser der AJ bzw.
seiner Umgebung das JohEv unbekannt war, sprechen zahlreiche
Zeugnisse, die eine weite Verbreitung des Evangeliums Ende
des 2. Jh. deutlich werden lassen. Zu dieser Zeit ist ferner auch die Abgrenzung des Evangelienteils des neutesta-
mentlichen Kanons vollzogen, zu dem auch das JohEv als
apostolisch legitimierte Schrift gehörte.[3] Die inhaltliche Analyse hat zudem die Lehre der AJ als Radikalisierung johanneischen Gedankenguts gezeigt. So liegt
die Vermutung nahe, daß die AJ mit Absicht nicht expressis
verbis auf das Werk hinweisen, das dem von ihnen so
hochgeschätzten Apostels zugeschrieben wird. Den Grund

---

1) Vgl. FEINE-BEHM-KÜMMEL: Einleitung, p.329.
2) FEINE-BEHM-KÜMMEL: a.a.O.; p.166: "Daß das JohEv von
   dem mit dem Lieblingsjünger identischen Jünger Johannes in Ephesus geschrieben wurde, ist ... im letzten Viertel des 2. Jhdt.s kleinasiatische wie römi-
   sche Tradition."
3) Vgl. FEINE-BEHM-KÜMMEL: a.a.O., p.363. Eine Ausnahme
   bildet die syrische Kirche, die bis ins 5.Jh. das
   Diatesseron Tatians, das in den chronologischen Rahmen des JohEv die Synoptiker einfügte, als einziges
   Evangelienbuch benutzte. Dies und die noch um 22o in
   Rom festzustellende Umstrittenheit des JohEv ist für
   die AJ jedoch ohne Belang.

für ihr Schweigen wird man wahrscheinlich in der Inanspruchnahme des Evangeliums durch die Großkirche, insbesondere aber durch den johanneischen Kreis, der sich der Großkirche angenähert hat,[1] zu sehen haben. Diese kirchengeschichtliche Zuordnung der AJ in den Raum der Auseinandersetzung um den Apostel Johannes steht in Gegensatz zu den Erwägungen von JUNOD/KAESTLI, die einmal den Erzählstoff und zum anderen die Kap. 94-1o2.1o9 betreffen. Theologische Aussagen und literarische Gestaltung des Erzählteils führen sie zu der These "que l'auteur s'adresse à un public aussi large que possible."[2] Im Zuge der daran anknüpfenden Überlegungen gewinnt der Autor Gestalt als

- "un chrétien, converti sans doute de fraîche date",[3]
- "au sein d'une classe cultivée",[4]
- "marqué par une culture, une conception de Dieu et de la religion qui s'enracinent dans le spiritualisme ambiant."[5]

Zugleich wird von dieser Charakterisierung aus der Adressatenkreis eingeschränkt auf Leser gleicher Herkunft und geistiger Entwicklung,[6] eine Annahme, von der aus JUNOD/KAESTLI die reale Existenz einer die AJ tragenden Glaubensgemeinschaft verneinen.[7] Die Kap.94-1o2 1o9 hingegen sehen sie in Zusammenhang mit einer historischen Gruppierung, und zwar rechnen sie sie zunächst

---

1) Vgl. dazu VIELHAUER, Ph:: Geschichte, p.482 f.
2) Acta, p.684.
3) a.a.O., p.686.
4) a.a.O., p.687.
5) a.a.O., p.686.
6) "Il s'adresse à la fois aux païens, semblables à celui qu'il avait été lui-même, et à des frères qui partagent sa foi nouvelle." (a.a.O., p.686) Aufgrund der leichten Lesbarkeit des Werkes sehen JUNOD/KAESTLI andererseits den Leserkreis vom Verfasser aus in Konsequenz seines Gottesbildes offen: "Les AJ doivent pouvoir lus par tous parce que le Dieu qu'ils annoncent est celui de tous." (a.a.O.,p. 687).
7) Ebenda.

Von ihrem Ursprung her einem "cercle valentien de
l'école orientale établi en Syrie"[1] zu. Hinter ihrer
Aufnahme in die AJ steht nach Meinung von JUNOD/KAESTLI
mit größerer Wahrscheinlichkeit aber nicht der Autor
des Erzählstoffes, sondern eine Gemeinschaft "qui
aurait accueilli les AJ et qui aurait jugé pertinent
des les enrichir de ces deux pièces."[2] Aufgrund "les caractéristiques theologiques des ajouts et le lien étroit
des ch.94-1o2 avec la figure de Jean" vermuten sie, daß
"cette communauté serait à chercher de préférence dans
les cercles gnostiques attachés à la tradition jo-
hannique."[3]

Zu dieser Schlußanalyse von JUNOD/KAESTLI ist kritisch
anzumerken:
1. Folgt man ihrer Charakterisierung des Autors des
   Erzählstoffes, so ist er bei aller Kultiviertheit
   und literarischen Kenntnis[4] von einer seltsam an-
   mutenden zufriedenen Unwissenheit seinem neuen christlichen Glauben gegenüber: "Dieu reste pour lui et
   son entourage un nouveauté encore mal connue!"[5]
   Im Widerspruch dazu steht jedoch u.a. die nach JUNOD/
   KAESTLI vom Autor intendierte Doppelbödigkeit seines
   Werkes: "Un texte qui se prête à une double lecture."[6]
   Dieser Widerspruch zu der Annahme eines theologisch
   wenig interessierten Neubekehrten wird noch dadurch
   verstärkt, daß der Verfasser seine Konzeption der
   Erkennbarkeit des Herrn mit dem Motiv des Sehens
   verbindet[7] und damit nicht nur begrifflich in die

---

1) A.a.O., p.7oo.
2) A.a.O., p.7o1.
3) A.a.O., p.7o1.
4) Vgl. JUNOD/KAESTLI: A.a.O., p.682-684.
5) A.a.O., p.687.
6) Ebenda.
7) Vgl. JUNOD/KAESTLI: ebenda: "... «voir» - le verbe
   revient comme un Leitmotiv..."

Nähe zur johanneischen Theologie rückt.[1] - eine
Möglichkeit, die JUNOD/KAESTLI für den Erzählstoff
nicht in Erwägung ziehen.

2. Johannes wäre bei dieser Unkenntnis des Autors nur
   eine zufällige, austauschbare Hauptfigur seines Werkes, ohne theologisches Eigengewicht, ein Vehikel,
   um individuelle Erfahrungen anderen zugänglich
   zu machen, die gleich ihm in etwas oberflächlich
   Begriffenem oder gar falsch Verstandenem Antwort
   auf bedrängende Fragen finden sollten:
   "Il a trouvé dans le christianisme une réponse à
   ses aspirations profondes et il veut faire partager
   la joie et l'importance de sa découverte ... Dieu
   ... une nouveauté ... mal connue."[2]

3. Da der von JUNOD/KAESTLI angenommene Verfasser
   offensichtlich aber in einem Umfeld zu Hause war,
   in dem die kleinasiatische Johannestradition leben-
   dig war, müßte er bei gleichzeitiger Kenntnis dieser
   Überlieferung entweder isoliert von den mit ihr verbundenen Auseinandersetzungen gelebt haben oder aber
   in gewollter Naivität sein Werk geschrieben haben.

4. Wenn man mit JUNOD/KAESTLI annimmt, daß ein gno-
   stischer Kreis, der der johanneischen Tradition nahe-
   stand, die Kap.94-1o2.1o9 in die AJ eingefügt hat,
   so bleibt die Frage, inwieweit diese sicherlich theologisch geschulte Gemeinschaft ein Werk rezipieren
   konnte, dessen Autor der Oberfläche christlichen
   Denkens verhaftet blieb, von einer Affinität zu einem
   spezifisch johanneischen Denken ganz zu schweigen.
   Für diesen Kreis wäre dann der Name "Johannes"
   wichtigstes Kriterium für die Aufnahme einer theologisch recht mageren Schrift, deren Vorzug neben einer

---

1) "... la signification des prodiges et des guérisons
   échappe aux yeux du corps." (ebenda).
2) A.a.0., p.687.

"conception spirituelle de Dieu" vor allem im Schweigen
bestünde: "silence sur l'AT, les Juifs et l'incar-
nation du Christ; discrétion sur l'Église."[1]

Zusammenfassend wären die AJ aufgrund der "conclusion"
von JUNOD/KAESTLI als ein Werk zu bezeichnen, das keinerlei theologie- und kirchengeschichtliche Haftpunkte besitzt,
in dem der Autor vielmehr aus Freude über seine Bekehrung ihm zufällig bekannt Gewordenes literarisch formt.
Will man die AJ unter diesem Aspekt in einer intentio-
nalen Ausrichtung dennoch als Propaganda- und Erbauungs-
schrift[2] bezeichnen, so kann man ihnen wohl kaum eine
spezifische Aussage zumessen; in ihrer angenommenen Un-
gebundenheit und nur vagen Kenntnis des christlichen
Gottes sind sie dann nur ein gut gemeinter, aber wenig
fundierter Aufruf zur Bekehrung bzw. zur Bewahrung
einer erfolgten Hinwendung zu den "realités spirituelles."[3]
Die Einfügung der Kap.94-1o2.1o9, in denen nach JUNOD/
KAESTLI im Gegensatz zum Erzählteil eine Ausprägung
"christli chen" Glaubens in unverwechselbarer Gestalt
vor Augen tritt, wäre letztlich als ein Bemühen zu wer-
ten, eine theologisch ungeprägtes, aber literarisch
gut gestaltetes Werk nachträglich zu "johannisieren",
wobei man glaubte, dieses Ziel mit einem Einschub an
zwei Stellen des vorgefundenen Textes erreicht zu haben.
- Die Thesen von JUNOD/KAESTLI erscheinen sowohl für sich
genommen wie auch in Beziehung zueinander gesetzt nicht
schlüssig.

---

1) A.a.O.,p.7o2.
2) A.a.O., p.686: "Ecrit de propagande, les AJ sont
   également un ouvrage d'édification à l'intention
   de chrétiens."
3) Ebenda.

'Geht man von der Geschichte der "ephesinischen" Johannestradition aus,[1] so kann keiner, der mit ihr bekannt war, sie so unbedarft literarisch nutzen, wie JUNOD/KAESTLI es dem Autor der AJ unterstellen. "Die Behauptung der kleinasiatischen Wirksamkeit des Zebedaiden ist ein Mittel, beanspruchte Kontinuität zu apostolischer Tradition geltend zu machen, und sie wird als solche polemisch eingesetzt."[2] Eine Johannestradition als "neutrale Größe"[3] ist nur denkbar, wenn man jedes geschichtliche Umfeld unbeachtet läßt. In dieses geschichtliche Umfeld gehört die Überlieferung, daß Johannes sein Evangelium in Ephesus verfaßt haben soll, an dem Ort, an dem ebenfalls der Johannes der AJ seine Geheimoffenbarung an Auserwählte, sein Evangelium, verkündet. Mit SCHÄFERDIEK kann auch das Itinerar der Reise des Apostels in den AJ, das auf die Offenbarung Johannes zurückgeht, nicht als unverbindlich literarisch konzipierter Rahmen des Geschehensablaufs gewertet werden.[4] "Die Johannesakten nehmen die «ephesinische» Johannestradition ... in vollem Umfang auf, aber sie tun es antithetisch, indem sie den ihr begegnenden fremden Anspruch umgemünzt als Behauptung der eigenen, durch den Zebedaiden verbürgten Apostolizität zurückgeben."[5]

Der Autor der AJ ist keineswegs ein literarisch interessierter Neubekehrter, dessen Christentum von seiner bisherigen geistigen Vorstellungswelt absorbiert wird,[6] sondern ein theologisch gebundener Christ, der kirchengeschichtlich eine fest umrissene Heimat hat, d.h. einer Glaubens-

---

1) Vgl. SCHÄFERDIEK, K.: Herkunft, p.256-260.
2) A.a.O., p.260.
3) A.a.O., p.261.
4) Vgl. a.a.O., p.260 f.
5) A.a.O., p.261.
6) Gegen JUNOD/KAESTLI: Acta, p.687 und 689.

gemeinschaft zugehört, die gleich ihm in Johannes den
vom Kyrios allein autorisierten Apostel sieht.

Der von JUNOD/KAESTLI nur für die Kap. 94-1o2.1o9 angesprochene johanneische Kreis zeigt sich innerhalb seiner Geschichte, wie sie den Johannesbriefen zu entnehmen
ist, als eine Gemeinschaft, deren Einheit zerbrochen
ist. Mit den Termini "Verkirchlichung" bzw. "Radikalisierung johanneischen Geankengutes" läßt sich diese Spal-
tung grob kennzeichnen. Die vom johanneischen Kreis als
nicht mehr zugehörig empfundene Gruppierung hat die bei
Johannes in seiner Hoheitschristologie angelegten Züge
radikalisiert zu einem Christusbild, das den irdischen
Jesus von dem Christus bzw. dem Gottessohn streng geschieden hat.[1] Der Widerspruch des 1.Joh gegen das
Gedankengut der Gegner läßt bestimmte Linien ihrer Lehre
sichtbar werden, die Übereinstimmung mit der Verkündigung
der AJ zeigen. Die Verbindung des irdischen Jesus und
des Gottessohnes sehen die Häretiker des 1. Joh begrenzt
auf die Zeit zwischen Taufe und Kreuzigung. Eine heils-
wirksame Bedeutung kommt der irdischen Gestalt und ihrem
Geschick nicht zu. Die Glaubenden sind aus Gott Gezeug-
te (4,7; 5,1), die in ihrer Gotteserkenntnis (2,4; 4,8),
Schau Gottes (4,12) und Liebe zu Gott (4,2o) keiner Mitt-
lergestalt bedürfen. VIELHAUER verweist darauf, daß
die Christologie dieser Gruppe zwar als "eine Spielart
des gnostischen Doketismus"[2] anzusehen ist, zugleich
stellt er aber auch fest, daß es nicht möglich ist,
"die Irrlehrer des 1. Joh mit einer der sonst bekannten
Erscheinungen der urchristlichen Gnosis in Verbindung
zu bringen."[3] Eine Einordnung in die Geschichte des
Urchristentums muß demnach der Angabe des johanneischen
Kreises selbst Rechnung tragen, daß die Irrlehrer aus

---

1) 1 Joh 4,2 f.; 2,22 f.; 5,6.
2) VIELHAUER, Ph.: Geschichte, p.471.
3) VIELHAUER, Ph.: a.a.O., p.472.

ihren eigenen Reihen kommen (2,19).

Nun stehen jedoch, wie KÖSTER in seinem Aufsatz "Grundtypen und Kriterien frühchristlicher Glaubensbekennt-
nisse" schreibt, am Anfang der christlichen Theologie
"eine Vielzahl von Bekenntnissen als Ausprägungen verschiedener kulturell bedingter Antworten auf den Anspruch
des Wirkens und Schicksals Jesu".[1] Den Grund für die
Verschiedenartigkeit sieht er einmal in den "vielfältigen und unterschiedlichen religiösen und kulturellen
Voraussetzungen der neu zum Glauben an Jesus Bekehrten",
zum anderen in der "Mehrdeutigkeit des historischen
Wirkens Jesu".[2] Betrachtet man den johanneischen Kreis
unter diesen Aspekten, so wird man die auftretenden Differenzen innerhalb der Gemeinschaft sicherlich primär unter
dem Gesichtspunkt der Mehrdeutigkeit begreifen müssen,
gehören doch Irrlehrer und Rechtgläubige derselben christlichen Gruppierung an. Herrlichkeitschristologie und Kon-
zentration auf die Heilsnotwendigkeit des Todes Jesu
werden in diesem Kreis zu unvereinbaren Interpretationen
des Lebens der historischen Jesusgestalt. Die weitere
Entwicklung dieser beiden Gruppierungen verläuft getrennt.
"In der Zeit zwischen 2.3.Joh und dem Kampf des Irenäus
für das JohEv hat sich der johanneische Kreis als Gemeinschaft offenbar aufgelöst. Der eine Teil ging in der
Gnosis auf und mit ihr unter - literarische Spuren dürfte er in manchen Apokryphen hinterlassen haben -, der andere Teil ging in der frühkatholischen Kirche auf."[3]
In den AJ haben wir eine der von VIELHAUER angesprochenen
literarischen Spuren. Gegenüber den Gegnern im 1.Joh ak-
zentuieren sie aber ihre Herrlichkeitschristologie durch
die Darstellung Christi und seines Apostels als θεῖος ἀνήρ.

---

1) KÖSTER, H.: Grundtypen. p.191.
2) Ebenda.
3) VIELHAUER, Ph.: Geschichte, p.484.

Folgt man nun KÖSTER, der in seiner Analyse christlicher
Bekenntnisse zu vier verschiedenen Grundtypen kommt, die
er als "voneinander unabhängige Ansatzpunkte ... christlicher Bekenntnisse"[1] ansieht, so gehören die AJ zu dem
Grundtyp "Jesus als göttlicher Mensch", und dies gerade
aufgrund der Darstellung des Apostels Johannes. "Aber
solcher Glaube" (d.h.,der Glaube an den göttlichen Menschen) "fand seinen eigentlichen Ausdruck in der Wiederholung der Machttaten, die das Dasein göttlicher Kraft
in der Person des Apostels oder Missionars beweisen."[2]
Ein derartiger Ansatzpunkt des Glaubens und der Verkündigung bedingt:

1. Der Apostel kann nur dann erfolgreich für seinen
   Glauben werben, wenn er seinen Hörern eine religiöse
   Erfahrungswelt übernatürlichen Charakters eröffnet
   (c. 22: Auferweckung der Toten als Bedingung einer
   erfolgreichen Verkündigung).

2. Damit rückt der Apostel als Person notwendigerweise
   in das Zentrum der Verkündigung; denn in den von ihm
   bewirkten Wundern wird erst der Herr als der Gegenwärtige erfahrbar (c.44: Kennzeichnung des sich in
   den Wundertaten erweisenden Gottes als "Gott des
   Johannes").

3. In Konsequenz dazu ist der irdische Jesus nicht nur
   ohne Belang, sondern muß notwendigerweise aus dem Blick
   geraten, weil Göttlichkeit,mit Übernatürlichkeit gleich-
   gesetzt,nicht im irdisch-menschlichen Bereich des
   Leidens und Sterbens greifbar werden kann. Der historische Jesus wird aufgegeben; denn sein Weg zum
   Kreuz hat keinerlei Bedeutung für einen Glauben an
   eine sich in Machterweisen dokumentierende Gottesge-
   genwart (c.87-1o2: Kriterium des Wunderbaren für den
   Lebensweg Jesu als Erweis seiner Göttlichkeit).

---

1) KÖSTER, H.: Grundtypen, p.196.
2) KÖSTER; H.: a.a.O., p.2o3.

Die hinter den AJ stehende Gemeinschaft fand offenbar
den Zugang zum Glauben an Christus nur über den göttlichen Machterweis, das Wunder. Indem sie nun in den AJ
ihre Glaubensüberzeugung kundtun und öffentlich wirksam
werden lassen will, sollen in Analogie zu den fiktiven
Zuhörern und Zuschauern auch die Leser der Schrift, von
wunderbarem Geschehen überzeugt, den Herrn und seine Bo-
ten anerkennen. Auch das JohEv zielt in seinem Epilog
(2o,3o f.) auf den Glauben der Leser, die sich durch
die Zeichen Jesu von seiner Gottessohnschaft überzeugen
lassen. - Inhalt wie Wirkungsabsicht weisen die AJ als
Aretalogie aus. "Aretalogien werden meist zum Zweck
religiöser Propaganda verfaßt. ... die außerordent-
lichen Ereignisse und Taten, die in den Aretalogien be-
richtet werden, (stellen) in sich selbst das wesentliche
Glaubensbekenntnis einer religiösen Gemeinschaft dar."[1]

Verfolgt man den Gedanken einer Propagandaschrift weiter,
so stellt sich die Frage, wem eine solche Werbung gilt.
Sind es nicht-christliche Leser, die hier erreicht werden
sollen, oder wendet sich die Schrift an Christen einer
anderen Bekenntnisausrichtung? Die Praxis der altkirchli-
chen Mission zeigt, daß nach der Apostelzeit eine Predigt
auf öffentlichem Platz vor einer Volksmenge nicht mehr
stattfand,[2] für das Christentum wurde im Gemeindegottes-
dienst, zu dem auch Nichtgetaufte eingeladen war, ge-
worben. Die dort gehaltene Predigt war aber keineswegs
auf den Nicht-Christen ausgerichtet, ihr Adressat war der
Christ, er sollte ermutigt und im Glauben gefördert werden. Auch die Schriften, die sich ausdrücklich an den
Nicht-Christen wandten, die apologetischen Schriften,
fanden ihre Leser kaum dort, sondern vielmehr ebenfalls
bei den schon Überzeugten. Gleiches ist sicherlich für
die AJ anzunehmen. Sie traten damit als bekennende Propagandaschrift an einen zum Christentum gehörenden Leser-

1) KÖSTER, H.: Jesus, p.174.
2) Vgl. dazu und zu den folgenden Ausführungen HOLL, K.:
   Missionsmethode, p.119 f.

'kreis heran, den sie für ihre Ausformung des Christentums
zu gewinnen suchten. Spuren dieser Situation zeigt die
Erzählung von der Heilung der alten Frauen, die das
Christentum schon voraussetzt. Daß dieser Vorgang nicht
singulär ist, läßt sich dem NT entnehmen. Paulus setzt
sich z.B. im 2.Kor mit Missionaren auseinander, die
mit einem anders geprägten Christentum in Korinth ein-
dringen. Sie scheinen mit Empfehlungsbriefen ausgestattet
zu sein, die offensichtlich in Analogie zu der von ihnen vertretenen Christologie des göttlichen Menschen als
von anderen Gemeinden beglaubigte Niederschriften von
Wundertaten des Missionars zu sehen sind.[1] - Um die
Aufnahme von fremden Missionaren, die mit Empfehlungsschreiben ausgestattet sind, geht es auch im 3.Joh,
der selbst ein Empfehlungsschreiben darstellt. Die Ver-
se 9 f. gehen auf einen Konfliktfall ein, der jedoch eine andere Gemeinde als die Adressatengemeinde betrifft.
Diotrephes, der Leiter einer vom Presbyteros angeschrie-
benen anderen Gemeinschaft, sieht in den Missionaren des
Presbyteros Ketzer, deren Wirken er, da sie schon Anhänger in seiner Gemeinde haben, mit Kirchenzuchtmaßnahmen
begegnen wird. Der Konflikt ist also sicherlich "dog-
matisch" zu sehen. Der Presbyteros weiß sich selbst zwar
als Rechtgläubiger, ist jedoch als Vertreter der johanneischen Theologie der Großkirche suspekt. Daraus
läßt sich zumindest der Schluß ziehen, daß die kirchliche Orthodoxie Vertreter des johanneischen Kreises kann-
te, für die die Verurteilung als Häretiker angemessen
erschien. Unter diesem Aspekt erhält die Auseinandersetzung auch eine kirchenrechtliche Bedeutung.[2]

Sind die AJ ihrer Intention nach als Empfehlungsschreiben

---

1) Vgl. dazu KÖSTER, H.: Jesus, p.176 f.
2) Vgl. zu dem Hintergrund dieser Auseinandersetzung
   VIELHAUER, Ph.: Geschichte, p.477-48o.

zu bestimmen, so ist ihre Funktion mittelbar zu sehen:
die hinter den AJ stehende Glaubensgemeinschaft em-
pfiehlt sich bzw. ihr Bekenntnis,gestützt auf die Wundertaten eines anderen, kraft dessen Autorität sie
Einfluß nehmen will. Diesem Ziel kann auch die Evangeliumsverkündigung zugeordnet werden, die, da sie auf dem
Hintergrund einer anderen christologischen Konzeption,
nämlich der abgelehnten Kreuzes- und Auferstehungschri-
stologie zu verstehen ist, die Konkurrenzsituation verdeutlicht, aus der heraus die AJ geschrieben sind. Machen die Erzählungen der Wundertaten den Anspruch auf
Anerkennung in aller Öffentlichkeit deutlich, so weist
die Evangeliumsverkündigung als Geheimoffenbarung an
den einen auserwählten Apostel, der sie wieder nur einem beschränkten Kreis zugänglich macht, auf eine Minorität hin, deren Lehre von der kirchlichen Orthodoxie
nicht anerkannt ist, die aber selbst ihren Anspruch auf
Legitimierung geltend machen will.

Weiß diese Gemeinschaft sich einerseits hervorgehoben
durch eine nur ihr bekannte Offenbarung ihres Herrn, so
findet sich in ihrer Lebensgestaltung ein weiteres
Charakteristikum, das sie von ihrer Umgebung abhebt und
das ihr zugleich zum Unterpfand der Heilsgewißheit
wird. Dem Nicht-Teilhaben des Herrn an der irdisch-
menschlichen Existenz setzt sie ihre Ablehnung des Weltlichen analog, die in der Forderung der sexuellen Askese gipfelt. Sie zu erfüllen, steht nicht in der Er-
messensfreiheit der Bekehrungswilligen, sondern wird
vielmehr zur conditio sine qua non der Rettung und des
Heils für jeden Christen.[1] Auf den ersten Blick mag

---

1) Vgl. dazu auch die übrigen AGG, die mit derselben
   Zielsetzung die Sexualaskese fordern.

man sich in dieser Hochschätzung der Askese z.B. an
Paulus und seine positive Bewertung der Ehelosigkeit
erinnert fühlen. Beide, die AJ wie Paulus, begründen
sie u.a. christologisch.[1] Allerdings liegt auch hier
der entscheidende Unterschied, da ihre Christusbilder
einander konträr gegenüberstehen und damit auch die Askese eine gänzlich unterschiedliche Bewertung erfährt.
Sie ist für Paulus in christologiscsher Sicht die voll-
ständige Ausrichtung des Menschen auf Christus im Gehorsam des von ihm ergriffenen Lebens,[2] also Freiheit
für den Herrn. Im Gegensatz dazu ist die Intention der
Sexualaskese der AJ auf eine Freiheit von der Welt gerichtet; das Menschsein in den Bedingungen der End-
lichkeit aufzubrechen, ist die eigentliche Primärmoti-
vation ihrer asketischen Forderung, ihr Gott Jesus Christus das Urbild der Freiheit von menschlichen Zwängen,
der ein analoges Sein ermöglicht und damit Auferstehung
und Leben sichert.[3] Die christologische Motivierung
der Sexualaskese weist hier die Soteriologie als ihren
eigentlichen Ursprungsort auf. Galt für Paulus das
ὡς μή zur Welt als Ausdruck einer inneren Gelöstheit,
so wird der Weg aus der Welt in den AJ zur zwangshaften
Suche nach Freiheit und erweist sich gerade darin als un-
gelöstes Problem.[4] - Dieser Sexualaskese wird nun in
Hinblick auf Erlösung eine weitere Motivation zugeordnet: Die sich angesichts des Lichtkreuzes vollziehende
Offenbarung zeigt die Sexualaskese im Rahmen der Eschatologie. Diejenigen, die sich der Forderung des Apostels

---

1) NIEDERWIMMER, K.: Askese, p.122 weist bei Paulus
   auf eine dreifache Motivierung der Askese hin, wobei er die christologische Begründung als spezifisch
   paulinisch ansieht. Er nennt 1 Kor 7,32b-35 als die
   dafür zentrale Stelle.
2) Vgl. NIEDERWIMMER, K.: ebenda.
3) Vgl. 2.1.2.
4) Vgl. dazu auch NIEDERWIMMER, K.: a.a.O., p.185.

Johannes unterwerfen, lassen mit ihrem asketischen
Leben den Tod hinter sich[1] und gewinnen so ihr eigentliches Sein in der Teilhabe am Erlöser.[2]

Wir treffen damit in den AJ auf eine Gemeinschaft, die
durch besondere Merkmale gekennzeichnet ist:
- Elitebewußtsein (Apostel als Augenzeuge und Vertrauter des Herrn, der die ihm zuteil gewordene Geheimoffenbarung Auserwählten mitteilt)
- Minorität (nur eine überschaubare Gruppe zählt zu
  den Begleitern des Apostels, bildet die Gemeinschaft
  der Erlösten)[3]
- Eigenständigkeit (eine Einordnung der Gemeinschaft
  in den Rahmen der Gesamtkirche fehlt)
- Lebensform (Wanderleben der Gemeinschaft unter der
  Führung des Apostels; Sexualaskese und ihre Steigerung, das Syneisaktentum, als moralischer Radika-
  lismus).

Die ersten drei Punkte zeigen, daß die hinter den AJ
stehende Gemeinschaft ihren Prozeß der Identitätsfin-
dung außerhalb der Normen und der Kirchenstruktur der
Gesamtkirche vollzogen hat, ohne von dieser angegriffen
oder bedrängt zu werden. Falls man von einer Auseinandersetzung mit der Rechtgläubigkeit sprechen will, so wird
diese nur indirekt geführt und beschränkt sich auf die
Darlegung des eigenen, apostolisch legitimierten Glauben.

---

1) NIEDERWIMMER, K.: a.a.O., p.177 schreibt mit Bezug
   auf das Ev. Ägypt. bzw. dessen Zitierung bei CL. Alex:
   "Wer sich des Sexualverkehrs enthält, vernichtet die
   Macht des Todes. Das heißt aber: die Enkratie erhält soteriologische Bedeutung..."
2) So bedürfen die AJ weder einer Sicherung der
   ἀληθινὴ ζωή durch Sakramente noch durch ekstatische
   Erlebnisse, die Askese allein genügt, denn sie führt
   bruchlos zum erstrebten Heilsbesitz. Vgl. zu dieser
   Funktion der Askese auch BULTMANN, R.: θάνατος ,p.12,19 f.
3) Vgl. dazu SCHÄFERDIEK, K.: Herkunft, p.264. Vergleicht
   man das hier zugrundeliegende Prinzip der esoterischen
   Lehre z.B. mit dem MtEv, in dem es auch eine besondere
   Unterweisung für die Jünger gibt, so wird der Unterschied
   Sekte (AJ)-Kirche (Mt) besonders deutlich: "Die Esoterik
   ist ... an die Zeit vor Ostern gebunden. Von da an gilt
   die Öffentlichkeit." (CONZELMANN,H.: Grundriß,p.167).

D.h., daß die AJ ihre Heimat wahrscheinlich nicht in
Kleinasien, sondern eher im syrisch-palästinensischen
Raum haben, dessen Kennzeichen ein Nebeneinander verschiedener Ausformungen des Christentums ist.[1] Ebenso
weist auch die Lebensform der Gemeinschaft auf dieses
Gebiet hin; denn das Syneisaktentum ist als typisch sy-
risch-palästinensischer Brauch anzusprechen,[2] und die
Verknüpfung von Wanderleben und Askese ist hier besonders
beheimatet.[3] Neben diese "äußeren" Kennzeichen treten
die aufgewiesenen inhaltlichen Merkmale, die die AJ als
Vertreter radikalisierten johanneischen Gedankengutes
bzw. als Nachfolger der Ketzer des johanneischen Kreises
zeigen, dessen Heimat wohl mit Recht in dem angesprochenen Gebiet vermutet wird.[4]
Gegen Kleinasien spricht auch die Erzählung von der
Zerstörung des Artemistempels, die sich angesichts des wirklichen Geschehens dort kaum hätte halten können. Daß
als Rahmen für die AJ Kleinasien gewählt wurde, ist der
Tradition vom Aufenthalt des Apostels in Ephesus zuzu-
schreiben.

---

1) Vgl. KRETSCHMAR, G.: Frage, p.135: "Hier hat es länger
   gedauert als in anderen Gebieten, bis sich die groß-
   kirchliche Norm, der Kanon, und mit ihm zusammen eine
   bestimmte Kirchenstruktur, die der Einzelgemeinde,
   als Erscheinungsform und insofern Gliederungsprinzip
   der Gesamtkirche durchgesetzt hatte, ..."
2) In den AJ sind es Ehepaare, die ihr Zusammenleben
   nach der Bekehrung durch das Enthaltsamkeitsgelübde
   geprägt sehen (c.63,4 ff.).
3) Vgl. dazu KRETSCHMAR, G.: a.a.O., p.137 ff., der
   für die Gestalt des Apostels Thomas folgende Aussage
   macht, die auch für Johannes zutreffend ist: "Zusammenfassend läßt sich sagen, daß offenbar ... die Gestalt des Apostels unter dem Einfluß des zeitge-
   nössischen Wanderasketentums gezeichnet wird." (p.139).
4) Vgl. dazu CULLMANN, O.: Kreis, p.1o2; VIELHAUER, Ph.:
   Geschichte, p.482.

JUNOD/KAESTLI ordnen zwar den Kap.94-1o2.1o9 Syrien
als Entstehungsort zu,[1] sehen den Erzählstoff aber
in Ägypten beheimatet: "De toutes les hypothèses envisage-
ables, celle de l'origine égyptienne (Alexandrie?)
paraît la moins incertaine".[2] Als "indices nombreux
et consistants"[3] gelten ihnen: die besondere Bindung
der Polymorphie an Ägypten, das auch als Ursprungsland
des Romans anzusprechen ist; die Möglichkeit, daß
Clemens von Alexandrien dieselbe Tradition über Johannes
benutzte; die Nähe der Spiritualität des Gottesbegriffes
und der Wunder zu einigen Aspekten der Theologie des
Clemens und Origenes; das Motiv der Schlange; vor allen
Dingen jedoch der viermal vorkommende Begriff $\delta\iota\kappa\rho\acute{o}\sigma\iota o\nu$,
der nur einmal außerhalb der AJ anzutreffen ist und ein
allein in Ägypten übliches Kleidungsstück bezeichnet.[4]
Der geographische Ort der Abfassung der AJ läßt sich
sicherlich nicht bindend und mit letzter Gewißheit fest-
legen. Geht man - abgesehen von den zuvor erwähnten
Gründen - von der Einheit des Werkes aus, so spricht
auch die von JUNOD/KAESTLI vorgenommene Zuordnung eines
Teils der Evangeliumsverkündigung gegen den ägyptischen
Entstehungsort. Ferner: Ebenso wie der Roman[5] mag auch
die Polymorphie die Grenzen ihres Ursprungslandes über-
schritten haben, von einzelnen Erzählmotiven wie dem
der Schlange ganz zu schweigen.[6] Auf die Unsicherheit
in der geographischen Einordnung des clementinischen
Zeugnisses weisen JUNOD/KAESTLI selber hin.[7] Gleiches

---

1) Acta, p.7oo.
2) A.a.O., p.694.
3) A.a.O., p.692.
4) A.a.O., p.692-694.
5) "Certes, à partir du Ier-IIe siècle, il cesse d'être
   une création exclusivement égyptienne, mais il est
   aussitôt diffusé dans ce pays." (a.a.O., p.692).
6) Vgl. JUNODs/KAESTLIs Hinweis auf Heliodor (a.a.O.,
   p.55o).
7) A.a.O., p.692.

muß dann aber auch für die von ihnen angesprochenen
theologischen Teilkonzeptionen des Clemens und Origenes
und ihre Nähe zur AJ gelten. Anders ausgedrückt: Weder
Clemens noch Origenes sind als Zeugen für einen ägyptischen Entstehungsort der AJ zu beanspruchen. Clemens
hat Reisen nach Palästina/Syrien unternommen; Origenes
ist nicht nur sein Schüler, sondern auch er kennt Pa-
lästina. D.h., wenn man hinsichtlich der AJ und Origenes
einerseits sowie Clemens andererseits Berührungspunkte
bzw. sogar denselben Ursprungsort von johanneischen
Traditionen annimmt, so liegt es nahe, den Ort des
Kennenlernens dort zu belassen, wo ihr Träger – der
johanneische Kreis – beheimatet ist: im syrisch-palästinensischen Raum. – Inwieweit sich nun ein gesamter Er-
zählkomplex anhand der Benennung eines ursprünglich
ägyptischen Kleidungsstückes in zwei Erzählteilen nach
Ägypten verweisen läßt, erscheint fraglich.
Eine sichere geographische Bindung der AJ ist, wie
schon gesagt, nicht möglich. Gegenüber der auf den Erzählteil bezogenen Ägypten-These von JUNOD/KAESTLI hat
jedoch die Annahme einer syrisch-palästinensischen Herkunft des Gesamtwerkes eine wesentlich größere Wahrscheinlichkeit.

Als Abfassungszeit des Erzählstoffes sehen JUNOD/KAESTLI
die zweite Hälfte des 2. Jahrhunderts an.[1] Gegen
eine spätere Datierung sprechen ihrer Meinung nach die
sich abzeichnenden festen theologischen Konturen der
Amtskirche, die sich als Gegenstand der Auseinandersetz-
zung in dem Werk eines Schriftstellers aus dem 3.Jahrhun-
dert thematisch hätten widerspiegeln müssen.[2] Diese
Auseinandersetzung expressis verbis ist nicht notwendig,
wenn man das Selbstbewußtsein einer Gemeinschaft in Rechnung stellt, die sich apostolisch nicht nur legitimiert,

1) Acta, p.695.
2) Ebenda.

sondern als Gruppe der allein Auserwählten sieht. Sie
kann ihre Diskussion mit anderen christlichen Glaubens-
gemeinschaften subtiler führen: Wer den Apostel Johannes
in der Konkretheit der AJ als Träger der gültigen Offenbarung des Herrn in Anspruch nimmt, distanziert sich per se
als Glied dieser Glaubensgemeinschaft von allen anderen
anders akzentuierten christlichen Gruppen und ihrer Inanspruchnahme des Apostels. Neben diesem textimmanenten
Argument ist mit SCHÄFERDIEK auf zwei weitere Kriterien zur zeitlichen Einordnung hinzuweisen:

1. "Die kirchliche ephesinische Johannestradition begegnet in dem voll ausgebildeten Stadium, in dem sie
   von den Johannesakten vorausgesetzt und den eigenen
   Zielen nutzbar gemacht wird, erst im späten zweiten
   Jahrhundert ...

2. Aufgrund dessen und ihrer Benutzung durch das manichäische Psalmbuch andererseits, der bereits ihre Ein-
   gliederung in eine manichäische Sammlung apokrypher
   Apostelgeschichten voraufgegangen war, läßt sich
   die erste Hälfte des dritten Jahrhunderts als ungefäh-
   rer Zeitraum ihrer Entstehung eingrenzen ..."[1]

Kirchengeschichtlich gesehen gehört die die AJ tragende
Gemeinschaft in den Bereich der Sekten am Rande der
Großkirche bzw. des Katholizismus, in ihrem Heimatge-
biet jedoch sind sie als eine der möglichen Formen des
Christentums anzusprechen, die neben anderen besteht und
sich ebenso wie diese als allein legitimierte Nachfolgerin
des Herrn versteht. Diese Gemeinschaft bekennt in den
AJ ihren Glauben und trachtet danach, den Kreis der Anhänger zu vergrößern. Man kann sicherlich davon ausgehen,
daß die Menschen dieser Gemeinschaft nicht anders gelebt

---

1) SCHÄFERDIEK, K.: Herkunft, p.263; SCHÄFERDIEK schließt
   allerdings nicht aus, "daß auch vorgeformtes Über-
   lieferungsgut höheren Alters in sie aufgegangen sein
   kann." (ebenda).

haben als die fiktive Apostelgestalt und ihre ebenso
fiktive Anhängerschar: als Wanderasketen - teilweise
in der Lebensform des Syneisaktentums - beschäftigt
mit Predigt, Lehre und dem Versuch wunderbarer Kran-
kenheilungen. Vielleicht haben sie im Haus eines Glau-
bensgenossen einen Wohnsitz gehabt, den sie von Zeit
zu Zeit wieder aufsuchten, ansonsten aber werden sie von
der Gastfreundschaft der Bekehrten gelebt haben, in
der Gruppierung der Gemeinschaft ausgerichtet auf den
jeweiligen Leiter.

Sieht man den Katholisierungsprozeß als eine "Vereinheitlichung" verschiedener christologischer Ansätze,
als eine Durchstrukturierung der Einzelgemeinden auf
eine Gesamtkirche hin, als eine Ordnung des Gemeinde-
lebens durch Ämter und Funktionen, als Ausbau von kultischen Ordnungen, als ein Leben in Zeit und Geschichte,
in dem die Kirche unter Aufgabe der Naherwartung die
Herrschaft Christi auf Erden zu verwirklichen sucht,
als ein Anteilnehmen an Gesellschaft und Kultur der
Umwelt, so stellen die AJ mit ihren entgegengesetzten
Merkmalen einen kirchengeschichtlichen Anachronismus
dar.[1] Ihre Lebensfähigkeit schöpft die die AJ tragende
Gemeinschaft aus dem Anspruch der einzig verbindlichen
Wahrheit, sie bekräftigen ihn, indem sie diesen Ausspruch
ohne jedes Wenn oder Aber in die Öffentlichkeit tragen.

---

1) NIEDERWIMMER, K. schreibt in bezug auf den Enkratismus
   der Apostelakten: "Er ist streckenweise gnostisch be-
   einflußt, aber als solcher nicht einfach aus der Gnosis
   ableitbar. Vielmehr begegnet uns hier im Grunde ein
   später Reflex jener ursprünglichen enthusiastischen
   Weltabkehr und Sexualabkehr, durch das Umschlagen in
   bloße Weltverneinung gesteigert bis zum Sexualhaß."
   (Askese, p.184). In Hinblick auf den Katholisierungsprozeß bemerkt er weiterhin: "Eine solche Entwicklung
   war offenbar unaufhaltsam, wo sie nicht durch den
   Prozeß der Katholisierung aufgehalten wurde. Der Enkratismus der Akten erklärt sich mithin letztlich aus
   seiner anachronistischen Resistenz gegenüber dem Katholisierungsprozeß." (p.186).

4. Zusammenfassung

4.1. Zur Einheit der AJ

Aufgrund der Analyse von JUNOD/KAESTLI stellte sich
die Frage der literarisch-theologischen Einheit der
AJ unter den voneinander abhängigen Gesichtspunkten der
Zusammengehörigkeit der Kap.87-1o5 und ihrer Zuordnung
zu dem übrigen Text.

4.1.1. Zur Einheit der Kapitel 87-1o5

1. Die literarische Gestaltung zeigt ein Ineinandergreifen der einzelnen Abschnitte mit dem Ziel, in chronologischer Angleichung an die kanonischen Evangelien ein eigenes Evangelium an deren Stelle zu setzen.
2. Die einzelnen Themenkreise sind in der Form aufeinander bezogen, daß die Identität des "geschichtlichen"
   Herrn und des Offenbarers unbezweifelbare Aussage ist.
   Die Durchbrechung des menschlichen Erfahrungsbereiches
   und die Aufhebung der Grenzen menschlicher Existenz
   in der Polymorphie weisen auf die Entgeschichtlichung
   und die Transzendenz des Erlösers hin, die in der
   Offenbarungsrede zur Gewißheit wird.
3. Der Augenzeugenbericht des Joh versetzt die Hörer/
   Leser, die Erwählten, in die Gleichzeitigkeit des
   Sehens mit dem Apostel, schließt sie durch die Esoterik der Offenbarung zusammen und grenzt sie zugleich
   aus ihrem geschichtlichen Umfeld aus.
4. Damit ist der Weg vorbereitet, der entgeschichtlichten
   Kyriosgestalt zu folgen und in der Lösung von den
   weltimmanenten Bezügen Lebensmaßstab und Heil zu gewinnen.

-243-

5. In dieser lebensbestimmenden Erkenntnis des transzendenten Herrn, die allein Joh in seinem Auftrag
an Auserwählte weitergibt, geht das Rettungswerk des
Kyrios seiner Vollendung entgegen.

4.1.2. Evangeliumsverkündigung und Erzählstoff
----

1. In jeder Wundergeschichte nimmt die Selbst- und
Gotteserkenntnis der Menschen ihren Anfang, werden
ihnen die Augen geöffnet für ihre Heimatlosigkeit
in der Welt, die sie hinführt zu dem, der keine
Bindung an Zeit, Geschichte und menschliche Existenz
hatte.
2. Die Wundergeschichten sind Ausdruck des Wirklich-
keitsverständnisses der Gemeinde, deren Sprecher
der Verfasser der AJ ist bzw. als dessen Träger der
Apostel Johannes angesehen wird. Diesem Wirklichkeits-
verständnis entspricht die Evangeliumsverkündigung,
von ihr allein erhalten die Wunder ihren Sinn und
ihr Ziel, wie andererseits die Evangeliumsverkündigung durch die Wunder von der Wortoffenbarung in
Handeln umgesetzt wird.
3. Umgekehrt erfährt die Transzendenz des Herrn in den
Wundergeschichten ihre Konkretion. In ihnen legitimiert sich der Herr als der, der allein Befreiung von
der Welt und den durch sie erlittenen und in ihr
selbst bereiteten Ängsten und Sorgen ermöglichen
kann.
4. Der die Evangeliumsverkündigung prägende Dualismus
durchzieht die Wunder, Reden und Gebete, da nicht
die Rückkehr zur bloßen Lebendigkeit wahrhaftiges
Leben bedeutet, sondern allein in der Bekehrung zum

Kyrios und damit in der Abkehr von der Welt die
Eigentlichkeit des Lebens zu gewinnen ist.[1]

5. Evangeliumsverkündigung und Erzählstoff entsprechen
einander in ihrer Nicht-Verantwortlichkeit für die
Welt, die nicht als Gottes Schöpfung gesehen wird,
sondern allein als die örtlichkeit, in der der Kyrios den Seinen unmittelbar bzw. mittelbar durch
den Apostel begegnet, um sie aus ihr herauszurufen.

6. Wert- und Beurteilungsmaßstab für die Erwählten ist
die Ethik in ihrer Tendenz und Konkretion der Gegnerschaft zur Welt, durch sie grenzen sich die Glaubenden in der Zugehörigkeit zum transzendenten Herrn
deutlich von denen ab, die in der Welt auf irdische
Bindungen hin ausgerichtet leben.

7. Evangeliumsverkündigung und Erzählstoff sind über
den Namen hinaus an den Apostel Johannes gebunden.
Hier wie dort ist er derjenige, der als der auserwählte Offenbarungsträger und Wundertäter das Fundament des Glaubens und eines wahrhaftigen Lebens be-
reitstellt. In der Verschmelzung von Person und Funktion wird sein Apostolat zur Grundlage eines elitären
Christentums.

8. Vom Evangelium aus wird die im Erzählstoff geforderte Anerkennung des Apostels zum singulären Anspruch,
der für den Hörer/Leser zur unabweisbaren Aufforderung
gerät, sich hier und jetzt für oder gegen den Herrn
zu entscheiden.

9. So sind sowohl der Bekenntnischarakter wie das
Missionsinteresse des Erzählstoffes und des Evangeliums wie auch das Beharren auf der Legitimität des
Verkündigers und der Verkündigung ein deutlicher Beweis
für die Existenz einer beide tragenden Gemeinde, für
den untrennbaren Zusammenhang von Evangelium und

---

1) Vgl. SCHÄFERDIEK, K.: Herkunft, p.265.

Erzähltext.

1o.Weder von der kleinasiatischen Johannestradition
aus noch von der Verflochtenheit von Evangelium
und Erzählstoff lassen sich einzelne Teile der AJ
herauslösen.[1] Der Autor hat in der johanneischen
Tradition und der in ihr lebenden Gemeinde seine theo-
logisch-kirchengeschichtliche Heimat. Ihnen verpflichtet, gestaltet er sein Werk und bedient sich dabei
einzelner Überlieferungen unterschiedlicher Art.[2]

4.2. Aussage und Intention

Zwischen den Polen der Anthropologie, Soteriologie
und Christologie entfalten die AJ ihre Botschaft von Jesus Christus als Gott. Sie entwickeln dabei den chri-
stologisch-theologischen Ansatz des JohEv fort und
verschärfen ihn aufgrund ihrer Selbst- und Welterfahrung
in ihrem anthropologischen Interesse zur Aussage über
die Transzendenz des Herrn, wobei in der Differenz zwischen Welt und Erlöser das mit der Transzendenz ursprünglich verbundene räumliche Schema sichtbar wird.
"Transzendent ist, was außerhalb des Kosmos existiert
und mit den an kosmischen Begebenheiten orientierten Begriffen nicht erfaßt werden kann."[3] Im gnostischen

---

1) Vgl. SCHÄFERDIEK, K.: Ebenda: "Im Gesamtrahmen der
   Johannesakten werden beide Elemente, das Evangelium
   wie der Erzählstoff, in wechselseitiger Beziehung
   zum Ausdrucksmittel für das Christentumsverständ-
   nis der hier zu Wort kommenden Gemeinschaft."
2) Vgl. zu den verschiedenen Motiven und Überlieferungen
   auch SCHÄFERDIEK, K.: ebenda.
3) BLUMENBERG, H.: Transzendenz, Sp.989.

Dualismus wird diese Vorstellungswelt von Transzendenz und Immanenz mit den Inhalten einer "jenseitigen
Himmelswelt und der Gottferne des Diesseits"[1] ge-
füllt und in einem mit der Gnosis verflochtenen Christentum zur bestimmenden Komponente der Christologie,
sofern in ihr sich die Erlösungssehnsucht der Menschen
in der Erfahrung der "Unweltlichkeit des menschlichen
Selbst" konkretisiert, in deren Folge die Erlösergestalt
als "Erscheinungsgegenwart"[2] eingeengt bleiben muß.

Das JohEv kann zwar aufgrund des Schöpfungsgedankens
die Inkarnation in seinem theologischen Entwurf ver-
arbeiten, indem es sie aber eines eigenen Stellenwertes
beraubt und auf das Offenbarwerden himmlischer Herrlichkeit im irdischen Raum beschränkt und zugleich die
Passion allein als Erhöhung und Heimkehr versteht, werden die Voraussetzungen für ein Selbstverständnis des
Menschen geschaffen, das sich von der grundsätzlichen
Verschiedenheit zur Welt geprägt weiß. Aus dem johanneischen Christus - zwar inkarniert, aber ohne Bezug
zur Welt und selbst im Tod triumphierend - kann sich
die Vorstellung des transzendenten, nicht eigentlich inkarnierten Kyrios in dem Augenblick entwickeln, wo hi-
storisch-empirische Negativerfahrung von Welt und irdischer Befindlichkeit den Gedanken der Unangemessenheit
und Verfehltheit eines solchen menschlichen Daseins nach

---

1) PANNENBERG, W.: Grundzüge,p.123.
2) Ebenda; PANNENBERG grenzt mit Hilfe des Begriffes
   "Erscheinugsgegenwart" die Aussage einer bloßen
   Epiphanie Gottes von der Wesensidentität Gottes und
   Jesu ab. Beide Vorstellungen gehen von "der Epi-
   phanie ... eines göttlichen Wesens" in Jesus aus,
   einer Vorstellung, die durch die Hellenisierung des
   Gottessohntitels und durch die an die Aussage der
   Präexistenz geknüpften Annahmen möglich war. Durch
   die christliche Gnosis kommt es dann innerhalb dieses
   Vorstellungskomplexes zu der alternativen Ausformung
   von "Wesensgegenwart und bloßer Erscheinungsgegenwart".

sich zieht. Folglich wird in der Konsequenz dieser Erfahrungen und Gedanken die Suche des Menschen nach Erlösung hier ihren Ansatzpunkt haben. Ihr Ziel kann es aber dann nur sein, das eigentliche Sein des Menschen aus den irdischen Bezügen zu lösen. Die die hassenswerte Welt prägenden Ereignisse und Verhältnisse sind nicht mehr länger als unentrinnbarer Zwang hinzunehmen. In der Möglichkeit der Freiheit von der Welt kann der Mensch sich der Aufgabe, die Welt zu gestalten, entnommen sehen, und nur in dieser gewonnenen Freiheit findet er sich selbst, nur sie versteht er als ihm gemäß, nur hier gewinnt er sein Ziel fern jeder Zeitlichkeit.

Menschliches Sein ist nicht mehr begriffen als zeitlich-geschichtliches, sondern als in der Zuordnung zur Transzendenz der Geschichte entnommenes. Die in diesen Rahmen eingebrachte Botschaft von Jesus Christus als dem Erlöser kann zur Botschaft von der transzendenten Erlösergottheit umgeformt werden. So gewinnt auch die präsentische Eschatologie des JohEv gewandelte Züge, insofern die AJ die Gegenwärtigkeit des Heils neu bestimmen in der Einheit des Glaubenden, der Zeit und Geschichte überwunden hat, mit dem transzendenten Herrn. Das ewige Leben ist kein ausstehendes Heilsgut mehr, sondern erreichter Besitz.[1] Die Glaubenden werden nicht erst Miterben am Reich Gottes werden, sie sind es jetzt schon, und ihre noch auf Erden zu verbringende Lebenszeit ist die Zeit der Bewahrung und Bewährung. Unter diesem Aspekt erhält die Rettung konditionalen Charakter.

Die christliche Lehre dient in den AJ letztlich als ein Vehikel zur Bewältigung negativen Daseinsverständnisses,

---

1) Vgl. SCHÄFERDIEK, K.: Herkunft, p.265.

ermöglicht und legitimiert sie doch die Flucht in einen
elitären Zirkel. Jesus Christus selbst wird zu einer
transzendent-moralischen Instanz, die beurteilt und ver-
urteilt, die nicht heilt, um zu helfen, sondern um
in dem offenbarenden Aufweis der vollkommenen Macht zu
erziehen, zu erwählen und zu verwerfen. Für den Erwählten ist der Kyrios die personifizierte Existenzform seiner Weltflucht, in der er sein Sein als geschichtsfrem-
des absolut setzt. Seine Gegenwärtigkeit in der zum Ort
der Begegnung abqualifizierten Geschichte macht der
Apostel erfahrbar, dem Herrn zwar nicht gleich, aber doch
mit Vollmacht ausgestattet, er ist Garant der Heilsgewißheit der Erwählten, wie denn er auch der vom Herrn
Erwählte ist. In seinem Namen als Gründer der hinter den
AJ stehenden Gemeinschaft nimmt sie für sich die Recht-
mäßigkeit des Glaubens in Anspruch.

LITERATURVERZEICHNIS

ACTA APOSTOLORUM APOCRYPHA   Bd. I-II, 1-2,
hrsg. Lipsius, R.A. und
Bonnet, M., Leipzig 1891-19o3
(Darmstadt 1959)

ACTA JOHANNIS   hrsg. Eric Junod et Jean-
Daniel Kaestli,
Corpus Christianorum,
Series Apocryphorum 1 et 2,
Turnhout 1983

NEUTESTAMENTLICHE   hrsg. Hennecke, E. und
APOKRYPHEN IN DEUTSCHER   Schneemelcher. W., Tübingen 1964
ÜBERSETZUNG, II. Bd.

BALZ, H.:   Art.: $\varphi o\beta\acute{e}\omega$ $\varkappa\tau\lambda.$,
in: ThW IX, p.186-194, 2o1-216

BAUER, W.:   Rechtgläubigkeit und Ketzerei
im ältesten Christentum,
2. Aufl. hrsg. G. Stecker,
BHTh 1o, Tübingen 1964

BEHM, J.:   Art.: $vo\acute{e}\omega$ $\varkappa\tau\lambda.$,
in ThW IV, p.947-976; 985-1o16

BERTRAM, G.:   Art.: $\vartheta\varepsilon o\varsigma\varepsilon\beta\acute{\eta}\varsigma$ $\varkappa\tau\lambda.$,
in: ThW III, p.124-128

BIELER, L.: $\Theta EIO\Sigma$ $ANHP$.
Das Bild des "Göttlichen Menschen"
in Spätantike und Frühchristentum,
Darmstadt 1967

BLUMENBERG, H.:   Art.: Transzendenz und Immanenz,
in: RGG 3, Bd. VI, Sp 989-997

BLUMENTHAL, M.:   Formen und Motive in den
apokryphen Apostelgeschichten,
(TU 48,1), Leipzig 1933

BÖHLIG, A.:   Zur Vorstellung vom Lichtkreuz
in Gnostizismus und Manichäismus,
in: Gnosis. Festschrift für Hans
Jonas, hrsg. B. Aland, Göttingen
1978, p. 473-491

BORNKAMM, G.:   Zur Interpretation des
Johannesevangeliums,
in: Ev Theol 28,1968,p.8-25

BORNKAMM, G.:   Der Lohngedanke im Neuen
Testament,
in: Studien zu Antike und Christentum, Gesammelte Aufsätze,
Bd. 2 p.69-92, München 197o

BOUSSET, W.:   Kyrios Christos,
Göttingen 1967

BROX, N.:   "Doketismus" - eine Problem-
anzeige, in: ZKG, Bd.95, 1984

BÜCHSEL, H.M.F.:   Art.: $\varepsilon \H{\iota} \mathcal{S} \omega \lambda o\nu \; \varkappa \tau \lambda .$,
in: ThW II, p.373-377

BULTMANN, R.:   Die Geschichte der synoptischen
Tradition,
FRLANT 12, Göttingen 1964

BULTMANN, R.:   Art.: Johannesevangelium,
in: RGG 3, Bd. 3, Sp. 84o-85o

BULTMANN, R.:   Römer 7 und die Anthropologie
des Paulus (1932),
in: Der alte und der neue
Mensch in der Theologie des
Paulus, p.28-4o, Darmstadt 1964

BULTMANN, R.:   Theologie des Neuen Testaments,
Tübingen 1961

BULTMANN, R.:   Art.: $\varepsilon \H{\upsilon} \lambda \alpha \beta \acute{\eta} \varsigma \; \varkappa \tau \lambda .$,
in: ThW II, 749-751

BULTMANN, R.:   Art.: $\vartheta \acute{\alpha} \nu \alpha \tau o \varsigma \; \varkappa \tau \lambda .$,
in: ThW III, p.7-25

CAMPENHAUSEN, H.v.:   Kirchliches Amt und geistliche Vollmacht in den ersten
drei Jahrhunderten,
BHTh 14, Tübingen 1953

CAMPENHAUSEN, H.v.:   Der urchristliche Apostelbegriff (1947),
in: Das kirchliche Amt im
Neuen Testament,
hrsg.K. Kertelge, p.237-278
Darmstadt 1977

COLPE, C.:   Die religionsgeschichtliche
Schule. Darstellung und
·Kritik ihres Bildes vom
gnostischen Erlösermythos,
FRLANT 78, Göttingen 1961

COLPE, C.:   Art.: $\acute{o} \; \upsilon \acute{\iota} o \varsigma \; \tau o \H{\upsilon} \; \grave{\alpha} \nu \vartheta \varrho \acute{\omega} \pi o \upsilon$,
in: ThW VIII, p.4o3-481

CONZELMANN, H.:   Grundriß der Theologie des
Neuen Testaments,
München 1967

CONZELMANN, H.: Art.: $\sigma\kappa\acute{o}\tau o\varsigma$ $\kappa\tau\lambda.$,
in: ThW VII, p.424-446

CULLMANN, O.: Der johanneische Kreis.
Sein Platz im Spätjudentum,
in der Jüngerschaft Jesu und
im Urchristentum,
Tübingen 1975

DELLING, G.: Art.: $\lambda\alpha\mu\beta\acute{\alpha}\nu\omega$ $\kappa\tau\lambda.$,
in: ThW IV, p.5-16

FEINE-BEHM-KÜMMEL: Einleitung in das Neue
Testament
Heidelberg 1964

FOERSTER, W.: Art.: $\delta\alpha\acute{\iota}\mu\omega\nu$ $\kappa\tau\lambda.$,
in: ThW II, p.1-21

FOERSTER, W.: Art.: $\kappa\tau\acute{\iota}\zeta\omega$ $\kappa\tau\lambda.$,
in ThW III, p.999-1o34

GEYER, H.-G.: Rohgedanken über das Problem
der Identität Jesu Christi,
Ev Theol 1973, 33.Jg,p.385-4o1

HARNACK, A.v.: Marcion. Das Evangelium
vom fremden Gott (1924),
Darmstadt 196o

HOLL, K.: Die Missionsmethode der
alten und die der mittelalter-
lichen Kirche (1912),
in: Gesammelte Aufsätze zur
Kirchengeschichte, Bd. 3,p.117-129,
Darmstadt 1965

HORNSCHUH, M.: Andreasakten,
in:: Hennecke-Schneemelcher:
Ntl. Apokryphen, Bd.2,
p.27o-296

JONAS, H.: Die mythologische Gnosis,
Erster Teil, FRLANT 51,
Göttingen 1964

JUNOD, E./
KAESTLI, J.-D.: Les traits caractéristiques de
la théologie des "Actes de Jean",
in: RThPh, 26, 1976, p.125-145

KÄSEMANN, E.: Jesu letzter Wille nach
Johannes 17,
Tübingen 1966

KERENYI, K.:   Die Mythologie der Griechen
                            Bd. 1, München 1966

KERENYI, K.:   Die Griechisch-Orientalische
                            Romanliteratur in religions-
                            geschichtlicher Beleuchtung
                            (1927),Darmstadt 1962

KÖSTER, H.:   Grundtypen und Kriterien
                            frühchristlicher Glaubens-
                            bekenntnisse,
                            in: Entwicklungslinien durch
                            die Welt des frühen Chri-
                            stentums,
                            hrsg. Köster/Robinson,
                            p.191-215, Tübingen 1971

KÖSTER, H.:   Ein Jesus und die vier ur-
                            sprünglichen Evangeliengattungen,
                            in: Entwicklungslinien durch
                            die Welt des frühen Chrsisten-
                            tums,
                            hrsg. Köster/Robinson
                            p.147-19o, Tübingen 1971

KÖSTER, H.:   Art.: φυσις κτλ.,
                            in: ThW IX, p.246-271

KRAFT, H.:   Art.: Eschatologie V.
                            Christliche Eschatologie,
                            dogmengeschichtlich,
                            in: RGG 3, Bd.2, Sp.672-68o

KRETSCHMAR, G.:   Ein Beitrag zur Frage nach
                            dem Ursprung frühchristli-
                            cher Askese (1964),
                            in: Askese und Mönchtum in
                            der alten Kirche,
                            p.129-18o, Darmstadt 1975

KRETSCHMAR, G.:   Art.: Gnosis III. Christ-
                            licher Gnostizismus, dogmenge-
                            schichtlich,
                            in: RGG 3, Bd.2,Sp.1656-1661

LUZ, U.:   Theologia crucis als Mitte
                            der Theologie im Neuen Testa-
                            ment,
                            in: Ev Theol 1974, Jg.34,p.116-141

MEYER, H.:   Raum und Zeit in Wilhelm Raabes
                            Erzählkunst (1953),
                            in: Zur Poetik des Romans,
                            hrsg. Y. Klotz, p.239-279,
                            Darmstadt 1965

MICHAELIS, W.:   Art.: πασχω κτλ.,
                            in: ThW V, p.9o3-939

MÜLLER, G.:   Über das Zeitgerüst des
Erzählens (Am Beispiel des
"Jürg Jenatsch") (1950),
in: Die Werkinterpretation,
hrsg. H. Enders, p.214-252
Darmstadt 1967

MÜLLER; U.B.:   Die Geschichte der Christo-
logie in der johanneischen
Gemeinde,
Stuttgarter Bibelstudien 77,
Stuttgart 1975

NIEDERWIMMER, K.:   Askese und Mysterium. Über
Ehe, Ehescheidung und Ehe-
verzicht in den Anfängen des
christlichen Glaubens,
FRLANT 113, Göttingen 1975

PANNENBERG, W.:   Grundzüge der Christologie,
Gütersloh 1976

PULVER, M.:   Jesu Reigen und Kreuzigung
nach den Johannesakten,
in: Eranos-Jahrbuch 9, 1942,
p.141-177

RAD, G.v.:   Das erste Buch Mose/Genesis,
ATD 2/4, Göttingen 1976

RAD, G.v.:   Theologie des Alten Testa-
mentes,
Bd. 1, München 1966

REITZENSTEIN, R.:   Hellenistische Mysterien-
religionen,
Stuttgart 1927
(Darmstadt 1966)

RENGSTORF, K.H.:   Art.: διδάσκω κτλ.,
in: ThW II, p.138-168

RENGSTORF, K.H.:   Art.: μαντάνω κτλ.,
in: ThW IV, p.392-465

ROLOFF, J.:   Neues Testament, Neukirchen-
Vluyn, 1977

SÖDER, R.:   Die apokryphen Apostelgeschichten und die romanhafte Lite-
ratur der Antike (1932),
Darmstadt 1969

SCHÄFERDIEK, K.:   Herkunft und Interesse der
                      alten Johannesakten,
                      ZNW   74. Bd., 1983,
                      p.247-267

SCHÄFERDIEK, K.:   Johannesakten,
                      in: Hennecke-Schneemelcher:
                      Ntl.Apokryphen, Bd.2,
                      p.125-176

SCHLIER, H.:   Religionsgeschichtliche Un-
                      tersuchungen zu den Ignatius-
                      briefen, BZNW 8,
                      Gießen 1929

SCHLIER, H.:   Art.: ἐλεύθερος κτλ.,
                      in: ThW II, p.484-5oo

SCHLIER, H.:   Art.: κεφαλή κτλ.,
                      in: ThW III, p.672-682

SCHOTTROFF, L.:   Der Glaubende und die
                      feindliche Welt,
                      WMANT 37,Neukirchen 197o

SCHWEIZER, E.:   Art. πνεῦμα κτλ.,
                      in: ThW VI, p.387-453

SCHWEIZER, E.   Art. σῶμα κτλ.,
                      in: ThW VII, p.1o24-1o42,
                      1o43-1o91

STURHAHN, C.L.:   Die Christologie der apokry-
                      phen Apostelakten,
                      Diss.masch., Heidelberg 1951

THEIßEN, G.:   Urchristliche Wundergeschich-
                      ten. Ein Beitrag zur form-
                      geschichtlichen Erforschung
                      der synoptischen Evangelien,
                      StNT 8, Gütersloh 1974

VIELHAUER, Ph.:   Geschichte der urchristlichen
                      Literatur. Einleitung in das
                      Neue Testament, die Apokry-
                      phen und die Apostolischen Vä-
                      ter,
                      Berlin 1975

VIELHAUER, Ph.:   Ἀνάπαυσις.
                      Zum gnostischen Hintergrund
                      des Thomasevangeliums,
                      in: Aufsätze zum Neuen Testa-
                      ment
                      ThB 31, p.215-234,München 1965

WEINREICH, O.:   Antike Heilungswunder,
                      Untersuchungen zum Wunderglau-
                      ben der Griechen und Römer,
                      RVV 8, 1, Berlin 1909

WIBBING, S.:   Die Tugend- und Lasterkataloge
                      im Neuen Testament und ihre
                      Traditionsgeschichte unter
                      besonderer Berücksichtigung
                      der Qumran-Texte,
                      BZNW 25, Berlin 1959

WIKENHAUSER, A.:   "Doppelträume",
                      in: Biblica 29,1948,p.1oo-111

WILPERT.G.v.:   Sachwörterbuch der Literatur,
                      Stuttgart 1964

ZAHN, Th.   Die Wanderungen des Apostels
                      Johannes,
                      in: Neue kirchliche Zeitschrift,
                      X. Jg., Erlangen und Leipzig
                      1899, p.191-218

DATE DUE
